王伟立
李慧群
著

华为的管理模式

第3版

解密华为成功基因丛书

海天出版社（中国·深圳）

图书在版编目 (CIP) 数据

华为的管理模式 / 王伟立, 李慧群著. — 第3版. — 深圳 : 海天出版社, 2012.11 (2019.1重印)
(解密华为成功基因丛书)
ISBN 978-7-5507-0498-5

Ⅰ.①华… Ⅱ.①王… ②李… Ⅲ.①通信—邮电企业—企业管理—经验—深圳市 Ⅳ.①F632.765.3

中国版本图书馆CIP数据核字(2012)第179191号

华为的管理模式
HUAWEIDEGUANLIMOSHI

出 品 人	聂雄前
责任编辑	张绪华 许全军
责任技编	梁立新
封面设计	北京品创设计

出版发行	海天出版社
地　　址	深圳市彩田南路海天大厦　（518033）
网　　址	www.htph.com.cn
订购电话	0755-83460293(批发)　83460397(邮购)
设计制作	蒙丹广告0755-82027867
印　　刷	深圳市希望印务有限公司
开　　本	787mm×1092mm　1/16
印　　张	17.5
字　　数	225千
版　　次	2012年11月第3版
印　　次	2019年1月第8次
定　　价	39.00元

　　本套丛书在出版之后，虽然未大量宣传，但很快便受到读者的热捧和持续好评，一再重版和重印；至今仍然畅销如故，有些品种甚至一度出现断货的情况。不少企业负责人纷纷打电话来要求团购，同时也对图书的再版内容提出了很多非常有价值的建议。

　　华为经历了 2009 年金融危机的洗礼之后，在 2011 年国际经济形势异常严峻的情况下，销售收入依然持续增长，达到了 2039 亿元人民币，而且实现了 116 亿元人民币的净利润。这种持续增长的内因是值得我们深入研究和探讨的。鉴于此，我们对本套丛书进行了再修订。

　　本套再版的丛书对华为进行了最权威也是最全面、最细致的解读。除了将华为近年在管理模式、人力资源管理、企业文化和研发与创新等的变化进行最新深度分析之外，我们还根据一些企业高层管理者的建议，在结合华为的案例分析时，增加了华为在管理模式、人力资源管理、企业文化和研发与创新方面，对于大多数企业都有启示和借鉴的内容，对读者有更加专业的建议及启示。同时，我们对每章后面的专题、案例链接、附录等进行了精编，使内容更具有针对性和指导性的同时，也更加精练。

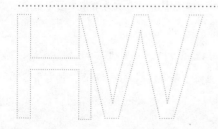

前言

向华为学习什么

　　企业犹如明星，其命运随着潮流的变化而跌宕起伏，但华为似乎可以算是一个例外。在每一个浪尖谷底，它总是坦然以对，走着自己的路，并最终开辟出一条通往世界的扩张之路。

　　作为中国最成功的民营企业，华为的营业额已经步入世界 500 强的门槛，成为真正意义上的世界级企业。截至 2011 年 12 月 31 日，华为营收达到 2039 亿元，持有可用现金流为 572 亿元，稳居全球第二大电信设备商的地位，且与爱立信的收入差距进一步缩小。

　　"10 年之后，世界通信行业三分天下，华为将占'一分'。"华为总裁任正非当年的豪言犹在人耳。如今，华为这一梦想已然实现。华为总裁任正非凭借着自己出色的经营思想和远见卓识的管理才能，创建了华为，并带领着华为在发展中不断地壮大，从中国走向世界，使华为在世界上产生了巨大的影响并最终改写了全球电信业的"生存规则"。

　　《时代周刊》曾这样评价任正非：年过 60 岁的任正非显示出惊人的企业家才能。他在 1987 年创办了华为公司，这家公司已重复当年思科、爱立信卓著的全球化大公司的历程，如今这些电信巨头已把华为视为"最危险"的竞争对手。英国《经济学人》对华为也给予了极高的评价："它（华为）的崛起，是外国跨国公司的灾难。"

　　华为是中国企业实现国际化的一面标志性旗帜，它所走过的路正在成为众多中国企业学习的经典教材。

　　华为的逆势增长有其偶然性，也有其必然性。必然性在于，它在管理方法、营销策略、战略谋定、人力资源管理、国际化、企业文化和研发策略上都有特别的成功基因，拥有了这些基因与武器，华为自然能够披荆斩棘，成为中国企业中的佼佼者。

成功基因一：管理模式

华为之所以成为中国民营企业的标杆，不仅因为它用 10 年左右的时间将资产扩张了 1000 倍，不仅因为它在技术上从模仿到跟进又到领先，更因为华为与国际接轨的管理模式。

西方人崇尚法治，而东方人则倾向于人治。华为的管理，始终是中西方管理理念的碰撞和结合。从流程和财务制度这些最标准化甚至不需质疑的"硬件"开始，华为从制度管理到运营管理逐步"西化"，潜移默化地推动"软件"的国际化。

诞生于 1995 年的《华为之歌》唱道："学习美国的先进技术，吸取日本的优良管理，像德国人那样一丝不苟，踏踏实实，兢兢业业。"华为最终决定向美国学习管理。

华为同 IBM、Hay Group、PwC 和 FhG 等世界一流管理咨询公司合作，在集成产品开发（IPD）、集成供应链（ISC）、人力资源管理、财务管理和质量控制等方面进行深刻变革，引进业界最佳的实践方式，建立了基于 IT 的管理体系。任正非表示：

"在管理上，我不是一个激进主义者，而是一个改良主义者，主张不断地进步"。"我们要的是变革而不是革命，我们的变革是退一步进两步"。

"先僵化，后优化，再固化"，这是任正非提出的一个著名的管理改革理论。

华为的管理优化进行得如火如荼的关键是其领袖任正非对管理的重视，尽管许多人更愿意为他贴上毛式风格的标签。但在任正非心里，只要有利于实现"成为世界级领先企业"的光荣与梦想，一切的改变和改革都是必要和必需的。任正非强势地推动了这一切。

"上述这些管理的方法论是看似无生命实则有生命的东西。它的无生命体现在管理者会离开，会死亡，而管理体系会代代相传；它的有生命则在于随着我们一代一代奋斗者生命的终结，管理体系会一代一代越来越成熟，因为每一代管理者都在给我们的体系添砖加瓦。"

在国际化管理方面，任正非判断国际化是华为度过"冬天"的唯一出路。20 世纪 90 年代中期，在与中国人民大学的教授一起规划《华为公司基本法》时，任正非就明确提出，要把华为做成一个国际化的公司。与此同时，华为的国际化行动也就跌跌撞撞地开始了。

1998 年，英国《经济学人》杂志就说过：华为这样的中国公司的崛起将是外国跨国公司的灾难。这话也许并不是危言耸听。在思科与华为的知识产权纠纷案之后，思科总裁钱伯斯表示："华为是一家值得尊重的企业。"美国花旗集团公司执行董事罗伯特·劳伦斯·库恩博士曾称，华为已经具备"世界级企业"的资质，它的崛起"震惊了原来的大佬们——如北电、诺基亚、阿尔卡特—朗讯"。

在任正非的领导下,华为成功地迈出了由"活下去"到"走出去",再到"走上去"的惊险一跳,依靠独特的国际化战略,改变行业竞争格局,让竞争对手由"忽视"华为到"平视"华为,再到"重视"华为。

在和跨国公司产生不可避免的对抗性竞争的时候,华为屡屡获胜,为中国赢得骄傲。然而,这份骄傲来得并不是那么容易。在最初的国际化过程中,华为是屡战屡败,屡败屡战。最终华为是采用了巧妙的"农村包围城市"的办法取得了国际化的初步胜利。即使在今天,亚非拉等一些不发达的国家和地区,依然为华为创造着很大的利润。但在华为总裁任正非看来,美国才是他认定的真正意义上的全球主流市场。因为全球电信设备的最大买主大部分集中在北美,这个市场每年的电信设备采购的花费是全球电信开支的一半。而为了北美市场的破局,华为足足抗战了 8 年。以华为为首的中国制造业典范,正在用自主创新的技术,引领着中国制造业的复苏。

中国企业与跨国公司的距离有多远,企业"走出去"的道路有多长?华为公司的实践说明:只要不等不靠,坚定地走出去,看似遥不可及的目标可能就在眼前。

在营销管理方面,华为总裁任正非如是说:"华为的产品也许不是最好的,但那又怎么样?什么是核心竞争力?选择我而没有选择你就是核心竞争力。"华为有很多成功的理由,但如果没有华为市场的成功,绝对成就不了今天的华为。在华为,营销就是核心竞争力,华为用三流的技术卖出了一流的市场。

在创业初期,华为的跨国营销策略是"跟着我国外交路线走"。华为依照外交路线设计营销路线也是明智的选择:可以在国家外交的背景下,长期稳定海外发展方向,可以优先获得政府的支持。正如任正非所说的:正因为华为的产品在某些方面不如别人,华为才更要参加各种活动特别是国际大型会展,这样就能让更多的人知道华为,了解华为。与在国内的过分低调相比,华为在国际市场上明显要活跃得多。任正非表示:

"我们在国际市场上需要发出适当的声音,需要让别人了解华为。"

华为的客户关系在华为内部被总结为"一五一工程",即:一支队伍、五个手段(参观公司、参观样板点、现场会、技术交流、管理和经营研究)、一个资料库。通过这个"一五一工程",为经营好客户关系,华为人对其无微不至。华为员工常常能把省电信管理局上下领导的爱人请去深圳看海,并将家里换煤气罐等所有家务事都包了;能够从机场把对手的客户接到自己的展厅里;能够比一个新任处长更早得知其新办公地址,在他上任第一天将《华为人》报改投到新单位。这些并不稀奇的"常规武器",已经固化到华为企业制度和文化中了。

华为接待客户的能力更是让一家国际知名的日本电子企业领袖在参观华为后震惊，认为华为的接待水平是"世界一流"的。

在战略管理方面，任正非表示："凡是战略，都是专注。"《华为公司基本法》第一条规定："为了使华为成为世界一流的设备供应商，我们将永不进入信息服务业。通过无依赖的市场压力传递，使内部机制永远处于激活状态。"

军人出身的华为总裁任正非很喜欢读《毛泽东选集》，一有闲工夫，他就琢磨怎样使毛泽东的兵法转化成华为的战略。仔细研究华为的发展，我们不难发现其市场攻略、客户政策、竞争策略以及内部管理与运作，无不深深打上传统权谋智慧和"毛式"哲学的烙印。其内部讲话和宣传资料，字里行间跳动着战争术语，极富煽动性。

在敌强我弱、敌众我寡的形势下，任正非受毛泽东启发创造了华为著名的"压强原则"。

"我们坚持'压强原则'，在成功关键因素和选定的战略生长点上，以超过主要竞争对手的强度配置资源。我们要么不做，要做，就极大地集中人力、物力和财力，实现重点突破。"

任正非信奉"将所有的鸡蛋都放在同一个篮子里"的原则，无论是在业务选择、研发投入还是在国际化的道路上，这种专业化战略的坚持，至今折服着诸多企业家。正是华为的远大目标和不断地坚持，使得华为走到了今天。

对于管理，任正非有着这样的体悟：

"管理就像长江一样，我们修好堤坝，让水在里面自由流，管它晚上流，白天流。晚上我睡觉，但水还自动流。水流到海里面，蒸发进入空气，雪落在喜马拉雅山，又化成水，流到长江，长江又流到海，海水又蒸发。这样循环搞多了以后，它就忘了一个 还在岸上喊'逝者如斯夫'的人，一个'圣者'。它忘了这个'圣者'，只管自己流。这个'圣者'是谁？就是企业家。

"企业家在这个企业没有太大作用的时候，就是这个企业最有生命的时候。所以当企业家还具有很高威望、大家都很崇敬他的时候，就是企业最没有希望、最危险的时候。所以我们认为华为的宏观商业模式，就是以客户需求作为产品发展的路标，企业管理的目标是流程化组织建设。同时，牢记客户永远是企业之魂。"

成功基因二：人力资源管理

任正非说：

"华为唯一可以依存的是人，认真负责和管理有效的员工是华为最大的财富，员工在企业成长圈中处于重要的主动位置。"

在华为,任正非崇尚"权力智慧化,知识资本化"。在任正非看来,企业就是要发展一群狼,因为狼有三大特性:一是敏锐的嗅觉,二是奋不顾身、不屈不挠的进攻精神,三是群体奋斗。为此华为已形成了独特的狼性企业文化,并将其上升为核心竞争力,保持了企业持续快速增长。因此,任正非在华为人力资源管理中坚持"人力资本的增值一定要大于财务资本的增值"。

任正非认为:

"对人的能力进行管理的能力才是企业的核心竞争力。"

深谙兵法的任正非把西点军校的校训"责任、荣誉、国家"(Duty, Honor, Country)贯彻进华为的每一位员工心中。通过"薪酬制度、员工培训"使员工有了责任感和荣誉感,而且把自己的事业与国家的兴盛这种崇高理想相结合,在工作中释放出巨大的能量。

华为的大规模人力资源体系建设,开始于1996年的市场部集体辞职。当时,华为市场部所有正职干部,从市场部总裁到各个区域办事处主任,所有办事处主任以上的干部都要提交两份报告,一份是述职报告,一份为辞职报告。2000年1月,任正非在"集体辞职"4周年纪念讲话中如此评价道:

"市场部集体大辞职,对构建公司今天和未来的影响是极其深刻和远大的。任何一个民族,任何一个组织只要没有新陈代谢,生命就会停止。如果我们顾全每位功臣的历史,那么就会葬送公司的前途。如果没有市场部集体大辞职所带来的对华为公司文化的影响,任何先进的管理、先进的体系在华为都无法生根。"

华为在人力资源上的每次调整都会引起业界的轩然大波,其真实目的在于:

"不断地向员工的太平意识宣战"。"人力资源改革,受益最大的是那些有奋斗精神、勇于承担责任、冲锋在前并作出贡献的员工;受鞭策的是那些安于现状、不思进取、躺在功劳簿上睡大觉的员工"。

华为最大的特点就是干部能上又能下,下了还能上。华为员工犯了错误下来之后,还有机会再上去。

华为不仅建立了在自由雇佣制基础上的人力资源管理体制,而且引入人才竞争和选择机制,在内部建立劳动力市场,促进内部人才的合理流动。在人才流动上,华为强调高中级干部强制轮换,以培养和提高他们能担当重任的综合素质;对低级职员则提供自然流动,爱一行干一行,在岗位上做实,成为某一方面的管理或技术专家。

成功基因三：企业文化

美国著名管理专家托马斯·彼得斯和小罗伯特·沃特曼研究美国43家优秀公司的成功因素，发现成功的背后总有各自的管理风格，而决定这些管理风格的恰恰是各自的企业文化。

任正非在《致新员工书》中写道：

"华为的企业文化是建立在国家优良传统文化基础上的企业文化，这个企业文化黏合全体员工团结合作，走群体奋斗的道路。有了这个平台，你的聪明才智方能很好地发挥，并有所成就。没有责任心，不善于合作，不能群体奋斗的人，等于丧失了在华为进步的机会。华为非常厌恶的是个人英雄主义，主张的是团队作战，胜则举杯相庆，败则拼死相救。"

任正非主导的华为特色的企业文化和任氏风格的管理思想，如"小胜在智，大胜在德""满足客户需求是华为存在的唯一理由""群体接班""静水潜流的企业文化""棉袄就是现金流"等等，深刻地影响着中国企业界，已成为中国企业家学习的样本。华为十分重视企业文化，任正非对此有着精辟的论述：

"资源是会枯竭的，唯有文化才会生生不息。"

然而在很多人的眼里，华为的企业文化被称为狼性企业文化，其中浸透着一股"狼性"。狼性精神使得华为常常用集体战斗胜过了强大若干倍的对手，找到了生存之法。

华为的企业文化中另一个具有辨识度的东西是《华为公司基本法》。这个基本法的意义在于将高层的思维真正转化为大家能够看得见、摸得着的东西，使彼此之间能够达成共识，这是一个权力智慧化的过程。任正非表示："避免陷入经验主义，这是我们制定《华为公司基本法》的基本立场"。"成为世界级领先企业"被写入《华为公司基本法》第一章第一条，它是华为的终极目标与最后理想。

作为一个具有改革精神的企业，华为也不断地在企业文化上进行修补。与多数陷入困境中才决定要进行改革的企业所不同的是：华为总是选择在公司风调雨顺的时候开始改革，这也是因为任正非广为人知的忧患意识。

"冬天总会过去，春天一定会来到。我们要趁着冬天，养精蓄锐，加强内部的改造，度过这个严冬"，"10年来我天天思考的都是失败，对成功视而不见，也没有什么荣誉感、自豪感，而是危机感"，"艰苦奋斗必然带来繁荣，繁荣以后不再艰苦奋斗，必然丢失繁荣"。

成功基因四：研发与创新

华为推崇创新。20多年来，在任正非的领导下，华为对技术创新孜孜追求。华为对创新也形成了自己的观点：不创新是华为最大的风险。

2001年，联想集团CEO杨元庆来华为参观时表示联想要加大研发投入，做高科技的联想。任正非以一位长者的口吻对他说："开发可不是一件容易的事，你要做好投入几十个亿，几年不冒泡的准备。"

华为如今在国际上的地位，来源于其多年来在研发上的巨额投入。在别人觉得搞技术是赔钱买卖的时候，任正非却每年将华为收入的10%以上投入到研发中。华为始终相信客户需求导向优先于技术导向。任正非认为正是在这样一种创新精神和对技术的追求之下，使得华为成就了一系列的第一。

从一家早期以低价格竞争取胜的企业，几年之间迅速转变成技术型企业，所用时间之短，发展速度之快，让人为之咋舌。

美国著名国际投资银行家和公司战略家、现任花旗集团公司执行董事的罗伯特·劳伦斯·库恩博士表示，华为已经具备"世界级企业"的资质。他表示，虽然许多人曾经认为华为抄袭外国技术而批评它是"二流公司"，但现在，"华为已经成为世界革新领袖"，它的崛起"震惊了原来的大佬们——如北电、诺基亚、阿尔卡特—朗讯"。

第1章

管理制胜

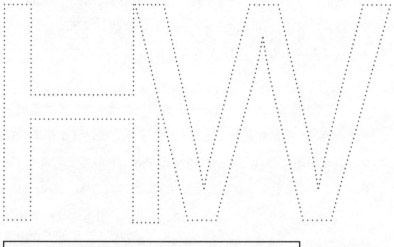

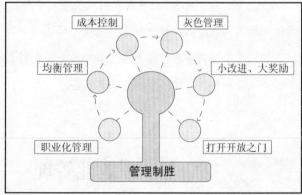

成本控制	灰色管理
均衡管理	小改进、大奖励
职业化管理	打开开放之门

管理制胜

要赶上美国的企业，十分重要的一条就是改善管理。

——华为总裁　任正非

没有任何公开的证据表明华为总裁任正非是管理专家，在此前他仅仅是个优秀的科技工作者。但是华为的管理优化进行得如火如荼的关键是其领袖任正非对管理的重视，尽管许多人更愿意为他贴上毛式风格的标签。在任正非心里，只要有利于实现"成为世界级领先企业"的光荣与梦想，一切的改变和改革都是必要和必需的。不必继续追问这个理想背后的根源与动机，关键在于华为正在被该理想驱使，并努力奋斗。2005年，任正非在其题为《华为公司的核心价值观》的演讲中这样描述华为管理模式的发展过程：

从1998年起，华为系统地引入世界级管理咨询公司的管理经验，在集成产品开发（IPD）、集成供应链（ISC）、人力资源管理、财务管理、质量控制等诸多方面，华为与IBM、Hay Group、Mercer、PwC、FhG等公司展开了深入合作，全面构筑客户需求驱动的组织流程和管理体系。华为与IBM、Hay、Mercer、PwC、德勤、FhG、盖洛普、NFO-TNS、Oracle等公司合作，引入先进的管理理念和方法论，从业务流程、组织、品质控制、人力资源、财务客户满意度等六个方面进行了系统变革，把公司业务管理体系聚焦到创造客户价值这个核心上，经过不断改进，华为的管理已与国际接轨，不仅承受了公司业务持续高速增长的考验，而且赢得了海内外客户及全球合作伙伴普遍认可，有效支撑了公司全球化战略。

 # 第一节　职业化管理

很多企业一开始并没有什么伟大目标，可能仅仅是因为偶尔一次机会赚到了钱，就成功了。但是，创业的成功并不能保证企业能实现持续的发展和成功。一个企业要由创业企业走向真正有持续生存能力、成长型的企业，职业化管理是一个非常重要的基础。

企业必须实行职业化的管理。如果一个企业不能够走向职业化的管理，任何宏伟的战略都是不可能实现的。简单来说，职业化的管理就是解决企业内部问题要靠法治而非人治，也就是企业依照程序和规则运作，而非靠兴趣和感情维持。当然，这里并非否认在企业运作过程中个人的权威、个人的魅力对企业发展的重要性。但是，只有将企业家的魅力变成程序化的、可被接受的管理程序时，这个企业才真正实现了职业化的管理。

职业化的管理是一种制度，而不是一种人治。要推行职业化的管理，就要有职业化的管理队伍。目前我国众多企业面临的一个问题是经理层管理人员的职业化程度不高。中国出现职业经理人的历史不过 10 年左右，实际上，除了 IT 界一些成熟的外企和极少数的民企外，大多数企业管理层的职业化程度都不高，职业经理人的短缺严重制约了我国经济的不断发展。中国企业呼唤职业经理人，而如何系统培养职业经理人已成了企业面临的重要问题。全球化和国际化的浪潮，极大地推动了中国企业管理模式的转变，职业化的经理人正在逐渐成为企业管理运作所不可或缺的专业化人才。

华为在创立 10 年后，迎来了业务发展迅速、公司规模飞速扩张的黄金时期。但是，和中国许多民营企业一样，华为也遇到了人员管理上的棘手问题。华为业务人员和研发人员的业务能力都不错，但是管理能力明显缺乏。每年的干部提拔没有标准，华为领导层对很多拟提拔的干部根本就没有听说过，很难以自己的感觉和经验来做任命决策。所以，华为迫切需要建立任职资格体系，来解决人才需求问题。

任正非一直希望了解世界大公司是如何管理的。从 1992 年开始他先后到美国、欧洲、日本等国家，走访了法国阿尔卡特、德国西门子等行业领先跨国公司。任正非是一位善于观察和学习的管理者，这些海外访问，给了他很多触动。

任正非对于职业化的思考还源于这样一个棘手问题。1997 年任正非访问美国时发现，美国与华为差不多规模的公司其产值都在 50 亿～ 60 亿美元以上，是华为的 3 ～ 5 倍。任正非认为，华为发展不快有内部原因，也有外部原因。内部原因是不会管理，而外部原因是社会上难以招到既有良好素质，又有国际大型高科技企业管理经验的空降部队。任正非在其文章《我们向美国人民学习什么》中写道：

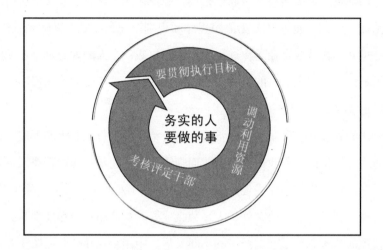

这次我们也考察了一些小公司，与华为几乎是同时起步的，年产值已达 20 亿～30 亿美元，美国与华为差不多规模的公司产值都在 50 亿～ 60 亿美元以上，是华为的 3 ～ 5 倍。华为发展不快的原因有内部原因，也有外部原因。

内部原因是不会管理。华为没有一个人曾经在大型的高科技公司干过，从开发到市场，从生产到财务，全都是外行，像未涉世事的学生一边摸索一边前进，磕磕碰碰走过来的。企业高层管理者大量的精力用于员工培训，而非决策研究。

外部原因是社会上难以招到既有良好素质，又有国际大型高科技企业管理经验的空降部队。即使能招到，一人两人也不行，得有一个群体。国内政策与公司实力还养不起一个群体。

再者，中国的技术人员重功能开发，轻技术服务，导致维护专家的成长缓慢，严重地制约了人才的均衡成长，外国公司一般都十分重视服务。没有良好的服务队伍，就是能销售也不敢大销售，没有好的服务网络公司就会垮下来。我们与外国大公司交谈时，他们都陈述自己有一个多么大的服务网络。相比之下，华为发展并不快，资源使用上也不充分，还有潜力可以发挥。

在 1997 年圣诞节前后，在访问了美国休斯公司、IBM、贝尔实验室和惠普等 4 家公司后，任正非深思熟虑并权衡之后对华为提出了一系列改造计划。在这一年，华为与国际著名管理顾问公司合作，改革人力资源管理，准备用几年的时间建立起以职位体系为基础、以绩效体系与薪酬体系为核心的现代人力资源管理制度，希望建立一个可以推动华为更快速发展的员工群体。

事实上，早在 1997 年华为全面引进世界级管理变革之前，华为的管理思维就已经开始萌芽生长。1996 年～1998 年间，华为引入人民大学 6 位教授，耗时 3 年出台了第一部企业管理大纲《华为公司基本法》。他们对华为文化与价值观以及未来战略做出第一次系统的思考，建立初级的价值评估与分配体系（薪酬制度），并从日本引入"合理化建议制度"等等。此 3 年可以视为华为管理变革的前奏；而 1997 年至今，华为开始全面引进国际管理体系，包括"职位与薪酬体系"，以及任职资格管理体系，从 IBM 引进的集成产品开发（IPD）等。

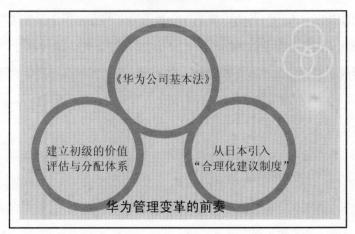

耗费如此代价进行业务流程变革，华为为了什么？华为前人力资源副总裁吴建国在其文章中这样分析道："过去 20 年间，中国企业与国际对手的竞争主要依靠两种优势，一是人力资源的成本优势，二是基于中国市场特点的营销能力。但是，这些都是由企业外部环境所构成的外在优势，随着时间的推移，在全球化的竞争环境中，这些优势正在迅速消失。中国企业一贯采取的粗放型管理模式，在企业做大之后，就会产生只规模而不经济的通病。

　　"华为在与 IBM 合作之前，已经开始出现'增产不增收'的效益递减现象。任正非逐渐认识到，只有对整个经营过程优化，在规模扩张的同时做到精益求精，不断提高人均效益，才能逐步缩小与国际企业在核心能力上的差距，实现企业的可持续发展。

　　"创业阶段，华为避开了与跨国公司的正面竞争，在它们不愿顾及的农村市场站稳了脚跟。但是，与世界一流公司相比，华为的管理水平和员工的职业化素养都存在明显的差距，'农民＋手工作坊'的创业发展模式，已经成为制约企业持续发展的最大障碍。"

　　任正非认为，华为要寻求更大的发展，就必须进行管理变革，使其管理体系与国际化接轨。实行职业化管理是成为世界一流企业的必要条件。

　　职业化管理指的是解决企业内部问题要靠"法治"而非"人治"。企业在初创时，由于主要的管理控制权掌握在企业的拥有者或关键技术的掌握者手里。因此，这时的企业往往以"人治"为主，就是以少数领导者的意志为企业管理的主导意志的管理模式；而随着企业的不断发展，领导者的意志已经对企业各个方面实施有效管理形成了阻碍，企业需要根据自己的业务状况制订和执行科学的管理制度和业务流程，形成一种决策科学化、流程标准化、考核系统化的管理模式，即"法治"。提高职业化水平其实就是从"人治"向"法治"转变的过程。

　　任正非表示：

　　职业化、规范化、表格化、模板化的管理还十分欠缺。华为是一群从青纱帐里出来的土八路，还习惯于埋个地雷，端个炮楼的工作方法。还不习惯于职业化、表格化、模板化、规范化的管理。重复的劳动，重叠的管理还十分多，这就是效率不高的根源。我看过香港秘书的工作，有条有序地一会儿就把事做完了，而我们还要摸摸索索，做完了还不知合格否，又开一个小会审查，你看看这就是高成本。要迅速实现 IT 管理，我们的干部素质还必须极大地提高。

　　任正非也曾忧虑地说：

我们的游击作风还没有褪尽，国际化的管理风格尚未形成，员工的职业化水平还很低，我们还不具备在国际市场上的驰骋能力，我们的帆船一驶出大洋，就发现了问题。

于是，1997 年开始，华为与国际著名的顾问公司合作，大力改革人力资源管理制度，逐步建立起以职位体系为基础、以绩效与薪酬体系为核心的现代人力资源管理制度，促使华为员工的任职能力不断增强，从而使员工承担的责任越来越大，职业化水平越来越高，打造一支可以推动华为更快速发展的职业团队。

为达到职业化、流程化的目的，华为在著名人力资源咨询公司 HAY 的协助下，制定、公布了高层干部任职资格评价标准。任职资格共分 5 个等级，其中第三、四、五级干部任职资格标准保持了相当长时间的稳定，每个高层干部每年年初都要填写任职资格表格，年末写述职报告，公司根据他的工作评定是否合格。

2000 年以后，华为进入以职业化、流程化管理为特点的第二创业阶段。任正非在其文章《要从必然王国，走向自由王国》中写道：

华为第一次创业的特点，是靠企业家行为，为了抓住机会，不顾手中资源，奋力牵引，凭着第一、第二代创业者的艰苦奋斗、远见卓识、超人的胆略，使公司从小发展到粗具规模。第二次创业的目标就是可持续发展，要用 10 年时间使各项工作与国际接轨。它的特点是要淡化企业家的个人色彩，强化职业化管理。把人格魅力、牵引精神、个人推动力变成一种氛围，使它形成一个场，以推动和引导企业的正确发展。氛围也是一种宝贵的管理资源，只有氛围才会普及大多数人，才会形成宏大的具有相同价值观与驾驭能力的管理者队伍。才能在大规模的范围内，共同推动企业进步，而不是相互抵消。这个导向性的氛围就是共同制定并认同的《华为公司基本法》，而形成切实推动的就是将在 10 年内陆续产生的近百个子基本法。它将规范我们的行为与管理。

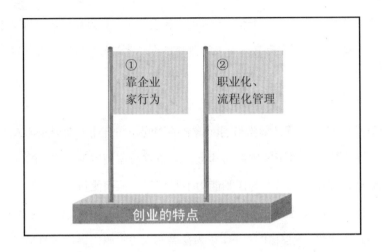

2009 年 4 月 24 日，任正非在华为运作与交付体系奋斗表彰大会上说道：

什么是职业化？就是在同一时间、同样的条件，做同样的事的成本更低，这就是职业化。但市场竞争，对手优化了，你不优化，留给你的就是死亡。思科在创新上的能力，爱立信在内部管理上的水平，我们现在还是远远赶不上的。我们要缩短这些差距，必须持续地改良我们的管理，不缩短差距客户就会抛离我们。

这些改造奠定了华为全球运营的根基。而任正非的这些改造并非基于"独立自主"或"中国式的"，而是建立在全球视野基础上所勾勒出的"整合全球资源为我所用"的未来发展战略。

第二节　均衡管理

2011 年 1 月 4 日，任正非在华为大学干部高级管理研讨班上的讲话中表示：

过去公司采取的是"强干弱枝"政策，要加强组织均衡管理。什么叫强干？过去是重市场研发，现在是重研发市场，忽略了公司均衡发展，我们的枝很弱，要从干部管理这方面开始改变。

我们公司是重技术不重管理，西方则是管理重过技术，我们再也不能走强干弱枝的道路了。我们的高层干部都想不到要均衡发展，怎么可能让基层干部和基层员工想到均衡发展？我们要跳出固有思维方式，要在各个领域全面发展，做不好这一点，我们就不具备全球业务运作的能力。

任正非指出，均衡发展就是抓短的一块木板。在管理学中，有一个"木桶理论"，讲的是一个木桶能盛下多少水，不是由组成木桶壁最长的一块木板决定，而是由最短的一块木板来决定的。

一个企业好比一个大木桶，企业中的每一个员工都是组成这个大木桶不可或缺的一块木板。同样的道理，企业的成功往往不只取决于某几个人的超群和突出，更取决于它的整体状况，取决于它是否存在某些突出的薄弱环节。"木桶理论"表明，对企业而言，"最短的木板"就意味着企业的劣势，因此，劣势决定优势，劣势决定生死。

在多次出访日本，并见识到了日本企业的精细化管理后，任正非对照华为管理中存在的粗放、低效、发展不均衡等问题，在2000年提出的"2001年管理十大要点"中，他将"均衡发展"作为华为管理任务的第一个要点来加以强调。可以讲，任正非的经营治理思想的核心就是均衡，均衡是其最高的经营治理哲学。

任正非在其题为《华为公司十大管理要点》的演讲中说道：

在管理改进中，一定要强调改进我们木板最短的那一块。为什么要解决短木板呢？公司从上到下都重视研发、营销，但不重视理货系统、中央收发系统、出纳系统、订单系统等很多系统，这些不被重视的系统就是短木板，前面干得再好，后面发不出货，还是等于没干。因此全公司一定要建立起统一的价值评价体系，统一的考评体系，才能使人员在内部流动和平衡成为可能。比如有人说我搞研发创新很厉害，但创新的价值如何体现，创新必须通过转化变成商品，才能产生价值。我们重视技术、重视营销，这一点我并不反对，但每一个链条都是很重要的。

研发相对用（户）服（务）来说，同等级别的一个用（户）服（务）工程师可能要比研发人员综合处理能力还强一些。所以如果我们对售后服务体系不给予认同，那么这体系就永远不是由优秀的人来组成的。不是由优秀的人来组织，就是高成本的组织。因为他飞过去修机器，一趟修不好，又飞过去还修不好，再飞过去又修不好。我们把工资全都赞助给民航了。如果我们一次就能修好，甚至根本不用过去，用远程指导就能修好，我们将节省多少成本啊！

我们这几年来研发了很多产品，但 IBM 等西方公司到我们公司来参观时就笑话我们浪费很大，因为我们研发了很多好东西就是卖不出去，这实际上就是浪费。我们不重视体系的建设，就会造成资源上的浪费。要减少木桶的短木板，就要建立均衡的价值体系，要强调公司整体核心竞争力的提升。

创立初期，华为的组织结构以反应迅速、运作高效而著称，但是如果它不能根据市场需求以及企业发展态势不断调整，就会成为影响企业整体发展的短板。

2001 年，在《北国之春》一文中，任正非写道：

华为组织结构的不均衡，是低效率的运作结构。就像一个桶装水多少取决于最短的一块木板一样，不均衡的地方就是流程的瓶颈。例如：我公司初创时期处于饥寒交迫，等米下锅。初期十分重视研发、营销以快速适应市场的做法是正确的。活不下去，哪来的科学管理。但是，随着创业初期的过去，这种偏向并没有向科学合理转变，因为晋升到高层的干部多来自研发、营销的干部，他们在处理问题、价值评价时，有不自觉的习惯倾向，以使强的部门更强，弱的部门更弱，形成瓶颈。有时一些高层干部指责计划与预算不准确，成本核算与控制没有进入项目，会计账目的分产品、分层、分区域、分项目的核算做得不好，现金流还达不到先进水平……但如果我们的价值评价体系不能使公司的组织均衡的话，这些部门缺乏优秀干部，就更不能实现同步的进步。它不进步，你自己进步，整个报表会好？天知道。这种偏向不改变，华为的进步就是空话。

《华为公司基本法》的起草人之一吴春波在其文章《华为：均衡发展模式的成功》中分析道："2005年，伴随着华为国际化步伐的加快，华为重新梳理了自己的使命愿景和发展战略。其战略定位于：1.为客户服务是华为存在的唯一理由，客户需求是华为发展的原动力；2.质量好、服务好、运作成本低，优先满足客户需求，提升客户竞争力和赢利能力；3.持续管理变革，实现高效的流程化运作，确保端到端的优质交付；4.与友商共同发展，既是竞争对手，也是合作伙伴，共同创造良好的生存空间，共享价值链的利益。

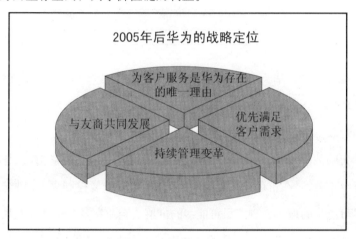

"从上述战略不难看出，华为的战略既关注经营（第一条），又关注管理（第二条）；既关注企业外部（第一条与第四条），同时也关注企业内部（第二条与第三条）。可以说基于其经营管理哲学的华为战略，是一个充满了均衡的战略。"

第三节 成本控制

成本控制首先确定先进合理的成本控制标准。成本控制标准是对各项费用开支和各种资源消耗所规定的数量界限。在成本的形成过程中，应经常把成本发生的实际情况与成本控制标准进行对比，对发现的偏差及时纠正，使费用和消耗在成本控制标准内发生。

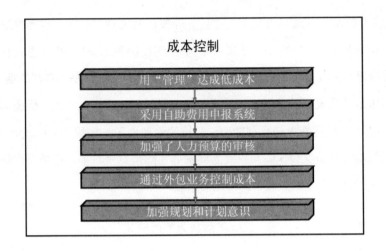

通过成本控制，华为2008年销售收入增长高于成本增长3.4个百分点；费用率下降1.8个百分点（由28.47%降至26.7%）。2008年，华为在实现了营业利润增长的同时取得了业界最高的收入增长。

管理大师彼得·德鲁克曾说："企业家就是做两件事，一是营销，二是削减成本，其他都可以不做。"在市场经济大潮中，企业要生存就要控制成本，讲究经济效益。只有以尽可能少的成本，创造尽可能多的价值，企业在竞争中才能立足。

与大多数中国企业一样，华为最初也是采取粗放型经营模式，而当企业做大之后这种粗放型的经营的弊端就显现出来了，即出现所谓的"增产不增收"的效益递减现象。"过去签一个单子就能够保证全年不饿，而现在如果收不回尾款就只有饿肚子了。"华为海外的一位销售主管如此说道。

这也使任正非意识到，华为在相当长的时间内在公司整体经营方面与国际一流企业相比还存在着比较大的差距。1997年1月23日，任正非在来自市场前线汇报会上说道：

管理中最难的是成本控制。没有科学合理的成本控制方法，企业就处在生死关头。全体员工都要动员起来，优化管理，要减人、增产、涨工资。明年生产要翻一番，但人员不一定要翻一番。从管理中要效益，只有在管理上进步了，我们才可能实现机关干部与研究、市场同工同酬。

技术创新是资金密集型的投资活动，离开资金投入就谈不到技术创新，而华为又是一家民营企业，民营企业的发展瓶颈又恰恰在于资金短缺，因而华为在技术创新的资金支持上的做法，确实值得称道！其中最为值得一提的是，华为为了技术创新而经常勒紧裤带过日子，例如华为在一开始的初创时期，就将自己以代理方式所获得的微薄利润，都点点滴滴地投入到技术开发上，利用压强原理，局部突破，逐渐取得利润，而后又把利润投向新的技术研发上，如此周而复始，心无旁骛。

华为总裁任正非曾这样说道：

成本控制良好情况下的成长才是健康成长，否则风险太大。华为正处在从销售拉动型转变为精细运营的关键时期，未来的利润会更多来自我们的效率提升和成本控制。

用"管理"达成低成本

1997年，任正非到美国参观考察IBM，受到了极大的触动。华为每年将销售额的10%投入产品开发，但是研发费用浪费比例和产品开发周期却是业界最佳水平的两倍以上，人均效益只有IBM的1/6。

1998年，任正非决定引进IBM的IPD（集成产品开发）项目。IPD强调以市场和客户需求作为产品开发的驱动力，通过改变产品开发模式，缩短产品上市时间，从而降低开发成本，最终提高产品的赢利能力。

1999年，在阐述集成产品开发对华为的重大意义时，任正非强调说：

如果我们做的是短线的小产品，什么集成产品开发就没有必要，咱们几个人就可以说了算，设计文档也可以记在脑子里。

但是作为长线产品这样做就不行了。几千人、几万人同时进行编程，就跟一个总参谋部指挥打仗一样，炮弹什么时候打，飞机什么时候出动，是一个非常复杂的综合作业。你可不要把炮弹一个个都打到自己的脑袋上。

像其他成功的国内外企业一样，华为很早就认同了这样的理论：成本控制不能光靠节约。成本是由研发路标、结构设计、生产工艺、物料成本以及供应链管理综合确定的。不同的设计思路和产品结构，可能导致产品先天就不具有成本竞争性。

任正非认为企业的成本控制是多方面的，并不仅仅只是产品成本的控制。

大家都认为成本低就是指材料成本低，其实成本的构成是方方面面的。每一个部门都要冷静反思，过度地降低成本我不赞成，但是不认真研究成本下降我也不接受。比如销售成本，国内一个 2000 万美元的单，有十几人在围着转，海外一个人手里握着几个 2000 万美元的单，国内的人力资源是过剩的，我们就要源源不断地强制性地抽优秀员工到海外去。尽管国外的成本和费用比国内的成本高得多，我们还是要源源不断地向海外输送人才。

华为在加速增长时期，许多员工片面地追求销售额的增长速度，不太注重成本。这一时期，虽然华为收入呈现 100% 的增长速度，但管理费用、销售费用却以超过 100% 的速度攀升，利润只有百分之十几，高投入并没有带来高利润。为解决这一问题，2002 年，任正非开始在公司内部推行低成本运作。任正非强调，企业通过成本控制获得盈利，比开拓市场来得更有效。任正非表示：

大规模不可能自动地带来低成本，低成本是管理产生的，盲目的规模化是不正确的，规模化以后没有良好的管理，同样也不能出现低成本。一个大公司最主要的问题是两个，一是管理的漏洞，二是官僚主义。因此，我们在管理上要狠抓到底，我们不相信会自发地产生低成本。

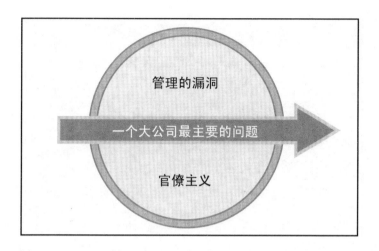

在公司管理方面，华为不仅有很多规章制度约束员工去节约，而且还有很多策略和措施去实现结构性地降低成本。

采用自助费用申报系统

华为公司采用自助费用申报系统（SSE）进行费用管理的做法就是一种有益的尝试，在提高财务部门及其他相关部门工作效率的同时，维护了公司财产的安全，保证了财务报告的真实性，取得了良好的效果。"SSE 具体流程如下：（1）所有费用的申报必须通过 SSE 提出申请。（2）员工出差之前必须先在 SSE 中提出各项费用预算金额以及出差目的等，并报各级主管批准。（3）待差旅费实际发生时，再填写费用报销申请，该申请必须与出差之前的申请相对应，否则无法提交。（4）员工必须在出差归来或者费用发生一个月内，在 SSE 中提出报销申请，逾期则按日支付滞纳金。（5）员工填写完费用报销申请后必须提交上一级审核人审批（系统将自动提示，并以电子流形式传递），电子流最后传递到财务部门。（6）财务部门审核后转至出纳中心支付款项到员工的工资账户（这个过程在七个工作日内完成）。（7）员工在提交电子流后必须将纸质的经始凭证通过专门的渠道传递至财务部门。（8）财务部门收到纸质经始凭证后审核凭证的合法、合规性，并与 SSE 中电子流的相关项目核对后存档。（9）财务部门在审核的同时更新 SSE 中员工的信用等级。"

```
                    SSE具体流程
  （1）所有费用的申报必须通过SSE提出申请。
  （2）员工出差之前必须先在SSE中提出各项费用预算金额以及出差目的
       等，并报各级主管批准。
  （3）待差旅费实际发生时，再填写费用报销申请，该申请必须与出差之
       前的申请相对应，否则无法提交。
  （4）员工必须在出差归来或者费用发生一个月内，在SSE中提出报销申
       请，逾期则按日支付滞纳金。
  （5）员工填完费用报销申请后必须提交上一级审核人审批，电子流最后
       传递到财务部门。
  （6）财务部门审核后转至出纳中心支付款项到员工的工资账户。
  （7）员工提交电子流后将纸质的凭证通过专门的渠道传递至财务部门。
  （8）财务部门收到纸质经始凭证后审核凭证的合法、合规性，并与
       SSE中电子流的相关项目核对后存档。
  （9）财务部门在审核的同时更新SSE中员工的信用等级。
```

加强了人力预算的审核

华为是中国著名的高薪企业，业务范围遍布全球，其人力资源成本自然成为公司最大的一项支出。摊子大了，管理难以细化、到位，浪费就会发生。有些华为主管头脑中没有"人力成本"的概念，导致部分代表处存在人力资源浪费的现象。

因此，华为加强了人力预算的审核，从对人力总数的控制转向对人力总成本的控制。尤其是在实施海外战略以来，华为更加注重在提升海外赢利能力的同时，尽量降低海外运营成本。从 2002 年开始，华为严格控制海外人员的人力成本，将所有华为海外员工的每日补贴由原来的 75 美元下调至 40 美元。

2006 年 7 月，华为某高层在华为内刊《华为人》上发表文章指出，"在欧洲，人力成本是国内的五倍多，如果用过去的粗放式管理，成本就会很高。现在，公司加强人力预算的审核，这是非常及时的。我个人认为，应该从人力总数的控制转向对人力总成本的控制。如果我们只控制人数，那么一些管理者就不去考虑人才结构，因此招一些高级人才做简单的事，或者给资历低的人比较高的工资。其实，很多欧洲企业在招聘的时候，都有职位薪酬预算的概念，即这个职位，工资的范围是多少。这个薪酬范围就能决定这个职位能够找到具有什么经验和技能的人。"

当时华为内部的员工也已经感受到了这种微妙的变化。虽然 2005 年华为仍然大规模地招人，但是其实应届毕业生的大部分招聘工作都外包给了华为外部的

慧通公司。这些应届毕业生并不能够直接进入华为而是先与慧通公司签订合同。华为这么做的目的也是建立一个人力资源的缓冲带，一旦形势不好，华为就能通过减少与慧通公司的外派合同的方式减掉多余的员工。实际上，从2002年起，华为就开始强化内部成本控制，从出差、会务接待、通信费用等方面入手，全面控制费用支出，据华为财务部门人士透露，仅日常管理费用开支项，每年就节省了10多亿元。

华为成立了专门的成本核算机构，这个机构由人力资源管理、财务核算、研发等各个部门的相关人员组成，对公司各方面的成本实施监控。对此，任正非说：

节约每一个铜板，为着前线。逐步理清服务的职能，分工明晰，覆盖合理，减少重叠。大力推行职业化的培训与管理，加强服务功能的程序设计，用科学的管理代替人工管理。后勤工作将逐步走向社会化，减小公司管理的压力。

通过外包业务控制成本

此外，华为还通过外包业务来达到控制成本的目的。

1998年，华为先从食堂、保安、保洁、医院、小卖部、印刷等后勤部门入手进行改革，面向社会公开招标合作者。这一举措使运作成本明显下降，同时还把各级主管从繁杂的琐碎事务中解脱出来，使管理难度大大降低。

2000年前后，华为又将一些非核心业务进行外包。涉及制造、组装、包装、发货和物流等多个环节。为了妥善安置相关人员，华为出台了优惠政策和财政支持，鼓励员工内部创业。同时还经常把工程安装、设备运行维护、客户接待、客户培训、市场调查等业务分包给那些专业的中小企业。这样做不仅可以减少工资支出，而且可以控制居高不下的差旅费。通过专业分工和公开招标，大大降低了市场运作成本，同时提高了服务质量与效率。

除了控制内部成本外，华为更加强了对外部成本的控制。尤其是在原材料采购方面，建立集中统一的采购认证，控制有效而又灵活的供应体系促进企业的进步。任正非表示：

采购方面，我们请了一个德国的高级主管，相当于我们很高的管理层，年薪 60 万美金，聘他当采购部总裁，当了两年，整个采购体系从小农的采购全部转变成了现代的采购体系。在当时 IT 泡沫最困难的时候，我们能降低成本二十几个亿。因为在采购体系上，我们已经进入了国际水平。

2003 年，华为所有下游产品零部件采购首次实行网上即时招标，采购成本一举降低了近 30%。任正非表示：

我们要活下去，就一定要提高效率和控制成本。我们每个部门和每个员工都要时刻想到如何为公司全流程节省成本作出贡献，时刻想到如何能提高效率，这样我们才能在激烈的市场竞争中生存下来。

加强规划和计划意识

华为的财务管理在 1997 年就全面达到了规范的国际账务管理水准。任正非要求，在这个基础上，要加强成本控制管理，从预算管理入手，以成本管理为基础来优化财务管理制度。他要求财务部门按照业务需要，建立严格的财务预算和审核机制，使预算之外的资金从申请到审批更为困难。

在华为，降低成本，最大的来源是效率的提高。提高效率，除了技术的进步，管理方式的改进外，更重要的是，要加强规划和计划意识。

到过欧洲的华为人，都会对它的井然有序深有体会。他们看上去节奏很慢，但效率很高。大家都按照计划行事，自然而然把事情做成了。他们也有做了以后推倒重来的情况，但没有中国这么多。比如说，没想清楚怎么做就动手了，做了一会，却发现不对，于是重新来过。或者，做了以后，发现和领导的意见不一致，于是重新来过。还或者，做了计划，但是计划变了，或者被别人逼得变了计划。

2006 年 7 月，华为某高层在华为内刊《华为人》上发表文章指出：

"在我们的工作和生活中，缺乏计划性的例子更多。某代表处统计，在出差前 24 小时内才订票的比例高达 80% ~ 90%，这称作'last minute'票。Last minute 的票有两种情况，要么很贵，要么很便宜。贵的时候，可能是正常价格的几倍。因此，降低差旅费，更要依赖于做好出差计划。但我们又有多少人能做好出差计划呢？出差计划真的那么难做吗？其实不尽然。但有些人就是不做。比如说某员工，从国内出差，刚到 A 国，就去其他国家，要求订票和订酒店，再回到 A 国，又订去第四国的票。这样的行程，显然是没有做出差计划造成的。

"由于规划和计划没做好，带来直接成本损失的例子还有很多。比如说办理工作许可。由于申请某个工作许可找到了一个行之有效的办法，拒签率很低。因此很多人都来申请，而申请的时候，领导都发来邮件说，这个人很急，项目缺不得。于是代表处想尽办法去办理，刚刚被通知这个人的许可拿到了，却被告知，这个员工不来了，回国内了，或者去了其他国家。但这产生了很多的申请成本，这样的例子不是个案，而占了申请的百分之十多。我们能说这是正常的吗？有些人认为，中国员工的劳动力成本低，但仔细算下来，其实外派的成本是很高的，甚至高于当地员工的劳动成本。因此，我认为，对于外派还是需要做好规划：外派为了什么？外派的策略是什么？会有什么成本？

"我们都知道'谋定而后动'这句话。如果我们都能身体力行这条古训，也许成本自然而然就降下来了。"

第四节　灰色管理

长期以来，华为的国际化战略路径和以客户为中心的整体战略为人称道，其实，能够真正体现任正非战略思维的是"灰色管理"：

管理不是非黑即白，而是介于黑白之间的平衡力量，即灰色。

从华为总裁任正非的这一"灰色管理"中让人们联想到了中国传统文化中

的"中庸之道"。"中庸之道"是中国儒家文化的经典，也是儒家文化的精华，影响了中国 2000 多年，是中国人为人处世的原则和方法，它塑造了中国人的性格，是有中国特色的思维模式。因其已固化为中国人的文化基因，所以至今还在发挥着重要的影响。其精髓是不偏不倚，主张"取中贵和"。

万事万物都有阴、阳两极之分，这表象完全矛盾的对立物却是相容相合的，生命也因此而传延。中国历史上很早就有"中庸之道"的说法，其实中庸之道是灰色管理的结果。中庸不是失去原则，而是在矛盾体中找到兼顾彼此的途径。正如任正非所说：

任何事情都不会以极端的状态出现，黑白只是哲学上的两种假设。现实中真正生活成功的，大多真正理解了灰色。

从任正非的"灰色管理"让人们想到了中国传统的"中庸之道"，更让人们想到了企业管理中无处不存在"妥协"的智慧，只有妥协、宽容、让渡，才能处理好企业管理中的多方面矛盾与博弈，从而实现企业的战略目标。

企业要与时俱进，变革就免不了。纵观古今中外，历史上无数的变革都伴随着流血甚至牺牲，不成功的变革比成功的更多，特别是触动人的利益，进行利益再分配时，很容易出现大的动荡，造成组织分裂等。华为在二次创业时期，为了使公司与国际管理接轨，进行了一系列变革。

在变革中，任正非提出一个灰色观点。在华为管理变革初期，公司的各项管理比较严，但现在随着公司的各项管理变革落地，一切管理都流程化制度化了后，公司就开始逐步放松了严厉的管理，更多地要求干部、主管学会灰色管理。为什么是灰色？灰色思维突破了矛盾着的事物的简单二分，表明矛盾着的事物并非一定是非黑即白、是非立辨，而是可以介于黑白之间各个不同状态的选择，呈现不同状况的灰色。

任正非 2005 年在华为干部工作会议上的讲话对变革的论述中有一段话，阐述了他的这一灰色思想：

我们处在一个变革时期，从过去的高速增长、强调规模，转向以生存为底线，以满足客户需求为目标，强调效益的管理变革。在这个变革时期中，我们都要有心理承受能力，必须接受变革的事实，学会变革的方法。同时，我们要有灰色的观念，在变革中不要走极端，有些事情是需要变革，但是任何极端的变革，都会对原有的积累产生破坏，适得其反。

任正非认为：

在变革中，任何黑的、白的观点都是容易鼓动人心的，而我们恰恰不需要黑的或白的，我们需要的是灰色的观点。介于黑与白之间的灰度，是十分难掌握的，这就是领导与导师的水平。没有真正领会的人，不可能有灰度。

……

坚持均衡发展的思想，合理把握解决各种矛盾的灰度。

华为提出了"学习灰色管理"的理念，其背景是这样的：

一是华为正处在一个变革时期，所以要求管理者要有灰色管理的理念，不要走变革的极端。二是这些变革也是华为"二次创业"，为了实现和国际管理接轨而进行的。有变革就一定有业务整合调整、利益重新分配等问题，为了消除变革带来的影响，就必须使用灰色管理的方式和态度处理矛盾，相互协调，并获得最好的平衡点。三是在此之前，大部分管理者已经适应了这种"精确管理"模式，所以他们面对变革需要有新的思维。

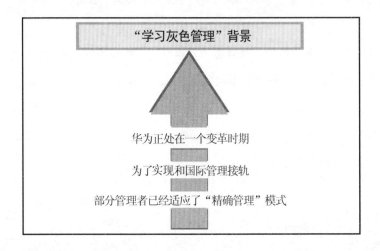

灰色管理并不完全是软弱、妥协，它要求各级主管既要坚持原则，也要善于找到让员工心甘情愿去接受的变通方法。任正非表示：

任何事物都有对立统一的两面，管理上的灰色，是我们生命之树。我们要深刻地理解、开放、妥协、灰度。

第五节 小改进、大奖励

在一个企业里，是什么推动着经营理念的提出与采纳？有研究已经注意到了公司政治在战略决策过程中的作用。员工以及中层经理个人通过"推销"他们认为重要的问题，试图影响高层管理者的议程。这些人通过提出自己的新观点而有效地介入了战略制定的过程。而华为总裁任正非则明确表示：

公司实行小改进、大奖励，大建议、只鼓励的制度。能提大建议的人已不是一般的员工了，也不用奖励，一般员工提大建议，我们不提倡，因为每个员工要做好本职工作。大的经营决策要有阶段的稳定性，不能每个阶段大家都不停地提意见。我们鼓励员工做小改进，将每个缺憾都弥补起来，公司也就有了进步。所以我们提出小改进、大奖励的制度，就是提倡大家做实。

1998 年 6 月 22 日，任正非在向中国电信调研团的汇报以及在联通总部与处级以上干部座谈会上的发言，也就是在流传甚广的《华为的红旗到底能打多久》中，明确地指出华为必须贯彻"小改进、大奖励，大建议、只鼓励"的制度，其目的就是"追求管理不断地优化与改良，构筑与推动全面最佳化的、有引导的、自发的群众运动"。

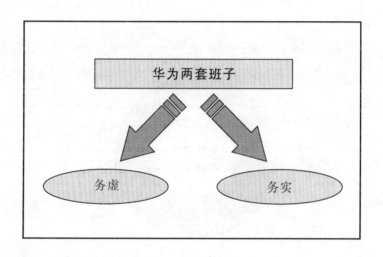

不断做实会不会使公司产生沉淀呢？我们有务虚和务实两套领导班子，只有少数高层才是务虚的班子，基层都是务实的，不能务虚。务虚的人干四件事，一是目标，二是措施，三是评议和挑选干部，四是监督控制。务实的人首先要贯彻执行目标，调动利用资源，考核评定干部，将人力资源变成物质财富。务虚是开放的务虚，大家都可畅所欲言，然后进行归纳，所以务虚贯彻的是委员会民主决策制度，务实是贯彻部门首长办公会议的权威管理制度。

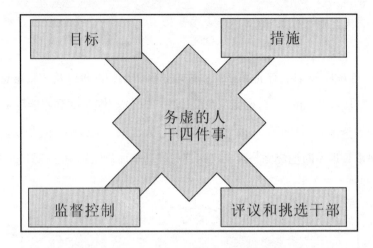

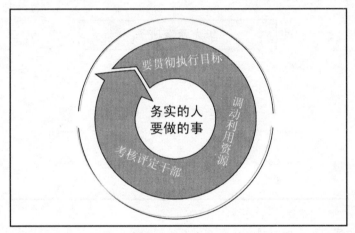

任正非十分清楚，由于所处的社会经济环境、企业发展历史阶段、管理水平的不同，与国外企业相比，华为所面临的管理问题和管理重点也是不同的。一些在国外企业看来不是问题的问题，到了国内企业就成了问题，甚至成为影响企业发展的关键因素。比如说，华为内部曾流传着这样一个故事：曾经有一个新员工到华为后，觉得这也不行，那也不好，于是给任正非写了一封关于公司经营策略建议的"万言书"。任正非看后批复道：此人如果有精神病，建议送医院治疗，如果没病，建议辞退。

因此，华为有一条不成文的惯例：大建议只鼓励，小建议大奖励。

同样是在1998年的一篇文章《不做昙花一现的英雄》中，任正非这样写道：

华为公司的第一、第二代创业者把生命注入创业中去，获得了今天的成功。研发人员也宣誓要把生命注入产品中去，因此我们管理者也应把生命注入持续不断的管理优化中去。把生命注入并不是要你像干将、莫邪铸剑一样跳到熔炉里去，而是要用一丝不苟、孜孜不倦的精神去追求产品的成功。我经常看到一些员工给公司写的大规划，我把它扔到垃圾桶里去了，而那些在自己的管理岗位上本身进步了，提高了自己工作效率的同志，这时候向我提的建议和批评我倒是很愿意听的。把生命注入管理中去，不是要你去研究如何赶上 IBM，而是研究你那个管理环节如何是全世界最优的，要赶上 IBM 不是你的事情，你也不具备这样的资历和资格。所以要面对现实，踏踏实实地进行管理的改进，这样公司才会有希望。现在公司说空话的人比干实事的人多，幼稚的干部比成熟的干部多。要把生命理解成一种灵魂和精神，就是要将这种灵魂和精神注入管理中去。

对于有些员工，领导交给他一件事，他能干出十件事的做法，任正非并不赞成。他认为，这种创新不需要，是无能的表现，是在制造垃圾。他要求每个人做好自己的本职工作，一层一层夯实，撒上一层再夯实，只有这样华为才能"稳坐调头船"。不必提出赶超战略，只要把自己的工作做好，自然会水到渠成。

如果说在 1998 年的时候，任正非只是强调华为必须确立"小改进、大奖励，大建议、只鼓励"的制度，在思想上明确"优化管理"对华为发展的重要性，在工作分工和职能安排上明确各自的岗位职责，那么到了 2000 年以后，任正非要求这种"小改进、大奖励"必须落实到管理、创新、质量管理等流程中来，成为华为一项实实在在的企业制度。

在《华为的冬天》一文中，任正非将"小改进、大奖励"归入了他提出的"2001年管理十大要点"之中。任正非表示：

我们要坚持"小改进、大奖励"。"小改进、大奖励"是我们长期坚持不懈的改良方针。应在小改进的基础上，不断归纳，综合分析。研究其与公司总体目标流程的符合，与周边流程的和谐，要简化、优化、再固化。这个流程是否先进，要以贡献率的提高来评价。我年轻时就知道华罗庚的一句话，"神奇化易是坦途，易化神奇不足提"。今年有很多变革项目，但每个变革项目都要以贡献率来考核。既要实现高速增长，又要同时展开各项管理变革，错综复杂，步履维艰，任重而道远。各级干部要有崇高的使命感和责任意识，要热烈而镇定，紧张而有秩序。"治大国如烹小鲜"，我们做任何小事情都要小心谨慎，不要随意把流程破坏了，发生连锁错误。

为什么"小改进、大奖励"对华为将是一个长远的政策，而不是一个短期的政策呢？任正非在一次华为公司QCC（Quality Control Cirde 即品管圈）活动中这样解释道：

我们最近研讨了什么是企业的核心竞争力，什么是企业的创新和创业。创业，并非最早到公司的几个人才算创业，后来者就不算创业。创业是一个永恒的过程，创新也是一个永恒的过程，核心竞争力也是一个不断提升的过程。

大家可以想一想，发错货少一点，公司的核心竞争力不就提升一点了吗？订单处理速度提高30%，我们的整个业务运行速度不就提高30%了吗？这些都有利于核心竞争力的提升。对于我们这样一个公司，如果谁要来跟我谈一谈华为公司的战略，我都没有兴趣。为什么？因为华为公司今天的问题不是战略问题，而是怎样才能生存下去的问题。我们在座的都很年轻，都是向日葵。但是，年轻的最大问题就是没有经验。公司发展很快，你既没有理论基础，又没有实践经验，华为公司怎么能搞得好？如果我们再鼓励"大家来提大建议呀，提战略决策呀"，那我看，华为公司肯定就是墙头上的芦苇，风一吹就倒，没有希望。那么，怎么办呢？就是要坚持"小改进、大奖励"。为什么？它会提高你的本领，提高你的能力，提高你的管理技巧，你一辈子都会受益。

"小改进、大奖励"，重要的是"小改进"，大家不要太关注"大奖励"。我们现在要推行任职资格考评体系，因此你的每一次"小改进"，都是向任职资格逼近了一大步，对你一生是"大奖励"，让你受用一辈子，它将给你永恒的前进动力。我们坚持"小改进"，就能使我们身边的工作不断地优化、规范化、合理化。但是，在坚持"小改进"的下一步时，如果我们不提出以核心竞争力的提升为总目标，那么我们的"小改进"就会误入歧途。比如说，我们现在要到北京去，我们可以从成都过去，也可以从上海过去，但是最短的行程应该是从武汉过去。如果我们不强调提升公司核心竞争力是永恒的发展方向，我们的"小改进"改来改去，只顾自己改，就可能无法对周边产生积极的作用，改了半天，公司的整个核心竞争力并没有提升。那就是说，我们的"小改进"实际上是陷入了一场无明确大目标的游戏中，而不是一个真正增创客户价值的活动。因此，在小改进过程中要不断瞄准提高企业核心竞争力这个大方向。当然，现在你们的每个QCC圈活动目的都是为了提高公司核心竞争力，围绕着这一总目标的。

　　"小改进、大奖励"将是我们华为公司在很长时间里要坚持的一个政策。

 # 第六节　打开开放之门

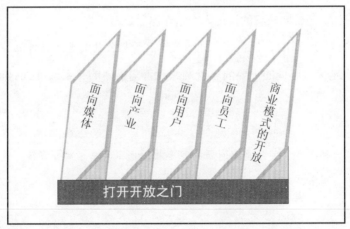

　　已经具备了大象般庞大身躯的华为，却发现自己的步履越来越沉重。究其原因，华为已经面临着越来越突出的几大矛盾。

　　业务拓展和市场饱和的矛盾。这几年来全球电信设备市场基本上停滞不前，已经拿到了 20% 市场份额的华为要想更进一步，已经非常困难，老套路已经不能够适应新业务的要求了。为了保持增长，实现超越爱立信和思科的目标，华为已经启动了相关多元化，将企业业务和终端业务放到了与运营商业务同等重要的位置。因此，华为不得不打开开放之门。

开放之一：面向媒体

外界对华为的指责包括：严苛的企业管理文化、员工过劳死引发的争议、借助国家资金支持向潜在客户提供贷款，以及受到诟病的低价竞争策略等。

华为的公司形象在某种程度上已经被妖魔化，这对它想建立一家真正的全球性大公司品牌有非常负面的影响。华为必须获得外界尤其是西方市场的正面评价，这是"后任正非时代"华为迫切需要解决的问题。也正是因为这个原因，华为决定对媒体开放。

2011 年 1 月下旬，仿佛是约好了的，多名华为高管（胡厚、徐文伟、丁耘、陈黎芳、余承东等）集体入驻新浪微博。此后不久，华为执行管理团队（简称EMT，是华为的最高管理机构）轮值主席、高级副总裁徐直军不仅破天荒地接受了记者的专访，还针对敏感的接班人问题作出了公开回应。

2010 年 11 月 25 日，任正非、孙亚芳等高管与公共关系、品牌部等有关部门进行了一次座谈，座谈的主要内容就是"改善与媒体的关系"。任正非在讲话中坦言：

现在华为和媒体的关系是有问题的，要敢于把事实真相对外宣传，改善和媒体的关系，善待媒体。

......

做媒体关系的人要敢说话，要敢说错话，一句错话都没有说的人不能做媒体关系。

对于华为以前在媒体面前的"封闭"状态，华为公司总裁任正非曾毫不客气地指出：

别人对公司的误解，有很重要的原因是我们不主动与别人沟通，甚至连被动的沟通我们都害怕，还把这当成了低调。

而对于这样的"封闭"，任正非也在反思：

不知道是不是把我的精神病态，变成了10万多人的麻木。

此后，华为的公关策略才发生了重大转变，从抗拒媒体采访到主动与媒体沟通，甚至引入微博等热门SNS沟通工具。华为公司还要求公司的高管在一年内至少接受媒体采访一次。这一要求已经被记入高管的年度考核内容中，与其工资直接挂钩。

尽管不是上市公司，但从2001年起，华为每年向外界发布经KPMG审计的年报。

在2010年的年报中，华为首次披露了其董事会成员名单，而在2011年的年报中，华为进一步提升透明度，同时披露了其运营商网络、企业业务和消费者业务等三大BG的主要管理者名单，以及人力资源委员会、财经委员会、战略与发展委员会、审计委员会等四大专业委员会的人员名单。华为还在年报中首次披露了公司的发展战略：实施有效增长，持续创新改进；加快全球干部的培养和激励制度的优化速度，提升组织能力和活力；构建和谐的商业环境，实现公司的生存与发展。

任正非，一个自称为"鸵鸟"的人，做人低调，低调到不接受任何采访，很少参加外界活动。此前，华为始终排斥直面媒体和公众视角，对外宣传等方面一直为业内所诟病。2010年11月25日，华为总裁任正非提出"要改善和媒体关系，打开与外界的沟通大门"。

任正非更是在公众面前表达了要"开放"的态度："在舆论面前，公司长期的做法就是一只把头埋在沙子里的鸵鸟，我可以做鸵鸟，但公司不能，公司要攻击前进，华为公司发展到这个时候要允许批评。"

开放之二：面向产业

2010年岁末，在华为云计算战略发布会上，任正非表示："我们要改变'黑寡妇'的做法，改变自己长期封闭自我的方式，我们要开放、合作、实现共赢。"

开放之三：面向用户

华为一向只关注技术，而忽略了用户对其品牌的好感度。华为开放的态度，在用户这里也得到很好体现，2011年，华为开始了以亲和生动的新形象换下严肃老面孔的尝试。从华为终端体验店在北京西单开张到刊登路边广告等，各种形象广告遍及地铁、机场、意大利超级杯赛场等各大城市的时尚地标和核心商圈，走出运营商幕后，来到大众消费者面前的华为越来越随意、张扬。①

开放之四：面向员工

2010年底，华为先后召开了持股员工代表大会和股东大会，选举产生了第三届持股员工理事会、监事会，第四届董事会、监事会成员，并且在华为的内部论坛上将这一结果向公司全体员工进行公告。在以前，像这样向员工通报的情况从来没有出现过。2011年末，任正非对外公布了华为即将实施"轮值CEO制度"。

开放之五：商业模式的开放

2010年11月29日，华为发布了云计算战略，它包括三个方面的内容：构建云计算平台，促进资源共享、效率提升和节能环保；推动业务与应用云化，促进各个行业应用向云计算迁移；开放合作，构筑共赢生态链。与以前发布的其他产品和解决方案不同的是，华为试图建立一个开放的云计算平台，将标准接口开放给全球数百万开发者，支持他们开发各种各样的云应用。

---

① 任正非：开放合作是云产业未来标志. 中国经济和信息化，2011.12

第2章

流程管理

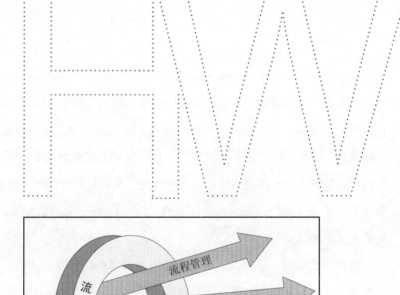

"为什么很多中国企业也有管理制度，但是却没有成功，因为它们大都是为了'解决问题'而生，是不成体系的，管理制度之间没有形成有机的联系。"《华为公司基本法》起草者之一吴春波如是说。

 # 第一节　流程管理

有很大的市场覆盖，有优良的管理，能够提供低成本优质服务的公司才能生存下来。

2009 年 3 月 24 日下午，任正非在华为内部大会上演讲时说道。

华为的成功主要源于持续的管理流程变革和以客户为中心的思想。

流程管理（process management），是一种以规范化的构造端到端的卓越业务流程为中心，以持续的提高组织业务绩效为目的的系统化方法。它应该是一个操作性的定位描述，指的是流程分析、流程定义与重定义、资源分配、时间安排、流程质量与效率测评、流程优化等。流程管理是为了客户需求而设计的，因而这种流程会随着内外环境的变化而需要被优化。流程把相关的信息数据根据一定的条件从一个人（部门）输送到其他人员（部门），得到相应的结果后再返回到相关的人（或部门）。

当企业发展到一定阶段之后，随着内外部竞争以及整个社会大环境的变化，原有的业务流程总是会出现不能适应现今需要的地方。特别是像华为这种处于快速发展中的高科技企业，其原先那一套适用于小公司生产服务的流程必然会随着企业成为大公司而出现诸多制约发展的瓶颈。此时，要想在竞争中取得进一步的发展，就必须对原有的业务流程进行系统的分析，根据企业自身的发展特点，对业务流程进行再造，以使业务流程达到效率更高，成本更低，对需求变化的反应更快的目的。

海尔集团就是通过完成实施市场链与业务流程的再造，在观念、组织结构、价值分配方式等方面都取得了建设性的创新。基于形势上的变化，以及像海尔这样一些运用流程再造推动发展的优秀企业的实例，华为开始明确地把流程的改造作为一项重要任务来抓。在《华为公司基本法》中，华为提出：

提高流程管理的程序化、自动化和信息集成化水平，不断适应市场变化和公司事业拓展的要求，对原有业务流程体系进行简化和完善，是我们的长期任务。

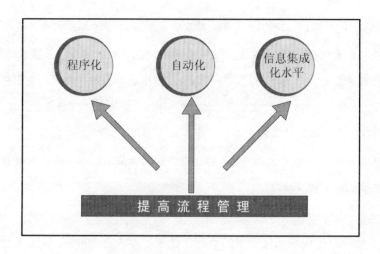

华为对其业务流程的基本要点和要达到的水平也在基本法中进行了明确：

建立和健全面向流程的统计和考核指标体系，是落实最终成果责任和强化流程管理的关键。顾客满意度是建立业务流程各环节考核指标体系的核心。处于业务流程中各个岗位上的责任人，无论职位高低，须行使流程规定的职权，承担流程规定的责任，遵守流程的制约规则，以下道工序为用户，确保流程运作的优质高效。

对于华为的流程再造，任正非在给员工讲话时多次强调指出：

要改革一切不合理的流程，使重复性的管理制度化、操作简单化、重复的劳动自动化。

IBM 专家提出的把工作任务分解的方法对华为的人员触动很大。以前华为的研发管理只是针对需求描述、概念形成、产品初步设计等阶段以及一些重要的工作任务，较为粗略地把整个工作体系进行了分解和描述。而在 IBM 专家的要求和技术支持下，现在华为需要把阶段和任务细化成"活动"，而且针对活动需要有详细的描述和必要的量化指标。

2009 年 4 月 24 日，任正非在华为运作与交付体系奋斗表彰大会上讲道：

"投标、合同签订、交付、开票、回款"是贯穿公司运作的主业务流，承载着公司主要的物流和资金流。针对这个主业务流的流程化组织建设和管理系统的建设，是我们长期的任务。由于我们从小公司走来，相比业界的西方公司，我们一直处于较低水平，运作与交付上的交叉、不衔接、重复低效、全流程不顺畅现象还较为严重。DSO、ITO 较业界同行还有较大差距，库存和资金周转的改善和 E2E 的成本降低有很大的改进空间，是公司运作上深淘滩、低作堰的主战场，另一个业务流 IPD 是设计中构筑成本优势的主战场。

为了更好地达成职业化管理的目标，任正非本人在 2000 年后便从台前走向了幕后。他曾经明确指出：

华为公司大力推行流程管理，机制管理，今后将是惯性运作。事实上，现在公司的管理层，除重大决策外很少管理公司，公司运作已经开始与人的管理脱开了。

第二节　对事负责制

华为董事长孙亚芳的一篇心得披露了任正非《一江春水向东流》的出炉过程：先是经过华为董事会几次讨论，又在一级管理团队征求意见，继而是二级管理团队、三级管理团队分别征集修改反馈，历时几个月，数千人反复酝酿，终于集体定稿。还有哪家老板的讲话文章是这样出炉的？这个事实给喜欢搞英雄崇拜的人们一个打击，但这是事实。华为一直是一家注重管理体系建设、依靠管理团队和管理机制发展的企业。[①]

我知识的底蕴不够，也并不够聪明，但我容得了优秀的员工与我一起工作，与他们在一起，我也被熏陶得优秀了。他们出类拔萃，夹着我前进，我又没有什么退路，不得不被"绑"着，"架"着往前走，不小心就让他们抬到了峨眉山顶。

我也体会到团结合作的力量。这些年来进步最大的是我，从一个"土民"，被精英们抬成了一个体面的小老头。因为我的性格像海绵一样，善于吸取他们的营养，总结他们的精华，而且大胆地开放输出。

那些人中精英，在时代的大潮中，更会被众人团结合作抬到喜马拉雅山顶。希腊大力神的母亲是大地，他只要一靠在大地上就力大无穷。我们的大地就是众人和制度，相信制度的力量，会使他们团结合作把公司抬到金顶的。

2011年12月，任正非这样总结华为这些年的制度化过程。

在创业初期，企业规章、流程还不太健全的时候，由于没有现成的依据可供参考，管理者主要根据自己的经验、能力去判断和决策，下属只有更多地与上级沟通，才能更充分地了解上级的意图。此时，企业管理更多地表现为对人负责制。但是，当企业发展到一定的规模后，就必须依靠流程运作，尽量减少对"人"的依赖。华为总裁任正非在其题为《华为的红旗到底能打多久》的演讲中这样说道：

我们让最有责任心的人担任最重要职务：到底是实行对人负责制，还是对事负责制，这是管理的两个原则。我们公司确立的是对事负责的流程责任制。我们把权力下放给最明白、最有责任心的人，让他们对流程进行例行管理，高层实行委员会制，把例外管理的权力下放给委员会。并不断地把例外管理，转变为例行管理。流程中设立若干监控点，由上级部门不断执行监察控制，这样公司才能做到无为而治。

---

① 张利华.华为不差 CEO.IT 经理世界，2012.2

2000 年，任正非写下了后来震惊了许多企业的《华为的冬天》，他在文章中提出华为 2001 年管理十大要点，其中一个要点就是"对事负责"。他写道：

为什么我们要强调以流程型和时效型为主导的体系呢？现在流程上运作的干部，他们还习惯于事事都请示上级。这是错的，已经有规定，或者成为惯例的东西，不必请示，应快速让它通过去。执行流程的人是对事情负责，这就是对事负责制。事事请示就是对人负责制，它是收敛的系统。我们要简化不必要确认的东西，要减少在管理中不必要、不重要的环节，否则公司怎么能高效运行呢？现在我们机关有相当的部门以及相当的编制，在制造垃圾，然后这些垃圾又进入分拣、清理，制造出一些人的工作机会。他们制造这些复杂的文件，搞了一些复杂的程序及不必要的报表、文件，来养活一些不必要养活的机关干部，机关干部是不能产生增值行为的。我们一定要在监控有效的条件下，尽力精简机关。

2001 年，任正非从日本访问归来后写下了《华为的冬天》的姊妹篇《北国之春》，再一次强调了华为员工尤其是干部必须"对事负责，而非对人负责"。

华为由于短暂的成功，员工暂时的待遇比较高，就滋生了许多明哲保身的干部。他们事事请示，僵化教条地执行领导的讲话，生怕丢了自己的乌纱帽，成为对事负责制的障碍。

对人负责制与对事负责制是两种根本不同的制度。对人负责制是一种收敛的系统；对事负责制是依据流程及授权，以及有效的监控，使最明白的人具有处理问题的权力，是一种扩张的管理体系。而现在华为的高中级干部都自觉不自觉地习惯于对人负责制，使流程化 IT 管理推行困难。

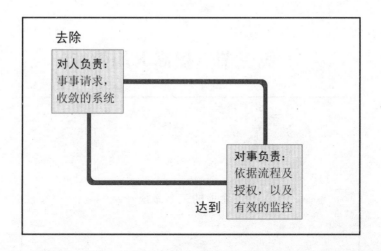

任何一项制度的确立都不可能一蹴而就，必须持续地、坚定地加以推行。在这一年，华为下大血本将国际老师 IBM 请进家门，开始了艰难的流程化 IT 管理变革。在推行变革的过程中，任正非更加意识到华为要摆脱"增产不增效"的滞胀状态，提高与国际竞争对手相抗衡的实力的重要性。因此，梳理公司整个经营管理流程，提高整体运作效率，成为华为势在必行的头等任务。而在任正非看来，确定"对事负责"则是整个系统改进工作中关于"人"的非常重要的一项制度，如果不能实现这一点，华为的前途将令人担忧。

第三节 提高人均效能

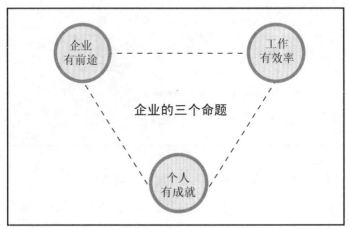

1997 年，日本神户钢铁公司的岩谷真弓女士被邀请到华为对市场部管理者进行培训。培训结束之后，岩谷女士对时任副总裁的孙亚芳坦率地指出了华为存在的 7 个问题。其中的核心问题就是华为管理效率和劳动生产率太低，尤其与日本同类公司相比更甚，以签订商务合同为例，华为与客户签约所花费的时间是日本平均水平的 5 倍。

这种差距对华为的高层管理人员触动很大。任正非等公司领导人意识到，如果华为还要继续这种粗放型的管理，只对人负责，不讲求效率，那么，不用等到电信行业的"冬天"到来，华为就会因为自己的低效低能先被自己打败了。

1997 年以后，华为依据现状和外部环境的变化，转换了战略的重点，强化内部的管理，通过引进世界一流企业的管理体系，在管理上与一流企业接轨，通过提高管理效率来促进经营效益的提高。

2001 年，华为销售额达到了 255 亿元人民币，员工总数达 15000 人，已经成为国内规模最大的电信设备制造商之一。这时，"大企业病"已经在华为身上有所体现，华为机关的机构设置越来越多、人员编制急速膨胀，一些根本就不需要设立的部门，每天在例行工作中制造着大量的不必要的文件。

任正非毫不留情地批评了当时诟病颇多的市场部机关，任正非在其文章《华为的冬天》中这样写道：

市场部机关是无能的。每天的纸片如雪花一样飞啊，每天都向办事处要报表，今天要这个报表，明天要那个报表，这是无能的机关干部。办事处每一个月把所有的数据填一个表，放到数据库里，机关要数据就到数据库里找。从明天开始，市场部把多余的干部组成一个数据库小组，所有数据只能向这个小组要，不能向办事处要，办事处一定要给机关打分，你们不要给他们打那么好的分，让他们吃一点亏，否则他们不会明白这个道理，就不会服务于你们，使你们作战有力。

任正非也知道，组成数据库小组的做法也只能起到一个监督的作用，关键还在于员工本身要养成负责任的工作态度。任正非对那些只会明哲保身的人，即为了保住自己的利益而只对人负责的人深恶痛绝。他说：

在本职工作中，我们一定要敢于负责任，使流程速度加快，对明哲保身的人一定要清除。华为给了员工很好的利益，于是有人说千万不要丢了这个位子，千万不要丢掉这个利益。凡是要保自己利益的人，就要免除他的职务，他已经是变革的绊脚石。在过去的一年里，如果没有改进行为的，甚至一次错误也没犯过，工作也没有改进的，是不是可以就地免除他的职务。他的部门的人均效益没提高，他这个科长就不能当了。他说他也没有犯错啊，没犯错就可以当干部吗？有些人没犯过一次错误，因为他一件事情都没做。而有些人在工作中犯了一些错误，但他管理的部门人均效益提升很大，我认为这种干部就要用。对既没犯过错误，又没有改进的干部可以就地免职。

从公司整体上看，华为的效率提升目标是什么？华为表示，其目标是人均销售收入提升、客户满意度提升、交付周期缩短、无效软硬件版本降低等。这是华为人努力提升效率真正的目标和衡量标准。

华为人还进行了敏捷开发的改造。据华为内刊《华为人》的记载,"开放的办公位,8～10 个人一组围绕着一个大长方桌,面对面环绕而坐进行开发,取消了位子间的挡板。办公区的四周有很多的白板,上面写着一些术语,画着一些流程图;墙上挂着大尺寸液晶显示屏不断滚动显示任务进度、测试等各类数据⋯⋯这就是位于华为 F1 的 16 楼中央软件部应用平台敏捷 2.0 的办公室。这里也是公司级敏捷开发的样板点、教练团,至 2009 年 5 月,他们已接待各产品线参观人员 120 人次,对外开展了 20 多次经验分享和交流,中央研发部总裁更是亲自到此视察和指导工作。

"这样的变化,令人耳目一新。中央软件部应用平台项目的负责人吴昌议介绍说:'办公位设置上,我们将工作相关的开发、测试、资料、SE 组成特性团队坐在一起,其目的就是为了达到最有效、最及时的沟通。发现问题马上讨论,快速反应。'"

华为在 1998 年时人均效率仅是 IBM 的 1/65,朗讯的 1/25,而据 2009 年华为内部人士统计,这个比较指标已经收窄至 1/3 ～ 1/6。

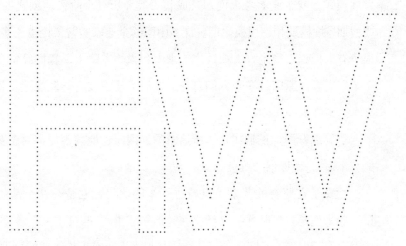

第3章

变革管理

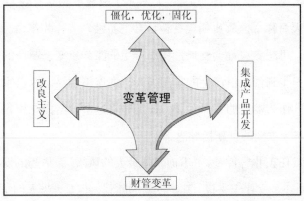

我们要的是变革而不是革命，我们的变革是退一步进两步。

——任正非如是说

 # 第一节　改良主义

一个企业在由小到大、由弱变强的过程中，每个发展阶段都需要采取不同的发展模式。就企业本身来说，其成长一般经历五个阶段。创建期、初步发展期、成型期、规模期和超规模化期。许多中国的企业家常常谈论得更多的是做大做强，很少有人提到走稳走好。在过度追求大和强的道路上，我们经常会见到倒下的一个个冒进者。原因就在于它们自身的发展力建设没有与发展速度相匹配，小马拉大车，最终酿成悲剧。

稳健地发展，正是任正非所追求的。因此，他并不提倡对企业进行大动干戈的"革命"，他提倡"改良"。

改良是在原有的基础上进行进一步的优化，它是在这个基础上的进步。改革一般来说是一个时代的终结。在政治领域里，"改良主义"曾作为"暴力革命"的对立面而出现，它区别于"革命"从根本上改变事物本质的要求。在中国古代，天子自称受天命称帝，故凡朝代更替，君主易姓，皆称为革命。到了近代，革命则指自然界、思想界或社会发展过程中产生的深刻质变。革命的显著特点是过程激烈，可以一步到位，但产生的震荡很大，副作用明显。改良主义排斥一切暴力革命，以改良作为唯一的革命手段。任正非将这个政治概念引入经济领域中，并将之内化为华为重要的创新指导思想。

华为总裁任正非曾说过，"不创新是最大的风险"。华为的发展，无论是从制度上、流程上还是文化上来说，都是创新的胜利。但是，当人们纷纷以华为的"创新"作为学习楷模的时候，往往忽略了任正非的另一个个性鲜明的概念——"改良主义"。

任正非在其文章《华为的冬天》中这样写道：

我们要管理创新、制度创新，但对一个正常的公司来说，频繁地变革，不变革不能提升我们的整体核心竞争力与岗位工作效率；变革，究竟变什么？这是严肃的问题，各级部门切忌草率。一个有效的流程应长期稳定运行，不能因为有一点问题就常去改动它，否则改变的成本会抵消改进的效益。

已经证明是稳定的流程，尽管发现它的效率不是很高，除非我们在整体设计或大流程设计时发现缺陷，而且这个缺陷非改不可，其他时候就不要改了。

任正非在内部会议上说：

我们要的是变革而不是革命，我们的变革是退一步进两步。

他要求管理者在处理矛盾的过程中要变得更加成熟。成熟的重要标志就是不走极端，多一些未雨绸缪和循序渐进的持续变革。

任正非主张的是不断地改进、提升管理水平，而不是一下子全盘否定，造成伤筋错骨的危险。任正非这种温和的改革态度似乎与外界传闻的铁面无私的军人形象有所出入，却真实地反映了他性格中温和的一面。任正非表示：

在管理上，我不是一个激进主义者，而是一个改良主义者，主张不断地进步。

为什么不能随意改革，因为这样做可能会遭遇成本太高、条件不成熟等问题的困扰，进而造成企业的不稳定，这是一个企业经营过程中的大忌。

先说人力成本。要实行新的改革措施，要搞企业创新，就必须投入人力，组织一班人马。从制订实施方案入手，到广泛征求意见，再到修改完善，再到层层动员，最后到具体实施、检查评估。这是一个封闭的体系，需要企业全体员工同心协力才能做好，否则不仅难以取得创新的效果，而且还会付出高昂的代价。

再就是资金成本。创新不仅需要投入人力，还需要投入大量资金，譬如新产品的创新、工艺技术的创新等项目实施周期、回收期都比较长，这就要求企业必须具备较强的实力，否则不仅无法完成创新项目，实现创新目标，还有可能拖垮企业。

还有就是间接成本。创新不仅仅有直接成本，还有间接成本。而且，往往间接成本要比直接成本大得多。因为间接成本无法直接评估，并且容易被决策者忽视。间接成本体现在哪里？体现在具体实施创新的过程中，对原来程序、秩序、体系打破的过程中，而在新的程序、秩序、体系还没有建立起来的情况下，体现在对企业生产系统、经营系统及管理系统带来的冲击，以及给企业整体经营绩效带来的不利影响。

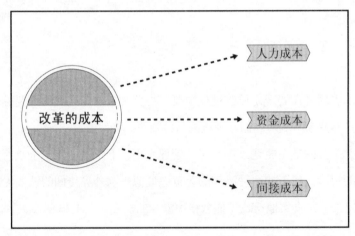

另外，一次成功的创新要求企业内外部条件必须是成熟的。

对于这些问题，任正非无疑已经思考得很透彻，所以，当华为在内外条件还不够成熟的时候，他主张采取改良主义而不是全盘否定。

我是主张改良的，一点点地改，不主张大刀阔斧地改革。华为必须坚持改良主义，通过不断改良，实现从量变到质变的过程。华为在高速发展的过程中，轰轰烈烈的剧变可能会撕裂公司。所以要在撕裂和不撕裂中把握好"度"。我们处理发展速度的原则应该是有规律、有预测地在合理的增长比例下发展，但我们也必须意识到这样做所带来的不稳定。我们必须在此基础上不断地提高我们的管理能力，不断地调整管理能力所能适应的修补程度，以使我们适应未来的长期发展。

……

公司的考核制度不是僵化、固定的，必须保持一个合理的动荡范围。动荡不能太大，太大了房子就会倒下来；也不能没有动荡，公司的各项政策都是动态的，通过动态的不稳定实现不断的优化。公司的授权和分权也是逐步进行的，不能也不可能一步到位，而授权和分权是否有效，最终的衡量标准是实现目标的程度。

2009年4月24日，任正非在华为运作与交付体系奋斗表彰大会上讲道：

我们不要忌讳我们的病灶，要敢于改革一切不适应及时、准确、优质、低成本实现端到端服务的东西。公司的运作虽然这些年已从粗放的运作，有了较大的进步。但面对未来市场发展趋缓，要更多地从管理进步中要效益。我们从来就不主张较大幅度的变革，而主张不断地改良，我们现在仍然要耐得住性子，谋定而后动。

说到底，还是为了生存。作为掌舵人，任正非追求的是华为的稳健进步。生存是硬道理，大刀阔斧的革命可能会导致华为死亡。这种相对"保守"的做法对于正在转型的企业来说是必需的，也是必要的。

 ## 第二节　僵化，优化，固化

"先僵化，后优化，再固化"是任正非一个著名的管理改革理论，又称"三化"理论。这是在华为引进国际化管理运作体系时提出的改革要求，即先僵化接受，后优化改良，再固化运用。其思想与鲁迅的"拿来主义"颇为相似，鲁迅在文章中提到过"占有，挑选"。"占有"，即"不管三七二十一，'拿来'！""没有拿来的，人不能自成为新人；没有拿来的，文艺不能自成为新文艺"。鲁迅提出了他的"拿来主义"，他的拿是有选择的拿，为我所用的拿，不亢不卑的拿。"一切好的东西都是人类的共同财富，中国在发展过程中，外国好的东西、对中国的进步有益的东西都应该吸收，这应该是拿来主义的真实意思。"对于企业来讲，道理也是相似的。面对国外先进的管理理论，要先占有，之后再挑选。很多国内成功的企业，它们都是借鉴国外的先进理念，再结合我们国家自身的文化和特点，创造了一条属于自己的道路。

任正非认为西方的管理并不完全适合中国企业的实情，在引进西方管理的时候，要进行一定的改进。

1998 年 8 月，任正非在《华为人》报上发表了题为《不做昙花一现的英雄》的文章，他在文章中明确地指出：

管理是世界级企业永恒的主题，也是永恒的难题，华为在第二次创业中更加不可避免。世界上最难的改革是革自己的命，触及自己的灵魂是最痛苦的。

但面对华为的快速成长，不改革又是不行的。1998 年之后，华为开始全面引进国际级管理体系，包括从国际著名人力资源公司 HAY 集团引入"职位与薪酬体系"，从 IBM 引进集成产品开发（IPD）及集成供应链管理（ISC），以及将英国国家职业资格管理体系（NVQ）引为企业职业资格管理体系等。

华为的第一次变革是在华为发展一帆风顺的时候进行的，当时的华为刚刚经历了连续 5 年的翻番式增长并在国内确立了龙头老大的市场地位，持续的成功让员工心里充满了自信和无往而不胜的良好感觉。

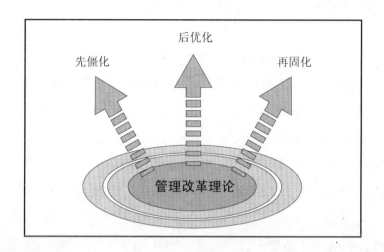

先僵化

为了保证变革的成功，华为特别制订了对系统"先僵化，后优化，再固化"的变革方针。这也就是说，华为先是让员工在第一阶段"被动""全面"地接受这一套新的运行方式，等公司对整个系统的运行有了比较深刻的认知之后，再对其进行调整优化，最后自然也就能形成一套特有的华为自己的运行方式。任正非表示：

在管理改进和学习西方先进管理方面，我们的方针是"削足适履"：对系统先僵化、后优化、再固化。我们切忌产生中国版本、华为版本的幻想。

......

5年之内不许任何改良，不允许适应本地特色，即使不合理也不许动。5年之后把国际上的系统用惯了，再进行局部改动；至于结构性改动，那是10年之后的事情。

......

我们让大家去穿"美国鞋"，让美国顾问告诉我们"美国鞋"是什么样子。至于到了中国后，鞋是不是可以变一点，只有顾问有权力变，我们没有这个权力。创新一定要在理解的基础上创新。我们要把那些出风头的人从我们变革小组中请出去。

华为集中了中国 IT 领域近万名的优秀人才，这些人的脑子里都充满了主意，有些员工还没有搞明白要进行变革的方向，就开始提出各种各样的问题，他们自认为比 IBM 的理念还要先进。

如果还没有在引进的管理方法中进行实践，一上来就民主地让大家进行"优化"，一定会意见不一，因为每个人都有自己的经验，单凭过去的经验来套新的规则，会陷入形而上学。任正非深知这一点。他在一次讲话中说：

华为员工很聪明，容易形成很多思想和见解，认识不统一，就容易分散精力。

1998 年 9 月，项目刚刚开始一个月，任正非在关于公司 IT 建设的会议上就异常严厉地指出：

我最痛恨"聪明人"，认为自己多读了两本书就了不起，有些人还不了解业务流程是什么就去开"流程处方"，结果流程七疮八孔地老出问题。

针对许多员工包括一些高层员工认为 IBM 的一套不适合华为的论点，任正非则非常明确地表示：

我们坚决反对搞中国版的管理、华为特色的管理。所谓管理创新，在现阶段就是要去消化西方成熟的管理。

IBM 是一个具有 80 多年悠久历史的公司，而华为还处在一个学生娃、课本式的幼稚管理阶段。我们一直摸着石头过河，但我们不希望掉到河里去。我们应该看到 IBM 已经站在相当的高度，它的坐标是世界级的，所以 IBM 指出我们的问题，我们一定要理解。

……

我们有很大的决心向西方学习。在华为公司,很多方面不是在创新,而是在规范,这就是我们向西方学习的一个很痛苦的过程。正像一个小孩,在小的时候,为生存而劳碌,腰都压弯了,长大后骨骼定型后改起来很困难。因此,我们在向西方学习过程中,要防止东方人好幻想的习惯,否则不可能真正学习到管理的真谛。

由于 IPD 牵涉的面很广,而且华为规模大、产品线宽、系统复杂、技术含量高,所以刚一开始 IPD 在华为的实施是十分艰难的。

自古以来,任何变革都会遇到各种各样的阻力。变革一定会触及一部分人的利益,戳痛个别人。这些人在变革的时候,自然会千方百计地找出理由,坚持不懈地抵触,越民主,越容易形成重重阻力,最后导致新管理的流产。这是一切软弱的改革者的软肋。要想获得变革的最终胜利,变革的领导者就必须能够正确机敏地应对和顶住来自各方的压力和困难,针对企业实际制定合适的变革策略。

1997 年,管理变革发起之时,30% 的市场主管离开原有岗位,且对其他部门的人事冲击几乎形成风暴。在 IPD 和 ISC 实施最为深入、投入也最大的 2002 年,受当时 IT 业衰退的影响,华为当年还出现了创业以来的首度业绩滑坡,销售额下降了 17%,利润和成本都受到了挤压;更雪上加霜的是,受公司业绩增长压力以及流程变革带来的阵痛影响,2001 ~ 2002 年,有为数众多不适应新的管理流程的核心研发团队相继离职。

华为高级副总裁何庭波在接受《21 世纪经济报道》记者丘慧慧采访时回忆说:

"变革除了动摇了原有人事的能力和职位评估,更冲击到了原有研发技术核心人员的理念。过往研发策略和方向更依赖个人和资金,而新 IPD 流程更强调决策的流程化和组织化,强调研发为市场所主导——在 IPD 流程推行日益深入的 2001 年前后,我当时所在的软件及芯片部门中,不少被迫削足适履,个人英雄情结向流程和组织妥协,不少当年核心研发人员离开了华为,有 30% 左右的人离开了。而任正非在非公开场合也谈到过,这场持续而作风强硬的管理变革的代价是,让当时大概 2000 名管理干部走人。"

2001 年 4 月，任正非在其文章《北国之春》中写道：

推行 IT 的障碍主要来自公司内部，来自高中级干部因电子流管理，权力丧失的失落。我们是否正确认识了公司的生死存亡必须来自管理体系的进步？这种进步就是快速、正确，端对端，点对点，去除了许多中间环节。面临大批的高中级干部随 IT 的推行而下岗，我们是否做好了准备。为了保住帽子与权杖，是否可以不推行电子商务。这关键是，我们得说服我们的竞争对手也不要上，大家都手工劳动？我看是做不到的。沉舟侧畔千帆过，我们不前进必定死路一条。

……

危机的到来是不知不觉的，我认为所有的员工都不能站在自己的角度立场想问题。如果说你们没有宽广的胸怀，就不可能正确对待变革。如果你不能正确对待变革，抵制变革，公司就会死亡。在这个过程中，大家一方面要努力地提升自己，一方面要与同志们团结好，提高组织效率，并把自己的好干部送到别的部门去，使自己部下有提升的机会。你减少了编制，避免了裁员、压缩。在改革过程中，很多变革总会触动某些员工的一些利益和矛盾，希望大家不要发牢骚，说怪话，特别是我们的干部要自律，不要传播小道消息。

2005 年 4 月 28 日，任正非在作《华为公司的核心价值观》的专题报告时说道：

引进世界领先企业的先进管理体系，坚持"先僵化，后优化，再固化"的原则，坚持"小改进，大奖励；大建议，只鼓励"的原则，持续地推行管理变革。我们一定要真正理解人家上百年积累的经验，一定要先搞明白人家的整体管理框架为什么是这样的体系。刚才知道一点点，就发表议论，其实就是干扰了向别人学习。曾经有一个伟大的企业家说过他成功的经验，就是聆听。我们公司有许多小聪明，常哗众取宠，一知半解就提些意见，我们把他们赶出了变革管理小组，我们用 7～8 年时间听 IBM 顾问怎么说，成功地引进了他们的先进管理。"小改进，大奖励；大建议，只鼓励"其实就是反对那些空头的建议，没有本职的实践经验，没有很深的学习内涵，怎么可能提得出真正的大建议呢，是不可能的。因此，我们强调员工要做实。同时，我们有一个《管理优化报》，是自由地可以发表你的意见的，因此，组织上是不听取员工大建议的。整个组织行为是引导做实的。

坚持改进、改良和改善，反对大刀阔斧，反对急躁冒进，因为牵一发而动全身，随意的改进就是高成本。提倡循序渐进，提倡继承与发扬，提倡改良。任何一个新的主管上任的时候，他不能大幅度地推翻前任的管理，他的变革超过一定的限度时，他就会被弹劾。我们对企业创新进行有效管理，坚持持续地提高人均效益，构建高绩效的企业文化。

后优化

要学习别人先进的经营管理模式和技术，首要的问题就是削弱甚至取消原来特色鲜明的"传统文化"的宣传，脱掉"草鞋"，换上"美国鞋""德国鞋"，将华为文化中的核心部分归结为符合职业化需要的普遍性商业文化，如责任、敬业、创新等。这就涉及如何做到批判地继承的问题。

华为引进美国 HAY 公司的薪酬和绩效管理方法就是一个比较典型的"美国鞋"。任正非说道：

我们引入美国 HAY 公司的薪酬和绩效管理的目的，就是因为我们看到沿用过去的办法，尽管眼前还活着，但是不能保证我们今后继续活下去。现在我们需要脱下草鞋，换上一双美国的鞋，但穿新鞋走老路照样不行。换鞋以后，我们要走的是世界上领先企业走过的路。这些企业已经活了很长时间，它们走过的路被证明是一条企业生存之路，这就是我们先僵化和机械引入 HAY 系统的唯一理由，换句话讲，因为我们要活下去。

华为总裁任正非认为，华为必须全面、充分、真实地理解 HAY 公司提供的西方公司的薪酬思想，而不是简单机械地引进片面、支离破碎的东西。

但同时，任正非指出，向西方学习，引进西方的管理理念并非一味地照搬，他始终提倡的是一种改良,对于来自美国 HAY 公司的成功管理方法当然也不例外。

当我们的人力资源管理系统规范了,公司成熟稳定之后,我们就会打破 HAY 公司的体系,进行创新。我们那时将引入一批"胸怀大志,一贫如洗"的优秀人才,他们不会安于现状,不会受旧规范的约束,从而促使我们的人力资源管理体系再次裂变,促进企业的再次增长。

……

此外,管理既要走向规范化,又要创新,又要对创新进行管理,形成相互推动和制约机制。

管理本土化的实质既是民族化,又是国际化,适当的本土化是全球化的特征,它是一个动态的过程。

在全球经济产业趋于一体化的过程中,本土企业越来越多地加入了国际竞争,为了提高竞争能力,一场轰轰烈烈的"洋务运动"又开始了。但是,"外来的和尚"都会念经吗?"远方的客人"都能入乡随俗吗?我们的企业都需要"洋文凭"吗?每一种管理方法和工具都有其产生的特定环境和背景,在被应用到另外的领域和环境时应用者就要根据面临的实际情况作相应的调整,进而形成有自身特色的属于自己企业的一种方法、理论甚至文化。

2009 年 4 月 24 日,任正非在华为运作与交付体系奋斗表彰大会上讲道:

西方的职业化,是从 100 多年的市场变革中总结出来的,它这样做最有效率。穿上西装,打上领带,并非是为了好看。我们学习它,并非是完全僵化的照搬,难道穿上中山装就不行?我们 20 年来,有自己成功的东西,我们要善于总结出来,我们为什么成功,以后怎样持续成功,再将这些管理哲学的理念,用西方的方法规范,使之标准化、基线化,有利于广为传播与掌握并善用之,培养各级干部,适应工作。只有这样我们才不是一个僵化的西方样板,而是一个活的、有灵魂的、管理有效的企业。看西方在中国的企业成功的不多,就是照搬了西方的管理,而水土不服。一个企业活的灵魂，就是坚持因地制宜、实事求是。这两条要领的表达，就是不断提升效率。

成功引进后，再打破，再创新出自己的体系。这才是任正非要换上"美国鞋"的最终目的。而且这个过程其实一直在华为持续进行，其管理的进步就是依靠不断改革来实现的。

再固化

在华为总裁任正非的强力推动下，集成产品开发项目开始运行起来了。2003年上半年，数十位IBM专家撤离华为，标志着业务变革项目暂告一个段落。此次业务流程变革历时5年，涉及公司价值链上的各个环节，是华为有史以来进行的影响最为广泛、深远的一次管理变革。随着华为公司规模的日益庞大和市场的日益扩张，IPD系统的重要性日益凸现出来。任正非为华为打造了一个由IT支撑的、经过流程重整的、集中控制和分层管理相结合的、快速响应客户需求的管理体制。使华为能够与世界顶级的电信运营商用统一的语言进行沟通，为进入国际化奠定了基础。

华为总裁任正非指出，创新应该是有阶段性的和受约束的。表面上看来，公司的运作特点是重变，重创新，但实质上应该是重固化和规范。固化就是例行化（制度化、程序化）、规范化（模板化、标准化），固化阶段是管理进步的重要一环。

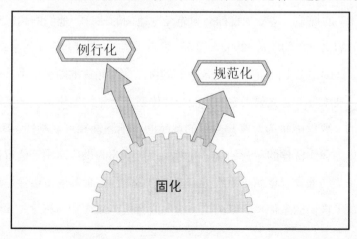

1．例行化

管理就是不断把例外事项变为例行事项的过程。将已经有规定，或者已经成为惯例的东西，尽快在流程上高速通过去，并使还没有规定和没有成为管理的东西有效地成为规定和惯例。

2．规范化

规范化的具体手段之一是模板化、标准化，这是所有员工快速管理进步的法宝。任正非指出，规范化管理的要领是工作模板化，就是把所有的标准工作做成标准的模板，就按模板来做。

这套被任正非称为"削足适履"的机制变革，在经历阵痛之后，其正面效应开始快速显现。"我们很快建立一套可以与国际客户，以及同行对接的'语言'（理念及行事方式），"华为一位核心老研发员工说。这也是华为创业 20 多年，即可与欧美百年老店抗衡的根本原因。

著名管理专家和并购专家王育琨在其著作《企业家的梦想与痴醉：强者》中这样写道：管理西化，是华为在全球化进程中不得不过的一道门槛。你可以有很好的广告、很前卫的展示、很好的个人交流，但是国际厂商更重视你的内功。2005 年，华为终于挤进 BT（英国电信）21 世纪网络供货商短名单，看上去好像比试的是技术和产品的性价比，而实际上考量的却是质量保证体系。

华为人刚开始接触英国电信时经常受到冷遇，因为英国人不相信中国人能制造出高质量的交换机。那时华为甚至连参加招标的机会都没有。后来，华为人终于知道了 BT 的规矩：要参加投标必须先经过他们的认证，他们的招标对象都是自己掌握的短名单里的成员。2002 年开始，华为请英国 BT 对其管理体系进行认证，做了两年，2004 年英国才把华为列入他们的可以参与角逐的短名单中。他们来华为考核时，技术并非首先要考虑的，而管理体系、质量控制体系、环境体系等才是最重要的，要保障华为对客户交付的产品的可预测性和可复制性。BT 的考核还包括对华为合作伙伴的运营和信用的考核，对华为的供应商的资信审核，甚至还包括对华为的人权（诸如华为给员工提供的食堂、宿舍等生活条件，对华为的供应商为员工提供的条件也予以关注）状况的考核。最终华为在总共 5 项指标中获得了四个 A 和一个 A-。这段经历，让任正非深刻领会到，企业组织的可复制能力与可预测性、体现在一系列流程和内外环境中的模式化力量，已经成为现代规模管理的基础，华为必须跨越这个门槛。

2008 年，全球竞争加剧，华为与 Accenture 顾问公司在 CRM（客户关系管理）上再次展开合作，其目的是优化华为从产品到客户的全流程，以提高华为全球化的运作效率。

 # 第三节　集成产品开发

企业进入规模运营以后，我们会发现支撑企业运营的流程开始变得臃肿、复杂，管制点越来越密，窗体越来越多，貌似我们的管理系统越来越完善，实际却是企业的运营节奏、反应速度越来越缓慢已成为不争的事实。

这是因为我们在解决问题、处理异常时，已经习惯了做"加法"，却没有想到有时做"除法、乘法、减法"，也是非常有必要的。于是将流程精简、流程优化、流程重组、流程再造作为改善项目提上日程已是势在必行。

世界著名管理学家迈克尔·哈默说："任何流程都比没有流程强，好流程比坏流程强，但是，即使是好流程也需要改善。"

集成产品开发（Integrated Product Development，简称 IPD）是一套产品开发的模式、理念与方法。IPD 的思想来源于美国 PRTM 公司出版的《产品及生命周期优化法》。

最先将 IPD 付诸实践的是 IBM 公司，IBM 公司实施 IPD 的效果不管在财务指标还是质量指标上都得到验证，最显著的改进在于：

1. 产品研发周期显著缩短；

2. 产品成本降低；

3. 研发费用占总收入的比率降低，人均产出率大幅提高；

4. 产品质量普遍提高；

5. 花费在中途废止项目上的费用明显减少。

IPD 强调以市场和客户需求作为产品开发的驱动力，更为重要的是，IPD 将产品开发作为一项投资进行管理。在产品开发的每一个阶段，都从商业的角度而不是技术的角度进行评估，以确保产品投资回报的实现或尽可能减少投资失败所造成的损失。

IPD 表面上看是研发管理，但它真正强调的却是以市场和客户需求为产品开发的驱动力，在产品设计时就构建产品质量、成本、可制造性和可服务性等方面的优势。尤其重要的是，它将产品开发作为一项投资来管理：在产品开发的每一个重要阶段，都将从商业的角度而不只是从技术的角度对产品进行评估，以确保实现预期的投资回报。

1997 年，华为在战略管理和项目管理之间矛盾重重。华为在中国市场得以成功的一个非常重要的原因，就是依靠"狼性"，即敏锐的嗅觉来把握市场需求并迅速推出产品。但是，华为的技术人员重功能开发、轻产品的可靠性和服务质量。因此，开发出来的产品到了市场上之后许多问题就暴露出来了。

在 1999 年之前，华为已经开始出现了"增产不增收"的效益递减现象。过去的 10 年间，华为之所以能够在与国际对手的竞争中发展起来，主要依靠两个方面的比较优势：一是人力资源的成本优势，二是基于中国市场特点的营销能力。相对的成本优势也是绝大多数中国企业在参与国际竞争中的基本优势。

中国企业的所谓成本优势大多建立在人力成本或其他自然资源的基础之上。但是，随着中国经济的发展，劳动力的成本必然会随之提高，这是不以任何人的意志为转移的。另外一个就是降低采购成本，而在现在全球一体化的经济进程中，如果不以牺牲质量为代价的话，这一点也无法继续保持下去。因此，持续降低成本的努力方向将会逐步从仅仅降低投入成本转向降低企业运营过程中所有环节的成本。

对于还未完全结束粗放型经营的华为来说，它开发的产品中有相当一部分是极端复杂的大型产品系统，如 C&C08 交换机、GSM、数据通讯、WCDMA 等，其软件规模均超过了千万行代码，由分布在不同领域里的数千名开发人员历时 2

至 3 年方能完成。要管理和协调这么一支庞大的开发团队，保证千万行代码不出现差错，不仅需要超人的智慧，更需要一种有效的管理策略。

1997 年开始近距离观察 IBM 之后，任正非发现，IBM 等高科技企业的研发模式不是单纯为了提高产品开发速度，而是在保证产品质量的前提之下缩短产品的上市时间（TTM，Time To Market）。IBM 的成功让任正非怦然心动。一年后，华为用"照葫芦画瓢"的强硬方式推行 IPD。

1998 年初，华为开始设计并自己摸索实施 IPD，但是由于自己设计的 IPD 方案考虑欠缺、流程在实际运行中有诸多不合理之处而惨遭失败。任正非认识到，华为再也不能闭门造车。于是，华为成为在国内第一家引进和实施西方公司的 IPD 的公司。

1999 年初，由 IBM 作为咨询方设计的 IPD 变革在华为正式启动。

在 IPD 变革的过程中，由于一些执行 IPD 的基层管理者还没有完全认同 IPD，或者是为了维护小集体利益，造成纵横制管理带来的多头领导，产品线和资源线可能为了各自利益，对处于交汇点上的人员提出不同甚至相互矛盾的工作牵引，使得产品线人员经常感到无所适从。针对这一情况，任正非铁腕推行，将推行 IPD 上升到了华为的生存层面：

IPD 关系到公司未来的生存和发展。各级组织、各级部门都要充分认识到其重要性。通过"削足适履"来穿好"美国鞋"的痛苦，换来的是系统顺畅运行的喜悦。

为了保证将国际先进的管理体系不走样地移植到华为，任正非还下了死命令：

不学习 IPD、不理解 IPD、不支持 IPD 的干部，都给我下岗！

任正非希望华为穿上 IBM 的鞋来迅速走上国际化管理的轨道。

华为对 IPD 项目的实施非常重视，不仅提出了"虚心向 IBM 学习"的口号，还在整个公司内部贯彻 IPD 的精神与理念。华为明确强调 IPD 变革要坚持两个原则：（1）先穿一双正宗的美国鞋；（2）然后成果固化，把其根植于我们的企业文化和日常运作规范中去。IPD 项目的实施对华为而言，是一场管理变革。在这场变革中，华为提出要求：要想实现世界级领先企业的梦想，就要以饱满的热情投身到 IPD 中。

根据 IBM 咨询的方法，华为 IPD 项目划分为关注、发明和推行三个阶段。在关注阶段，进行大量的"松土"工作，即在调研诊断的基础上，进行反复的培训、研讨和沟通，使相关部门和人员真正理解 IPD 的思想和方法。发明阶段的主要任务是方案的设计和选取 3 个试点。推广阶段是逐步推进的，先在 50% 的项目中推广，然后扩大到 80% 的项目，最后推广到所有的项目。

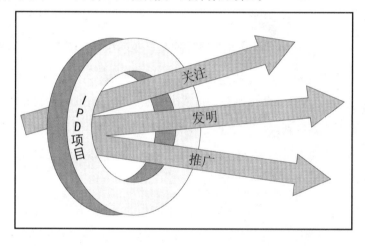

1999 年 11 月，集成产品开发项目第一阶段的概念导入正式结束，开始进入推广阶段。任正非在第一阶段总结汇报会上又对大家说：

中国人就是因为太聪明了，五千年都受穷。日本人和德国人并不聪明，但他们比中国人不知道要富裕多少倍。中国人如果不把这个聪明规范起来的话，将是聪明反被聪明误。

2000 年，华为以无线业务部作为第一个"集成产品开发"试点。无线业务部副部长李承军和他那支从各个部门抽出来的 10 人团队在 IBM 顾问手把手的指导下把华为的大容量移动交换机 MSC6.0 送上了"集成产品开发"流程。经历了 10 个月的开发周期，华为把整个流程走了一遍，算是完成了首次试运行。两年后，华为终于把所有新启动的产品项目都按照"集成产品开发"的流程来运作了。

实行集成产品开发之后，华为的研发流程发生了很大的变化。

单从技术的角度出发，IPD 让华为从技术驱动型转向了市场驱动型，它最终改变了华为人的做事方法。以前华为研发项目的负责人全部是由技术人员担任，现在则强调产品开发团队的负责人一定要有市场经验。以前，华为的中央研究部全权负责研发，市场部门负责销售，中央部做什么，市场部门就得卖什么。而现在可热闹了，产品做成什么样完全由不得研发人员，很多人都得参与，而这些人在以前都是和研发根本不搭界的人。

在 IPD 流程里，人们参与另一种非实体的管理开发流程 TDT（Technology Development Team）——技术开发团队，每个 TDT 的人员来自不同的部门，从市场到财务，从研发到服务支持，目标导向只有一条：满足市场需求并快速赢利。

如今，IPD 的理念已经融入华为人的血液。比方说，产品从一出来就要注意可维护性，技术支持人员随时配备。过去华为是没有技术支持的，研发人员随便写一些资料就可以了，现在都有专门的资料开发人员为研发人员做新产品的资料配备，如果没有做，研发人员可以投诉。

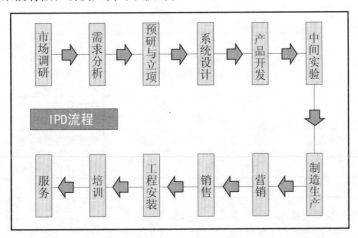

IPD 流程强调的是产品从市场调研、需求分析、预研与立项、系统设计、产

品开发、中间实验、制造生产、营销、销售、工程安装、培训与服务到用户信息反馈的完整流程意义上的产品线管理。每一条产品线必须对自己的产品是否响应市场需求和销售效益负责，克服了研发部门片面追求技术而忽视市场反馈的单纯技术观点，也克服了市场部门只顾当前销售而不关心产品战略的短视倾向。

这个改变孕育了一个全新的部门——营销工程部，同时也使华为的研发水平开始与国际公司看齐。

在 IBM 设计的 5 年课程中，华为逐步在适应这双美国鞋：学习—结合华为实际设计相应流程—小规模试行—大面积推行，直至 2003 年，IPD 的洋装从 1.0 版本升级到了 3.0 版本。"这是一个从无到有的过程"。"从一个技术人员的角度来看，IPD 让我们从技术驱动型转向了市场驱动型，它改变了我们的做事方法"。2004 年，华为中央软件二部技术副总监施广宇在接受《21 世纪经济报道》记者丘慧慧采访时说，从最开始的个别项目放在俗称的"玻璃房"下试行供观望，到几乎所有产品进入 IPD 流程。

2003 年上半年，数十位 IBM 专家撤离华为，标志着业务变革项目暂告一个段落。此次业务流程变革历时 5 年，耗资数亿元，涉及公司价值链上的各个环节，是华为有史以来影响最为广泛、深远的一次管理变革。这次流程再造的具体效果如下表：

华为建立 IT 流程处理系统的前后对比

事项	实施前	实施后
库存管理	库存 数据不及时 库存数据不准确库存盘点困难	库存信息与交易基本实施同步，库存准确率达到 98% 以上，通过循环盘点，大大提高了物料管理效率
采购订单处理	平均处理周期 8 天 平均处理成本 2000 元	平均处理周期为 2 天 平均处理成本为 700 元
销售订单处理	处理周期长 难以检查订单的执行状况	处理周期缩短 35%，日处理 500 多份订单，能够方便地检查订单的执行情况
财务结账周期	平均周期为 15 天	平均周期 5 天
对公司整体运营的支持	10 亿元左右的销售额	人员增长 5 倍，销售额达到 220 亿元

通过表中的对比，可见华为的流程再造是极为成功的。这一成功就使企业在

整个价值链上的各项活动中领先其他竞争者一步，不仅满足了客户的个性化需要，而且极大地提高了自己的劳动效率，把信息滞后率降到了最低。

华为在2003年之后，感受到了管理变革以及与世界用同一种管理"语言"沟通带来的乐趣。2002年，华为销售额整体虽然下降了17%，但是当年海外市场却增收了210%！2000年～2004年，华为海外复合增长率为122%，至2004年，华为快速地恢复了元气，整体销售额达到460亿元，净利润50亿元，大于当年TCL、联想、海尔的利润总和。

2009年4月，任正非在华为运作与交付体系奋斗表彰大会上讲道：

我们从杂乱的行政管制中走过来，依靠功能组织进行管理的方法虽然在弱化，但以流程化管理的内涵，还不够丰富。流程的上、下游还不能有效"拉通"，基于流程化工作对象的管理体系还不很完善，组织行为还不能达到可重复、可预期、可持续化的可值得信赖的程度。人们还习惯在看官大官小的指令，来确定搬道岔，以前还出现过可笑的"工号文化"。

工作组是从行政管制走向流程管制的一种过渡形式，它对打破部门墙有一定好处，但它对破坏流程化建设有更大的坏处。而我们工作组满天飞，流程化组织变成了一个资源池，这样下去我们能建设成现代化管理体系吗？一般而言，工作组人数逐步减少的地方，流程化的建设与运作就比较成熟。

我们要清醒地认识到，面对未来的风险，我们只能用规则的确定来对付结果的不确定。只有这样我们才能随心所欲，不逾矩，才能在发展中获得自由。

第四节　财务变革

企业是以盈利为目的的组织，所有企业在竞争过程中，必然面临着残酷的竞争，如何在竞争中生存下去，是获利的根本前提。企业生存的根本前提是：要求企业不断发展。财务管理的目标服务于企业的目标，是实现企业目标的根本保证。

企业必须充分认识财务管理的地位和重要性，大力发挥财务管理的作用，切实提高企业的竞争能力，才能保证企业目标的实现。

对于资金与技术双密集的通信行业，资金的充足是企业发展和海外扩张的必要条件，而上市是一般优质企业的融资首选。但是，有着国际化战略蓝图的中国第一家真正意义上的跨国企业——华为，却迟迟没有上市。因此，其对财务管理的要求比上市企业更紧迫。

2007年年初，华为总裁任正非致信IBM公司CEO彭明盛，希望IBM公司派出财务人员，帮助华为实现财务管理模式的转型。为什么要进行财务管理模式的转型？因为任正非注意到，虽然华为销售收入保持高速增长，但净利润却逐年下降，他甚至不知道一个单子接下来是否会赚钱。尽管从2000年开始华为公司的财务部门已经参与成本核算，但是公司还是缺乏前瞻性的预算管理。

任正非在其文章《狭路相逢勇者生》中这样写道：

相比我们产品研究与市场营销国际接轨的目标是瞄准世界一流公司，我们财经系统的目标是否低了一些，我们能否迎接大发展的风暴，人们心存疑问。我们管理远远滞后市场的发展，不断地超速发展撕裂管理的弥合，以及计划统计审计系统的科学性、弹性还有待时间来考验。这些系统预测、分解、弹性的相互关系是否已吸引了为之献身的人们在深刻研究与实践。计划系统综合平衡，统筹安排的能力还显得力度不够。

组织构架、管理流程还需要不断优化。要在流程中设立监控点、审计点，各级干部要对不同的监控、审计点负责任，要深入到实际中去，亲自审核数据，不要浮在水面上，要让自动审计成为可能。审计是否已去剖析流程的合理性，深刻认识与分析计划模型在实践中的实时控制和调节能力。计划、统计、审计是否充满在每一个环节，使之形成管理的三角形。如果每个管理环节都为三角形叠加，公司的稳固性与在大发展中适应性就有了很好的基础。

财务管理处于企业管理核心地位的原因主要有以下两点：其一，企业的经营活动由购、产、供、销等几个环节组成，财务活动贯穿于这些活动之中，是企业经营活动的基础。财务管理通过对资金供求关系的掌控，为企业的经营活动保驾护航；同时财务管理又为企业的整个经营活动提供了可供参考的资料，财务信息是各个部门相互协调一致的重要依据。现代企业制度要求建立现代化的财务管理制度。其二，财务管理可以通过投资决策、筹资决策和分配决策为企业创造更多的获利机会，是企业目标实现的根本保证。[①]

华为通过专门的资金计划部控制资金流向，资金计划部下设有国际融资部，专门分析海外项目的资金风险问题。华为要求每个财务管理人员每天都要写工作日记，主管领导审批后拿到数据库，有专门的部门定期抽查。这样，财务部门就不敢作假。财务每天还要写自查报告，3个月后，每个主管经理都要向公司保证报告数据的真实性。

华为制订了严格的计划、统计、审计流程，并在流程中设立众多监控点、审计点，要求各级干部对不同的监控、审计点负责任，亲自审核数据。

任正非在其演讲《华为公司的核心价值观》中谈道：

这些年，华为通过与PWC、IBM的合作，不断推进核算体系、预算体系、监控体系和审计体系流程的变革，在以业务为主导、会计为监督的原则指导下，参与构建完成了业务流程端到端的打通，构建高效、全球一体化的财经服务、管理、监控平台，更有效地支持公司业务的发展。通过落实财务制度流程、组织机构、人力资源和IT平台的"四统一"，以支撑不同国家、不同法律业务发展的需要；通过审计、内控、投资监管体系的建设，降低和防范公司的经营风险；通过"计划—预算—核算—分析—监控—责任考核"闭环的弹性预算体系，以有效、快速、准确、安全的服务业务流程，利用高层绩效考核的宏观牵引，促进公司经营目标的实现。到目前为止，华为公司在国内账务已经实行了共享，并且实现了统一的全球会计科目的编码，海外机构已经建立财务服务和监控机构，实现了网上财务管理。建立了弹性计划预算体系和全流程成本管理的理念，建立了独立的审计体系，并构建了外部审计、

---

① 李慧.论企业财务管理的重要性.中国外资，2011

内部控制、业务稽核的三级监控，以此来降低公司的财务风险和金融风险。

2009 年 3 月 24 日下午，任正非在华为内部大会上演讲时说道：

　　在管理进步中，财务的进步是一切进步的支撑。在公司快速发展的今天，财经部门更应该加快自己的建设，真正成为流程中不可缺少的力量。

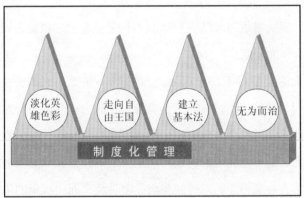

第4章

制度化管理

在讨论人力资源管理对企业的重要作用的时候，《华为公司基本法》的起草人之一包政教授曾经问任正非，人才是不是华为的核心竞争力？任正非回答说不是，他认为对人的能力进行管理的能力才是企业的核心竞争力。由此在基本法第一章核心价值观的第二条关于员工的基本假设确定为："认真负责和管理有效的员工是华为最大的财富。"以此来阐明华为不鼓励个人英雄，而是注重员工在组织中发挥作用的能力。

制度是指人与人之间关系的某种契约形式，规范化的管理制度能提供一种约束信息，通过规范行为来降低各种交易费用。企业的制度结构决定着组织形式，从而决定着组织的绩效高低，在新的经济环境下，走向职业化管理已是一种管理态势，职业化的管理就是解决企业内部问题要靠法治而非人治，就是企业依照程序和规则运作，而非靠兴趣和感情维持。

 # 第一节　淡化英雄色彩

美国前通用电气公司总裁杰克·韦尔奇说："我的成功，10% 是靠我个人旺盛无比的进取心，而 90% 是依仗着我的那支强有力的团队。"于 1977 年才成立的苹果电脑公司，能发展成为可以与 IBM 具有同等竞争力的电脑公司，其秘诀也在于有一个精诚合作的团队。

面对强大的竞争对手 IBM 公司，当年 28 岁的董事长斯蒂夫·乔布斯并没有打算让路。因为在他麾下，有一帮充满着青春活力、有着亲密无间合作关系的伙伴们为他撑腰。在这群年轻人中间，乔布斯充当着教练、班子的领导和冠军栽培人的多重角色，是一个完美的典型。他是一个既狂热又明察秋毫的天才，他的工作就是专门出各种新点子，对传统观念提出挑战。而团队中的年轻人是他的各种构想的实践者，他们精诚团结，相信乔布斯的眼光，都希望在从事的工作中做出伟大的成绩。

由于工业社会的快速发展，国外在管理方面，一直强调的都是团队和协作的力量。而在我国改革开放初期，整个国家都是在通过一种策略来推广某种精神，那就是将某人树立为典型，然后广加传播，例如赖宁和雷锋。华为也是这样，在创业初期，其做法也是树立"英雄"。

在军人出身的华为总裁任正非的人生字典里，"英雄"无疑是意义非同一般的概念。华为能从无数的诱惑、坎坷、教训中走过来，能从漫长的"冬天"里挺过来，应该要归功于任正非及在他带领下的以"群狼"自诩的华为人，他们拥有一种英雄式的悲壮的牺牲精神。

任正非曾经这样说过：让有成就欲望者成为英雄，让有社会责任者（指员工对组织目标有强烈的责任心和使命感）成为领袖。基层不能没有英雄，没有英雄就没有动力。

1997年，任正非在市场前线汇报会上作的题为《什么是企业里的英雄》的报告中说道：

什么是英雄，人们常常把文艺作品、影视作品中的人物作参照物。因此，在生活中没有找到英雄，自己也没有找到榜样。英雄很普通，强渡大渡河的英雄到达陕北后还在喂马，因此，解放初期，曾有团级马夫的称谓。毛泽东在诗词中说过"遍地英雄下夕烟"，他们是农民革命军，那些手上还有牛粪却风起云涌投入革命的农民。

在这篇讲话中，任正非明确地提出他对"华为的英雄"的理解：

什么是华为的英雄，是谁推动了华为的前进。不是一两个企业家创造了历史，而是70%以上的优秀员工，互动着推动了华为的前进，他们就是真正的英雄。如果我们用完美的观点去寻找英雄，是唯心主义。英雄就在我们的身边，天天和我们相处，他身上就有一点值得您学习。我们每一个人的身上都有英雄的行为。当我们任劳任怨、尽心尽责地完成本职工作，我们就是英雄；当我们思想上艰苦奋斗，不断地否定过去；当我们不怕困难，愈挫愈勇，您就是您心中真正的英雄。我们要将这些良好的品德坚持下去，改正错误，摒弃旧习，做一个无名英雄。

同年，任正非在公司研究试验系统先进事迹汇报大会上做了《呼唤英雄》的讲话，他讲道：

当代青年如何爱自己的祖国，如何报效生我养我的黄土地？与 157 年前一样，需要热血、勇气与牺牲的精神。从现在起，以后的 15 年是我国历史性的关键时期，中国将走向繁荣富强。今天二三十岁的青年人，到时将是四五十岁，正成熟，将带领又一代人担负起历史兴亡的责任。他们献身于祖国的事业，也同时使自身得到解放。

历史呼唤英雄，当代中国更迫切地呼唤英雄的群体，华为青年应该成为这样的英雄。谁能说今天的土博士，不会是明日的世界英才。我国只有在教育、文化、科技方面领先，才能走出让人欺辱的低谷。有志的中华儿女，应该献身于祖国的事业……

在多次的动员会上，在任正非讲话中，"英雄""豪杰"等词汇频繁出现。在这一时期，华为各阶层员工团结成一支狼虎之师，所到之处，所向披靡。如果说任正非把华为当成一支部队，一支英雄之师进行攻城略地，也是不为过的。

可以看出，任正非的"英雄主义"并不是个人的"英雄主义"，他强调的是集体英雄。

公司的总目标是由数千数万个分目标组成的，任何一个目标的实现都是英雄的英雄行为所为。我们不要把英雄神秘化、局限化、个体化。无数的英雄及英雄行为就组成了我们这个强大的群体。我们要搞活我们的内部动力机制，核动力、油动力、电动力、煤动力、沼气动力……它需要的英雄是广泛的。由这些英雄带动，使每个细胞直到整个机体产生强大的生命力，由这些英雄行为促进的新陈代谢，推动我们的事业向前进。

因此，华为公司不会只有一名英雄，每个项目组也不会只有一人成功。每一个小的改进，小组都开一个庆祝会，使每个人都享受到成功的喜悦。你也可以邀请更多人参加，让更多人知道。当你乐滋滋的时候，你就是你心目中最崇拜的英雄。不要因为公司没有发榜，英雄就不存在。公司的管理总是跟不上你的进步，不要因它的滞后而否定了你。即使发榜也只会选择少数代表，也不要因为没有列入榜上，你就不是英雄。是金子总会发光的，特别是在湍急的河流。高速发展的华为公司给你提供了更多的机会，在团结合作、群体奋斗的基础上，努力学习别人的优点，改进自己的不足，提高自己的合作能力与技术、业务水平，发挥自己的管理与领导才干，走向英雄之路。做一个从没得到过授勋的伟大英雄。

他是这样说的："新老干部要团结合作，只有携手共进，才能优势互补。英雄是一种集体行为，是一种集体精神，要人人争做英雄。"

任正非希望华为内部要多出英雄，多出集体英雄。同时，他强调，华为不能做昙花一现的英雄，不做所谓的"聪明人"。

1998 年，任正非在他的一篇《不做昙花一现的英雄》中指出：

由于 10 年卧薪尝胆、艰苦奋斗的成功，面对国内外可能越来越多的善意的宣传，我们是否会沾沾自喜？在我们队伍中是否会滋生一些不良的浅薄的习气？华为人的自豪是否会挂在脸上？凭什么自豪？华为人能否持续自豪？我们前进的道路是越来越宽广，还是越来越困难？木秀于林，风必摧之。我们越发展，竞争对手实力越强，竞争就越困难。我们要有长期在思想上艰苦奋斗的准备。持续不断地与困难奋斗之后，会是一场迅猛的发展，这种迅猛的发展会不会使我们的管理断裂？会不会使意满志得的华为人手忙脚乱，不能冷静系统地处理重大问题，从而导致公司的灭亡？事实上摆在我们面前的任务和使命，比以前我们重技术、重销售的时代更加重大而艰难，全面地建设和管理我们的事业的艰难度要远远大于以前的艰难度，这就要求我们干部要更快地成熟起来。

任正非希望在胜利面前能保持清醒的认识，不要做昙花一现的英雄。

我希望大家不要做昙花一现的英雄。华为公司确实取得了一些成就，但当我们想躲在这个成就上睡一觉时，英雄之花就凋谢了，凋谢的花能否再开，那是很成问题的。在信息产业中，一旦落后，那就很难追上了。

然而，从1998年做了《不做昙花一现的英雄》和《狭路相逢勇者生》讲话之后，任正非的文章和讲话很少出现"英雄"字样。任正非希望华为的发展壮大不再依靠一两个"超人"式的英雄，而是要依靠一个职业化的团队。这个团队即便有一两个人离开，也不会妨碍它向前迈进的步伐。

20世纪90年代中期前后，是华为"英雄辈出"的年代。那时候，除了任正非，至少还有两位才俊在华为跌宕起伏的传奇与故事中被一再提及——郑宝用与李一男，一位追随任正非创业至今、情如兄弟，一位深得任激赏并与其形同父子。郑李二人留给公众的形象符合华为早期创业与发展阶段的"品味"——技术标兵。

少年天才李一男在华为的发展史上曾发挥过不可忽视的作用，他的少年得志的传奇经历，至今仍令人艳羡不已。2000年，李一男在"内部创业"的运动中离开了华为，自立门户创立了北京港湾网络有限公司，与任正非的关系从师生转为对手。2003年港湾遭遇残酷竞争，业绩出现滑坡；2005年港湾上市融资之路受阻，与西门子的并购方案破裂；2006年，浪子回头，李一男带着他的港湾回归华为，出任华为EMT（经营管理团队）之外的"华为副总裁兼首席电信科学家"之位；2008年10月6日，李一男加盟百度任首席技术官（CTO）；2010年1月，李一男离开百度加盟中国移动。一个人，十几年的人生起伏，在行业中掀起无数的猜测、感慨，恐怕也是因为这个主角是李一男，是出自华为的李一男。

后来有媒体这样评价，"任正非和李一男都是英雄，英雄应该是惜英雄的。港湾没有卖给别人，而是卖给了华为，我相信冥冥之中，任正非和李一男的心在靠近！"

应该说李一男和郑宝用这些华为早期的功臣，都是华为企业史上不可忽略的

"英雄""开国元勋"。在2000年之前，任正非曾在多次讲话中，以郑李为模范，号召销售战线、研发部门等向他们学习，希望公司能培养出更多的李一男和郑宝用。

在经历了李一男出走事件后，华为又经历了倚重为左右手的郑宝用的卧病不起难题。虽然经过救治没有了生命危险，但郑宝用已经不能再像从前那样拼命地投入工作。这一事件进一步促使任正非深入思考建立起"不依赖于人的制度"的必要性。

此后，华为加大了对职业化进程的推进，全面引进国际管理体系，包括职位与薪酬体系，以及英国国家职业资格管理体系（NVQ），IBM的集成产品开发（IPD）及集成供应链管理（ISC）等。2004年，华为成立了EMT（经营管理团队），由董事长、总裁及6位分管不同领域的副总裁组成。华为EMT构成群体决策的民主机构，推行轮值主席制，由不同的副总裁轮流执政，组成每月定期商讨公司战略决策的内部议会制，个人英雄的时代彻底宣布落幕。

任正非在《致新员工书》中写道：

华为的企业文化是建立在国家优良传统文化基础上的企业文化，这个企业文化黏合全体员工团结合作，走群体奋斗的道路。有了这个平台，你的聪明才智方能很好发挥，并有所成就。没有责任心，不善于合作，不能群体奋斗的人，等于丧失了在华为进步的机会。

华为非常厌恶的是个人英雄主义，主张的是团队作战，"胜则举杯相庆，败则拼死相救。"

华为内部实施区别管理，要求中低层管理者继续争当英雄，以获得晋升的机会，成长为高级管理者。

对基层干部的要求是呕心沥血，身体力行，事必躬亲，坚决执行，有效监控，诚信服从。

......

希望有个人成就感的高层干部，只能当英雄，而不能当领袖，不能赋予权力。

任正非表示，不要英雄只是针对高层管理干部。

我没有说基层不要英雄，炸碉堡还是需要英雄的。基层干部不能无为而治。不当英雄，你也无法通向中高级管理者，谁会选拔你呢？对基层干部我们的原则是呕心沥血，身体力行，事必躬亲，坚决执行，严格管理，有效监控，诚信服从。与高级干部标准反过来，形成一个对立统一的悖论。

2000 年，任正非在刊号为 101 期的《华为人》上发表了一篇名为《无为而治》的文章，其中有一段话是这样说的：

华为曾经是一个"英雄"创造历史的小公司，正逐渐演变为一个职业化管理的具有一定规模的公司。淡化英雄色彩，特别是淡化领导人、创业者的色彩，是实现职业化的必然之路。只有职业化、流程化才能提高一个大公司的运作效率，降低管理内耗。第二次创业的一大特点就是职业化管理，职业化管理就使英雄难以在高层生成。公司将在两三年后，初步实现 IT 管理，端对端的流程化管理，每个职业管理者都在一段流程上规范化地运作。就如一列火车从广州开到北京，有数百人搬了道岔，有数十个司机接力。不能说最后一个驾车到了北京的就是英雄。即使需要一个人去接受鲜花，他也仅是一个代表，并不是真正的英雄。

我们需要组织创新，组织创新的最大特点在于不是一个个人英雄行为，而是要经过组织试验、评议、审查之后的规范化创新。任何一个希望自己在流程中贡献最大、青史留名的人，他一定就会形成黄河的壶口瀑布，长江的三峡，成为流程的阻力。

一条职业化、制度化的"堤坝"，远远比堤坝里奔腾着什么样的水更重要。华为修坝的觉醒，起源于《华为公司基本法》起草之前，1995 年引入西方的一套工资改革体系，华为创业者彼时只是敏感地意识到：高速发展的知识竞争时代，科技人员的激励是企业发展的根本动力。然而直到《华为公司基本法》成稿，华为开始把这套萌芽的"管理思维"扩张为从文化、价值观、到经营策略的完整科技体系。

第二节　走向自由王国

管理大师德鲁克说："一个始终贯穿的主题是，各个企业中的决策者必须勇敢地面对现实，必须抵制'人人都知道'的常规，以及昨天确定性的诱惑，因为这些将变成对明天有害的迷信。"企业是有惯性的，就像一列铁轨上飞奔的火车，启动、加速、转弯和刹车都不容易。企业的成功一定是抓住了市场机会，在某方面发挥了企业的特长，就像我们每个人发挥自己的特长，取得专业上的成功一样。而这种特长的发挥，后面有组织体系的支撑，有组织结构，有人力资源体系，有管理制度，有专业技术特长等等。刚开始这些特长不是很明显，随着企业的发展，就像火车加速一样，不断地修炼，不断地完善，这些特长真的成为企业的核心能力。这个核心能力帮助企业取得了今天的成功，还将帮助企业取得明天的成功吗？我们可以躺在功劳簿上，吃个几十年吗？答案是否定的。[①]任正非要求企业不断地变革，从必然王国走向自由王国。

在 1998 年，任正非抛出了一篇非常重要的文章《要从必然王国走向自由王国》，他在这篇文章中写道：

毛泽东同志说过："人类的历史，就是一个不断地从必然王国走向自由王国发展的历史。这个历史永远不会完结……人类总得不断地总结经验，有所发现，有所发明，有所创造，有所前进。"人们只有走进了自由王国才能释放出巨大的潜能，极大地提高企业的效率。但当您步入自由王国时，您又在新的领域进入了必然王国。

---

① 企业长青——摆脱路径依赖.大禹网，2011.7

不断地周而复始，人类从一个文明又迈入了一个更新的文明。

"必然王国"与"自由王国"的提法都曾在马克思和毛泽东的著作中出现，也是他们的重要思想之一。"必然王国"是指人们对自然力量和社会力量无能为力的状态。由于对自然规律的无知，而受其束缚；同时由于对社会规律一无所知，以及私有制的狭隘性，人们又受社会力量的束缚。而"自由王国"指的是人们摆脱了盲目必然性的奴役，成为自然界从而也成为自己社会关系的主人的一种状态。"自由"是对"必然"的认识与支配，当人们能够正确认识客观的社会和自然的必然性，并能支配它，使其服务于人类自觉的目的的时候，也就从"必然王国"进入了"自由王国"。

由于从"必然王国"走向"自由王国"是一个无限的过程，这也就意味着，华为要成为一个伟大的公司，一个世界一流的企业，就必须踏上一条不断从"必然王国"走向"自由王国"的改进、循环之路。

1998年，华为进入了大规模扩张期，在这一年，华为的销售额比1995年增长了6倍，达到了89亿元。更为重要的是，华为已经基本实现了"农村包围城市、最终夺取城市"的战略目标，其核心产品已经进入了国内所有发达省份和主要城市。在传统的交换机市场，华为已经超过西门子和朗讯等国际企业，与上海贝尔一起成为最大的两家供应商，市场份额达到22%。

在辉煌的成绩面前，华为总裁任正非率领的华为人并没有得意忘形，而是思考着在公司进入第二次创业时，如何正确处理公司面对的各种新问题和矛盾，为公司的可持续发展探索有效的动力机制。

任正非对"必然王国"与"自由王国"的理解更多是从如何实现华为的可持续发展的角度来理解的。他在文章中这样写道：

什么叫"自由"，火车从北京到广州沿着轨道走，而不翻车，这就是"自由"。"自由"是相对于"必然"而言的，"自由"是对客观的认识。人为地制定一些规则，进行引导、制约，使之运行合理就是"自由"。孔子说他人生的最高境界是"从心所欲而不逾矩"，这就是"自由"。"必然"是对客观规律还没有完全认识,还不能驾驭和控制这些规律,主观还受到客观的支配。例如:粮食现在还不能很大地丰产,水灾和地震还不断给人类造成危害,我们的交换机软件如何发展与稳定……

因此,任正非要求华为管理人员必须做到:各级管理者、各个部门都必须不断地检讨昨天,规划明天。紧紧围绕目标导向,不断优化自己的工作。任正非表示:

华为走过的 10 年是曲折崎岖的 10 年,教训多于经验,在失败中探寻到前进的微光,不屈不挠地、艰难困苦地走过了第一次创业的历史阶段。这些宝贵的失败教训,与不可以完全放大的经验,都是第二次创业的宝贵的精神食粮。当我们第二次创业,走向规模化经营的时候,面对的是国际强手,他们又有许多十分宝贵的经营思想与理论,可以供我们参考。如何将我们 10 年的宝贵而痛苦的积累与探索,在吸收业界最佳的思想与方法后,再提升一步,成为指导我们前进的理论,以避免陷入经验主义,这是我们制定"公司基本法"的基本立场。几千员工与各界朋友两年来做了许多努力,在人大专家的帮助下,《华为公司基本法》八易其稿,最终在 1998 年 3 月 23 日获得通过,并开始施行。当然它还会在施行中不断地优化,以引导华为正确地发展……

任何一个人在新事物面前都是无知的,要从必然王国走向自由王国,唯有学习、学习、再学习;实践、实践、再实践。

在《要从必然王国走向自由王国》中,任正非主要阐述了两个问题,一是华为的第二次创业,二是《华为公司基本法》。事实上,这两个问题是同一个事件的两个方面,或者可以说,华为的第二次创业是以《华为公司基本法》为开端的。

在《华为的红旗到底能打多久》的文章中,任正非指出:

我们要逐步摆脱对技术的依赖,对人才的依赖,对资金的依赖,使企业从必然王国走向自由王国,建立起比较合理的管理机制。当我们还依赖于技术、人才和资金时,我们的思想是受束缚的,我们的价值评价与价值分配体系还存在某种程度的扭曲。摆脱三个依赖，走向自由王国的关键是管理。我们起草基本法，就是要管理构建起一个平台和一个框架，使技术、人才和资金发挥出最大的潜能。

任正非在上海电话信息技术和业务管理研讨会上说道：

工程化设计方法使软件的开发设计摆脱了对人才的依赖，不管谁离开公司，都不会影响公司的正常运作，为产品提供了安全性。因为我们没有对人才的依赖，便没有对人才的造就。每个人都必须开放自己，吸收他人的经验，形成一个和谐的奋斗集体，使集体智慧在产品设计、中试、生产过程中得到最佳的发挥，这样产品就会越做越精良。

至于为什么要持续管理变革？2005年4月28日，中共广东省委中心组举行"广东学习论坛"第十六期报告会上，任正非对此做出了说明：

要达到质量好、服务好、运作成本低、优先满足客户需求的目标，就必须进行持续的管理变革；持续管理变革的目标就是实现高效的流程化运作，确保端到端的优质交付。只有持续管理变革，才能真正构筑端到端的流程，才能真正职业化、国际化，才能达到业界最佳运作水平，才能实现运作成本低的目标。端到端流程是指从客户需求端出发，到满足客户需求端去，提供端到端服务，端到端的输入端是市场，输出端也是市场。这个端到端必须非常快捷，非常有效，中间没有水库，没有三峡，流程很顺畅。如果达到这么快速的服务，降低了人工成本，降低了财务成本，降低了管理成本，也就是降低了运作成本。其实，端到端的改革就是进行内部最简单的、最科学的管理体系的改革，形成一支最精简的队伍。

华为公司是一个包括核心制造在内的高技术企业，最主要的包括研发、销售和核心制造。这些领域的组织结构，只能依靠客户需求的拉动，实行全流程贯通，提供端到端的服务。即从客户端再到客户端。因此高效的流程必须有组织支撑，必须建立流程化的组织。建立流程化的组织，企业就可以提高单位生产效率，减掉了多余的组织，减少了中间层。如果减掉一级组织或每一层都减少一批人，我们的成本下降很快。规范化的格式与标准化的过程，是提高速度与减少人力的基础。同时，使每一位管理者的管理范围与内容更加扩大。信息越来越方便、准确、快捷，管理的层次就越来越少，维持这些层级管理的人员就会越来越少，成本就下降了。

我们持续进行管理变革，就是要建立一系列以客户为中心、以生存为底线的管理体系，就是在摆脱企业对个人的依赖，使要做的事，从输入到输出，直接地端到端，简洁并控制有效地连通，尽可能地减少层级，使成本最低，效率最高。

在很早的时候，任正非就提出并掀起了"二次创业"的运动。最具影响力的一次是在《华为公司基本法》开始拟定的前夕，他所发起的"市场部领导集体辞职"运动，这次运动的目的是为了响应公司组织改革的要求。响应任正非的要求，华为二十几位办事处主任集体辞职，有6名地方办事处主任被置换下来，市场体系高达30%的人下岗。这是《华为公司基本法》出台前规模最大的一次人事制度改革。

1996年底，在拟定《华为公司基本法》的同时，华为引入美国HAY咨询公司香港分公司建立任职资格评价体系。

以这些运动为序幕，此后，华为开展了一系列的管理改革行动。开始了从"必然王国"向"自由王国"的探索之旅。

第三节　建立"基本法"

单纯靠一次次会议或是一个个偶然事件，不可能提升团队思维方式和行为方式，反而增加了团队的迷惘、迟疑和不安全感。企业需要有统一的价值尺度和标准，于是任正非发起了制定《华为公司基本法》的工程。

《华为公司基本法》从1995年萌芽，到1996年正式定位为"管理大纲"，到1998年3月审议通过，历时数年。这期间华为也经历了巨变，从1995年的销售额14亿元、员工800多人，到1996年26亿元，再到1997年销售41亿元、员工 5600 人，直到 1998 年时，华为已经是一家年销售额 89 亿元、员工 8000 人的公司了。

谈到制定这部"基本法"的缘由，任正非说道：

制定一个好的规则比不断批评员工的行为更有效，它能让大多数的员工努力地分担你的工作、压力和责任。

在华为的发展史上，这部《华为公司基本法》具有非同一般的影响力。它是中国第一部总结企业战略、价值观和经营管理原则的"宪法"，是一家企业进行各项经营管理工作的纲领性文件，也是制定各项具体管理制度的依据。因此，该文本对于中国企业而言，具有很重要的示范意义。

华为开始思考现代管理思想和制度化的问题是有一定原因的，1994 年、1995 年，华为自主研制的 C&C08 数字程控交换机在市场上打开销路后，公司开始进入大规模的扩张时期。而这个时候，华为原有的异常脆弱的管理体系已经不能支撑公司的发展。

归结起来，主要有三个方面原因：

1. 业绩评估矛盾

1995 年，华为开始大量招聘员工，公司规模不断膨胀。华为的员工从 1992 年的不足 200 人，增加到七八百人。尤其是华为大面积进入农村市场，主要采取的是"人海战术"，导致销售人员急剧增加。随着华为网络的扩张，营销网络与人员的管理变得日益复杂，如何对销售人员的业绩进行有效的评价并及时激励，成为当时华为亟待解决的问题。

还有一个让任正非很是头痛的问题：每到月底，他就会收到下属大量的条子，为自己部门的员工申请涨工资，理由是他们干得不错。一开始任正非还能勉强应付，后来公司越来越大，条子也越来越多，根本批不过来，而且还浪费时间。更何况，涨与不涨，涨多还是涨少，都没有一个既定的标准，所以，任正非意识到，华为已经到了需要一套标准化理论体系来进行规范化管理的时候了。

2. 部门和岗位的职责与权限的不明晰

在 1995 年，华为还遇到了很多新问题。在这一年年初，华为紧跟当时潮流，在全公司范围内大规模推行 ISO9001 标准。但在重整后的业务流程体系中，各个部门和岗位的职责与权限如何定位成了一个大问题。

3. 企业文化千人千面

随着公司的发展，任正非逐渐发现一个问题，管理层和普通员工虽然一直把华为企业文化这个词挂在嘴边，但华为的企业文化到底是什么，谁也解释不清。有人说是床垫文化，有人说是雷锋文化，还有人说是校园文化，但这些都不符合任正非对企业文化的观点。他认为华为应该拥有一个明确清晰的企业文化了。

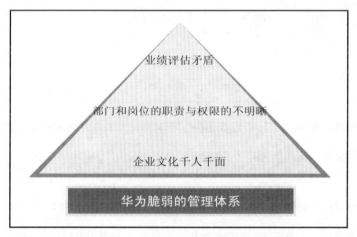

在与人民大学的专家们反复交流之后，任正非决定委托他们为华为建立一套文化体系，并由此催生了《华为公司基本法》。任正非对专家们多次强调：

如何将我们 10 年宝贵而痛苦的积累与探索，在吸收业界最佳的思想与方法后，再提升一步，成为指导我们前进的理论，以避免陷入经验主义，这是我们制定公司基本法的基本立场。

基本法到底是什么样的？任正非心里也没底，但是他坚信一点：基本法不是一个简单的整理归纳，而是关于华为成功经验的系统思考和升华提炼，这需要具备一定深度的理论功底并广泛地参考借鉴业内一流企业的最佳实践经验。

华为这部总计六章、103 条的企业内部规章，是迄今为止中国现代企业中最完备、最规范的一部"企业基本法"。其内容涵盖了企业发展战略、产品与技术政策、组织建立的原则、人力资源管理与开发，以及与之相适应的管理模式与管理制度等等。

更难得的是，《华为公司基本法》蕴涵着很多在当时的中国企业界看来非常超前的眼光和智慧。比如，在讨论"价值的分配"时，任正非就非常希望能够从理论上对他独特的"全员持股"和"知识资本化"的做法加以明晰的论证。

1998 年 6 月，任正非给中国联通处级以上干部作了一次《华为公司基本法》解释的报告，其中有一段意味深长的话道出了他起草《华为公司基本法》的核心目的：

一个企业怎样才能长治久安，这是古往今来最大的一个问题。我们十分关心并研究这个问题，也就是推动华为前进的主要动力是什么，怎么使这些动力长期稳定运行，而又不断地自我优化。

......

这个一同努力的源头是企业的核心价值观，这些核心价值观要为接班人所认同，同时接班人要有自我批判的能力……美国通用电气公司前 CEO 韦尔奇也认为：长寿的大公司一是靠企业文化的传递，二是靠接班人的培养。

从某种意义上讲，这部《华为公司基本法》就是任正非开始追寻利用制度建立起一个基业长青的企业，一个可以一直向其"世界级"目标迈进的企业的起点。

第四节　"无为而治"

　　无为而治是我国传统文化的核心思想之一。"无为"本是道家的核心思想，但同样也是佛家与儒家思想的重要组成部分。老子曰："道常无为，而无不为"，"治大国如烹小鲜"；孔子认为古代圣王舜就是无为而治的典范："无为而治，其舜也钦。夫何为哉？恭己正南面而已矣。"以德行天下反映了儒家"无为而治"的思想。佛家的"缘起性空"思想与"无为"是相通的，"空"与"无"具有相同的内涵，这其中都蕴含了中国传统的哲学智慧。"无为"并非什么都不做，而是要遵循大千世界的规律，尊重人的个性。

　　任正非认为，管理企业的最高境界是"无为而治"。一些国际知名的大公司，老板整天打高尔夫球，公司却能持续健康地发展。这就是任正非希望达到的"无为而治"的管理境界，即企业不需要人为控制，也能自行达到既定目标。通过内在控制来激发员工的工作热情，达到自我控制、自我管理。在新经济形势下，一个企业的每一个成员都能自发地、自觉地按照规范和目标行事，发挥自己的潜力，维护企业的利益，努力实现企业的目标。

　　慢慢淡化了企业家对它（企业）的直接控制（不是指宏观的控制），那么，企业家的更替与生命终结，就会与企业的命运相分离了。长江是最好的无为而治，不论你管不管它，都不废江河万古流。

　　任正非非常看重精神的作用，在华为公司各种资料的排列组合中，他尤为看重塑魂工程。《华为公司基本法》可以理解为他用以实现"无为而治"目的的一个重要工具。

　　2000年，华为公司就《华为人》报上的一篇短文《无为而治》，组织高级副总裁以上干部，举行以公司治理为题的作文考试。在考试前，任正非作了题为《一个职业管理者的责任和使命》的讲话，他在讲话中说道：

作为高层管理者，我们怎样治理这个公司，我认为这很重要。以前我也多次讲过，只是这篇文章（《无为而治》）给我们画龙点睛，更深刻地说明了这个问题。我希望大家来写认识，也是对你们职业素养的一次考试，考不好怎么办呢？考不好你还可以学习，我们是托福式考试，以最好的一次为准。学不好怎么办呢？学不好你还可以调整，你辞去高级职务往下走。因此要深刻理解公司制定三、四、五级干部任职资格标准的深远意义，我们坚持这个干部考核标准可能在相当长的时间内不会改变，每年大家都要提交述职报告，要填任职资格表格。2月份我将主持把高级副总裁以上干部的组织评议做完，我认为要一次一次刷新你们的思想，让你们理解公司对高级干部的要求。

任正非希望华为犹如奔流到海不复回的长江水一样，不需要领导者整天疲于奔波，能够自动地、势不可当地走向成功。

我相信这些无生命的管理，会随着我们一代又一代人的死去而更加丰富、完善。几千年以后，不是几十年，这些无生命的管理体系就会更加完善，同时又充满活力，这就是企业的生命。

所谓"无生命的管理"，就是引进国外的先进管理经验，任正非希望在华为，每个职业管理者都能在一段流程上进行规范化的运作。

我们将逐步引入西方公司职业化的待遇体系，如工资、奖金、期权、期股……都是回到让职业管理者默默无闻、踏踏实实的工作上去。我们实现了这些，高层更不应成为英雄。这就是无为而治的基础。

要达到任正非所讲的"无为而治"，就必须在组织内部形成自我完善、持续提高效率和质量、降低成本的自动循环机制。

我们要逐步摆脱对技术的依赖，对人才的依赖，对资金的依赖，使企业从必然王国走向自由王国，建立起比较合理的机制。

……

实现无为而治，不仅是管理者实现"从心所欲不逾矩"的长期修炼，更重要的是我们的价值评价体系的正确导向，如果我们的价值评价体系的导向是不正确的，就会引发行为英雄化。行为英雄化不仅仅是破坏了公司的流程，严重的还会导致公司的最终分裂。在这个问题上我认为高级干部的价值评价体系导向比个人修炼更重要。个人修炼当然也重要，但小草再怎么浇水也长不成大树，如果价值评价体系不正确的话，那我们的导向体系就错了，我们公司就永远发展不起来。

当然，制度的建立并不是企业管理的终点，通过制度体系的建立而改变人，实现企业价值观念的"代代相传"才是最终的目标。可以说，《华为公司基本法》反映了任正非的价值观，他希望这些价值观能够保障华为成为一家基业长青的世界级企业。所以，任正非真实的意图在于，通过组织发动公司上下学习《华为公司基本法》，将《华为公司基本法》中的这些价值观灌输到新一代管理者的头脑中，以确保即便管理层不断更替，华为的优秀"DNA"仍然能一代一代地传承下去。

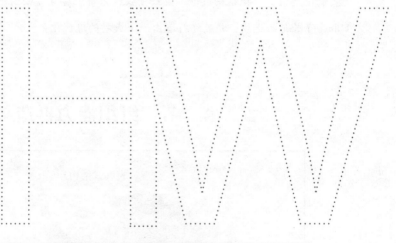

第5章
组织架构建设

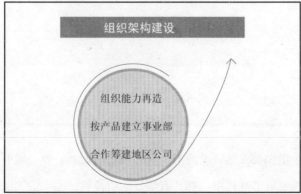

组织架构建设

组织能力再造

按产品建立事业部

合作筹建地区公司

　　组织是我们这个现实世界普遍存在的现象。现代管理理论认为，合理而有效的组织，对于搞好企业管理，实现组织目标具有重大意义。因此，虽然现代各个管理学派在管理的其他职能上的观点有所不同，但是在组织上的观点却是出奇地一致，都认为任何管理都离不开组织职能的运用。所以，要研究华为管理的成功之处，组织管理问题不容回避。

　　可以说，华为的组织构架在起步阶段并不能称之为出色，有些方面甚至还存在很大的问题和隐患。但是华为从20世纪90年代中后期开始就一直致力于组织管理中有关制度建设、组织结构设计、集权分权、人员配备等方面的建设，在组织管理方面取得了长足的进步，并最终打造出一个成功的现代化企业。

第一节　组织能力再造

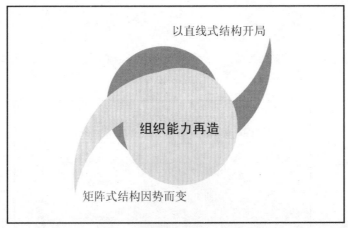

　　任何一个组织要发展，要前进，就必须适应发展，就必须要不断地变化。每个组织在前进发展的过程中，都具有明显的阶段性。不同的发展阶段具有不同的战略，不同的经营规模因而也有着不同的结构。发展的阶段性、战略类型、规模、组织结构之间有着内在的紧密联系。

　　2011 年，华为实行从过去的单一大平台运作，走向多业务运营中心的计划，是为使决策清晰、缩短流程、精简机构、提升效率，但这种机制需要进一步探索，华为要持续提升组织能力，不断激发组织活力。

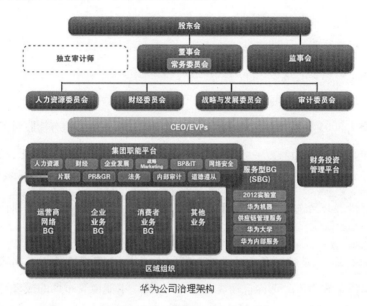

华为公司治理架构

（本图来源于华为 2011 年年报）

以直线式结构开局

　　在 1996 年以前，由于员工数量较少，华为公司内部门比较单一，产品的研发种类比较集中，组织结构也比较简单，因此其一直采用的是在中小企业比较普遍的直线式管理结构。

　　这种管理构架主要靠的是企业家的英明决策来拉动企业的发展，其优点就是：

　　1. 结构中责任与职权明确，便于企业领导比较容易和迅速地作出决定；

　　2. 权力集中，指挥统一；

　　3. 垂直联系，责任明确。

华为公司在运用直线式结构的时候具体操作如下：

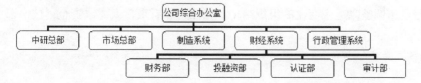

由上图可以看出，任正非直接领导公司综合办公室，而综合办统一领导下属五个大的系统，各系统中任何一个部门的管理人员只对其直接下属有直接的管理权；每个部门员工的所有工作事宜也只能向自己的直接上级报告；主管人员在其管辖的范围内，有绝对的职权或完全的职权。

这种权责分明、协调容易、快速反应的组织结构，使得华为在创业初期迅速完成了其原始积累的任务，作为公司最高领导者的任正非对公司内部下达的命令和有关战略部署也变得更加容易贯彻。

华为从 2005 年开始产生的 EMT，从 2005 年到现在，公司有持股员工代表会、董事会和 EMT。华为 6 万多名持股员工于 2010 年 12 月选举持股员工代表，共选举产生了 51 名持股员工代表，9 名候补持股员工代表。2011 年 1 月 15 日上午，持股员工代表会又选举了董事会和监事会。董事会负责战略方向，同时可以任命或者解聘 CEO。

华为的 EMT 是按照角色任命的，哪些人能进 EMT 在文件里有明确的规定，只要你担任某些角色，那你自动成为 EMT 成员，不能说管市场的或者管研发的，都不能参加经营管理会议吧。当然，除此之外，也有一些有特殊需要的，可以任命。现在参加 EMT 会议的远不止 9 个人，还有一些是列席的。[①]

矩阵式结构因势而变

在 1995 年，随着高端路由器在市场上取得成功，华为的员工总数也从最初的 6 个人发展到 800 多人，产品领域开始从单一的交换机向其他数据通信产品及移动通信产品扩张，市场范围遍及全国各省市，单纯的直线管理的优点在不断弱化，缺点却日益突出：没有专门的职能机构，管理者负担过重，难以满足多种能力要求；一旦"全能"管理者离职时，一时很难找到替代者；部门间协调差。

此外，由于华为所在的电信产业变化迅速，每 3 个月就会发生一次大的技术创新。为跟上这一系列急剧变化的速度，华为必须建立起一个既可保持相对稳定，又可迅速调整以适应变化的组织结构。在任正非看来，人才、资金、技术都可以

①马晓芳.华为高管首谈接班人问题：任正非亲属不会接班.第一财经日报，2011.1

引进，实行"拿来主义"，而企业的组织管理只能依靠全体员工共同努力去学习消化先进的管理理念，并与自身的实践紧密结合起来，形成自己有效的组织管理体系。华为通过学习、理解西方先进的管理经验，在早期直线式管理的基础上进一步完善创新，形成了属于华为，并且只适合华为的独一无二的组织管理体系：灵活的矩阵管理结构。即按战略性事业划分的事业部和按地区战略划分的地区公司，作为华为最主要的两个利润中心，由事业部和地区公司承担实际盈利的责任，加快公司的发展速度。

战略决定结构是华为建立公司组织的基本原则。从理论上讲，华为建立起的组织结构是由一个静态结构、一个动态结构和一个逆向求助系统组成。一旦出现具有战略意义的关键业务和新事业生长点，华为就会在组织上建立一个相应的明确的负责部门，这些部门是公司组织的基本构成要素。当市场出现新的机遇的时候，这些相应的部门就会迅速出手抓住机遇，而用不着整个公司行动。在该部门的牵动下，公司的组织结构也将随之产生一定的变形。在变形过程中，组织结构内部相互关联的要素（流程）并没有发生变化，发生变化的是联系的数量和内容。任正非所倡导的就是在华为内部，一个系统发生变化，所有系统都跟着变，但这种变形是暂时的，当阶段性的任务完成后，就会恢复到常态。这是一个从不平衡到平衡的过程。

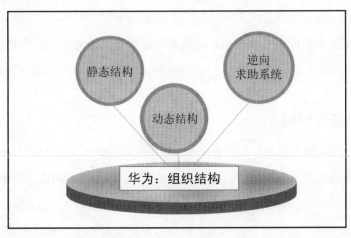

随着企业的进一步发展，这种灵活的矩阵结构逐渐代替了早先的直线结构，

给华为的组织架构带来了新的活力。可以看到，通过不断地摸索和实践，以事业部和地区公司共同构筑的华为的矩阵形组织结构在未来的日子里将会更加地完善和科学。

矩阵式管理要求企业内部的各个职能部门相互配合，通过互助网络，对任何问题都能做出迅速的反应。不然就会暴露出矩阵式管理最大的弱点：多头管理，职责不清。而华为销售人员在相互配合方面效率之高让客户惊叹，让对手胆寒，因为华为从签合同到实际供货只要四天的时间。

 # 第二节　按产品建立事业部

经过近10年的卧薪尝胆，到了1998年，华为的在职工数量已经超过了8000人，虽然公司从1996年就开始引进矩阵结构，但由于很多构架还在摸索之中，因此在华为内部更多的还在沿用比较传统的部门结构管理。即交换机、数据业务、无线通讯业务各由一个部门负责，指挥权高度集中在少数几个高层手中，中层领导缺乏必要的决策权，员工管理难度大、效率低下，部分华为人产生了一定程度的依赖性，更为严重的是新的生长点长不大，结构性危机日益显著。

在这样一种情况下，任正非希望能够引进一种组织结构，既可以提高管理效率，创造更多更新的企业生长点，又能调动起每一个华为人的工作热情。因此，根据众多专家学者的建议，华为决定引入划小经营单位，按产品建立的事业部制。

全面启动事业部制

事业部制，顾名思义，也就是按照企业所经营的事业，包括按产品、按地区、按顾客（市场）等来划分部门，设立若干事业部。事业部的职能主要体现在以下两个方面，一是在企业的宏观领导下，拥有完全的经营自主权，实行独立经营、独立核算的部门，是受公司控制的利润中心，具有利润生产和经营管理的职能；二是产品责任单位或市场责任单位，对产品设计、生产制造及销售活动负有统一领导的职能。

为了能够更好地在企业内部自上而下地贯彻事业部制，1998 年定稿的《华为公司基本法》第四十四条明确提出：

公司的基本组织结构将是一种有纵横两套管理系统叠加在一起的矩阵分权，即按战略性事业划分的事业部和按地区划分的地区公司。事业部在公司规定的经营范围内承担开发、生产、销售和用户服务的职责；地区公司在公司规定的区域市场内有效利用公司的资源开展经营。事业部和地区公司均为利润中心，承担实际利润责任。

在第四十六条对事业部建立的原则和作用进行了更明确的阐述和规定：

对象专业化原则是建立新的事业部门的基本原则，即产品领域原则和工艺过程原则。产品领域原则和工艺过程原则，按产品领域原则建立的事业部是扩张型事业部，按工艺过程原则建立的事业部是服务型事业部。扩张型事业部是利润中心，实行集中政策、分权经营。应在控制有效的原则下，使之具备开展独立经营所需要的必要职能，既充分授权，又加强监督。对具有相对独立的市场，经营规模已经达到一定等级，相对独立运作更有利于扩张和强化最终成果责任的产品或业务领域，应及时选择更有利于它发展的组织形式。

制定了事业部制之后，华为开始有选择、有侧重地在自己旗下的一些子公司进行事业部试点。第一个被选作试点的是 1993 年成立的、在董事会领导下、由华为控制的具有独立法人资格的子公司——华为通信（莫贝克）。

实行了事业部制度的华为通信短期内在管理上大有起色，由于事业部制对产品的生产和销售实行统一管理，自主经营，独立核算，所以极大地调动了华为通信内部员工的积极性、主动性；并且使子公司内部的最高领导者摆脱日常事务，集中精力去考虑宏观战略，同时还锻炼和培养了本事业部的综合管理人才。

看到华为通信取得的显著成就，华为公司开始有步骤、分批地对公司的组织结构进行重大改造，根据各部门不同的需求成立了多个事业部。事业部的建立成功地解决了以前管理上无法破解的一系列难题。

事业部制与充分授权

在任正非看来，事业部制度的成功与否，关键还在于组织分权制度是否适度。企业的发展如果在分权的问题上把握不好，就会使企业走向僵局，甚至死亡。只有控制有效的组织才是华为应该建立的组织，没有有效控制，就没有必要分权。稳定是发展的基础，华为将永远都实行中央集权，但华为的集权不是独裁，而是在中央集权的基础上进行层层有序分权，并且在分权的过程中要进行充分授权，严格监督。

因此，任正非在华为创建事业部的时候明确提出："事业部不能军阀割据，自立山头。如果对事业部失去控制就失去建立事业部的目的，子公司能吞掉母公司，更是个笑话，是控制关系的完全颠倒。"他还特别强调在宏观上对事业部的"控制"："我们必须明确，只有控制有效的组织才是我们应该建设的组织，没有控制有效，就没有必要分权。"

在《华为公司基本法》中更是明确规定：事业部的全部利润由公司根据战略和目标统一分配。华为将包括人权、仪器设备在内的公共资源对事业部全部开放，以加快事业部的发展速度。

任正非对事业部建设中的分权问题做了如下说明：公司成长到一定时期会有一个新的起步阶段，这个阶段是同等机会阶段，会产生许多新的增长点，新的增长点带来的问题还是管理。事业部制也是华为公司膨胀中的两个首要问题之一。

可以说，华为推行的这种事业部制是近年来华为经济利益的主要来源。对于事业部而言，不需要再做繁琐的通用资源工作，而只需要做专用资源的工作，把创造资源、利用资源、寻找新的经济增长点作为自己首要解决的问题。而作为母公司，华为主要做重大决策控制和服务，以集中优势资源和精力突破难点，也就是说在市场的选择和资源的控制上对事业部实行完全放开的政策。但大的方向则由公司统一掌握安排，即华为以人力资源管理委员会、财经管理委员会和产品战略投资综合评审委员会对事业部进行控制。

事业部制的成功实施标志着华为组织结构的重大转型——由原来单一的地区公司制向事业部与地区公司结合制转变。

 ## 第三节 合作筹建地区公司

在事业部已经基本得到了华为内部员工的认可之际，华为又花大力气重新筹建了以前就建立了的地区公司。这样做一方面是坚决贯彻其在基本法中所描述的由纵横两套管理系统叠加在一起组成的矩阵结构，另一方面是因为事业部主要是做专用资源的工作，寻求新的经济增长点。在一定时期内，各事业部都有比较明确的突破和发展方向，而不同地区的市场由于主客观原因的不同，在同一时期所需的业务种类也不尽相同，光凭事业部是很难及时准确地掌握各地市场的动向并根据当地的需求在第一时间做出反应的。

为了能够最大限度地抓住各地的市场，做好产品的销售和服务工作，自1997年任正非首次提出建立合资公司起，华为先后与铁通合资建立北方华为、收购原102厂建立四川华为，开启了华为市场战略布局大幕。此后，华为通过收购、兼并邮电部下属通信设备厂、研究所，在一些具有战略意义的省市与当地邮电、电信部门合作，先后建立起了10多家合资公司，其中包括了沈阳华为、山东华为、河北华为、天津华为、上海华为、浙江华为、黑龙江华为、安徽华为、云南华为、河南华为及成都华为等合资公司。

作为地区公司前身的合资公司可谓任正非的一个独特创举，对华为的市场开拓和企业形象树立起到了不可替代的重大作用。因为作为华为合资公司另一方的基本都是各地的邮电系统或指数单位，是华为打开市场的关键因素，华为通过给合资公司的员工配股，使自己和各地的邮电系统的关系更加紧密。

2002年，上海华为改制，成为华为市场部真正意义上的华东分部（即华为的地区公司）。随后，其他的合资公司也逐步改制，华为的合资公司完成了它的历史使命，演变成为现在的地区公司。

为了让地区公司和事业部有交叉但不重合地在各自的领域更好地开展工作，华为在《华为公司基本法》第四十七条中对地区公司的性质和职能特别作了明确的规定：

地区公司是按地区划分的、全资或由总公司控股的、具有法人资格的子公司。地区公司在规定的区域市场和事业领域内，充分运用公司分派的资源和尽量调动公司的公共资源寻求发展，对利润承担全部责任。在地区公司负责的区域市场中，总公司及各事业部不与之进行相同事业的竞争。各事业部如有拓展业务的需要，可采取会同或支持地区公司的方式进行。

地区公司在公司规定的区域市场内有效利用公司的资源开展经营。事业部和地区公司均为利润中心，承担实际利润责任。

可以说，华为地区公司的建立为华为开启了新的销售渠道，也使得华为的组织结构向矩阵式跨国集团化又迈进了一步。

公司的权力结构也是一种矩阵结构，因此永远都不会有一个稳定的矩阵结构网。当该结构网收缩时，就会叠加起来，意味着华为要精简部门、岗位和人员；扩张时，网就会拉开，就要增加部门、岗位和人员。在这一过程中，流程始终能够保持相对的稳定状态。

第6章

干部管理

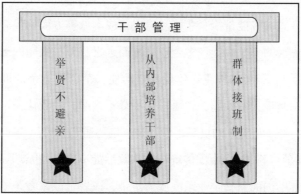

美国的先贤们致力于创建这样的制度：在他们去世之后，还能够源源不断地为美国培养优秀的领袖、优秀的人才。企业也是如此，有些公司创建于百年之前，至今却仍然生机勃勃，比如通用电气。因为他们的先贤建造的是一个能够源源不断制造优秀后继者的组织。

——柯林斯，著名畅销书《基业长青》作者

第一节　"举贤不避亲"

举贤不避亲，举亲不避嫌，本来源于一个传统典故：襄公三年，晋国国君问中军尉祁奚谁可做他的接班人，祁奚推举他的仇人解狐，解狐死后，又推举自己的儿子祁午做了继承人。他的行为成为一段举贤不避仇、举贤不避亲的佳话。古之"举贤不避亲"是出于公心，为了推动工作，向组织推荐贤人；现之"举亲为贤"却是出于私心，为自己亲朋好友谋利益，谋官位。因此，自古以来，对"举贤是否避亲"这种行为的看法就没有一个统一意见。有的认为"任人唯贤，举才要避亲"，有的认为"举贤不应该避亲"。

在中国的民营企业中，很大部分是家族企业，在企业开创初期，"举贤不避亲"这样的管理方式的确能带给企业相对稳定、成本低等方面的优势。但这样的管理模式也因其先天的不足而让许多企业家避而远之。万科集团的王石就是典型的一位，他曾说："对职员的尊重还体现在要给他一个公平竞争的机会，这一点恐怕在中国企业中是最大的问题。古语说：举贤不避亲。但我认为，在中国企业当中如果要形成一种公平竞争的机制，举贤是一定要避亲。

"要讲机会均等，我们中国传统社会叫做举贤不避亲，也就是说比较在乎血缘、地缘的关系，中国的新兴企业以家族为纽带，或者是以家乡子弟兵为纽带，这样是很难机会均等的。比如说，如果我有一个亲戚，侄子或者是外甥在万科工作的话，我跟人力资源部说要平等对待他，实际上是不可能的。这还是董事长的外甥，更不要说董事长的女儿在万科了。所以到目前为止，我是做得很极端的，我没有一个亲戚在万科（工作），我们家的姊妹挺多的，我姊妹八个。万科自始至终没有我的亲戚，既没有直系，也没有旁系，没有我的大学同学，没有广州的旧同事，也没有儿时的玩伴。当然我刚才讲了，我做得是比较极端的。讲到这点，如何机会均等，我觉得这是非常重要的。万科走了很多弯路，尤其是我们搞企业的，在产业的选择和结构上万科走了一条很长的弯路。但是在尊重人上，（万科一直）把人放在最重要的位置，现代企业制度建立后，有些企业已经开始限制夫妻同在一个单位工作了。万科的执行是非常坚决的。企业要求员工入职时要如实申报在公司内是否有亲朋好友，如有，必须声明。"

"举贤避亲"的考虑避免了企业人际关系复杂所带来的管理问题，给职员提供公平竞争的机会，公司内年轻职员完全凭自身能力获得没有天花板的上升空间，而不是靠裙带关系。

但华为总裁任正非与王石的观点不同，他主张"举贤不避亲"。不过他所言的举贤不避"亲"，具有更广泛的内涵——他所说的"亲"，是指认同华为企业文化的所有人，甚至包括可以被塑造成认同华为企业文化的人。任正非表示：

在任人唯贤与任人唯亲相结合的干部制度下，造就一支融洽的管理团队。我们说这个任人唯亲是指认同华为文化，而不是指亲属。对拥有专业技术的新员工，我们要团结爱护他们，放在一定的岗位上使用，而不因他们暂不具有华为文化而歧视他们。

任人唯贤是指提拔有能力、有贡献的人作为公司的领导。但在华为，仅仅具备能力，有绩效，有良好的销售业绩是不够的，还需要认同公司的价值观，这就是任正非所提倡的任人唯"亲"。显然，任正非所指的任人唯"亲"与传统意义上的任人唯亲在内涵上是有区别的，在华为，只有认同公司的企业文化才有可能得到提拔任用。

同时，任正非也对举荐贤人有一定的考核要求。在华为，每位员工都有责任向公司推荐优秀的合格人才，却不主张中层以上干部向公司推荐大学本科以下学历的人员。如果推荐这样的人员，推荐人必须承担连带责任。与此同时，被推荐来的低学历人员，报酬给予最低标准。试用期 3 个月后，经过经营团队讨论通过才可留用，以后每年至少考核一次，如果其成长跟不上公司的发展，即可辞退。

曾是华为公司海外市场创始人和核心主管之一，现为深圳市易特科信息技术公司 CEO 的张贯京在其著作《华为四张脸》中这样记述道："老板对子女和亲属的要求非常严格。老板的子女和亲属在公司不仅平易近人，而且非常低调，甚至隐姓埋名，但是又往往担当着非常重要的职务，使华为看上去完全没有私营企业或者家族企业的影子。

"老板的一个妹妹担任过公司的资金计划部总监和审计部总监；老板的女儿担任过香港华为的财务经理，现在是华为财经管理部副总裁；老板的弟弟担任过公司的行政采购部总监和客户工程部总经理；老板的另一个妹妹担任过公司的出纳部总监。"

在任正非的一双儿女中，女儿孟晚舟同样从基层做起，后曾任华为香港公司财务总监，如今是华为首席财务官。而任平早年也在华为市场部等多个部门锻炼，但一直都没有过人表现，后又在华为旗下服务公司慧通任职，负责华为客户接待等事务。除任正非的一双儿女之外，任正非的弟弟任树录、两个妹妹、若干嫡亲等都在华为公司担任要职。有道是，举贤不避亲，不是说有血缘关系就一定得饿死，就一定不能进入华为，就一定不能占据关键岗位。

 ## 第二节　从内部培养干部

职场里有这样一群比较特殊的管理者，在任职的公司里，他们并非从基层干起，一步一步走到管理层的位置，而是从其他公司跳入，并且一进来就占据了管理层的位置，大权在握。在中国，这样的管理者有一个很形象的名字——空降兵。有统计显示，中国公司的"空降兵阵亡率"高达百分之九十以上。著名管理学家柯林斯认为，伟大的公司都十分推崇"自家长成的经理人"。他发现，18家伟大的公司在总共长达1700年的历史中，只有四位CEO来自外部。

华为的企业文化是"土狼"文化。狼有三种特征：一是敏锐的嗅觉，二是不屈不挠、奋不顾身的进攻精神，三是群体奋斗。在这种文化中，引进的高层领导者很难融入这种强势文化中，华为内部通过战斗成长起来的创业者也很难接纳外界坐享其成的经理人。因此，华为未来的接班人只能产生于华为内部几近板上钉钉。[①]

1997年末，任正非去美国出了一趟"差"，其间访问了IBM、休斯、贝尔实验室和惠普等世界顶级企业。美国人在技术上的创新精神和创新机制，给任正非留下了非常深刻的印象。但他感触最深的，还是美国企业优良的管理。回国后，任正非又撰写了一篇文章《我们向美国人民学习什么》：

美国与华为差不多规模的公司，产值都在50亿到60亿美元以上，是华为的3到5倍。华为发展不快，有内部原因，也有外部原因。内部原因是不会管理，而外部原因是社会上难以招到既有良好素质，又有国际大型高科技企业管理经验的空降部队。即使能招到，一人、两人也不行，我们需要一个群体。

华为这种干部选拔制度，实际上也是对员工的一种激励，即只要在基层认认真真、踏踏实实工作的员工，都有机会晋升为公司的管理层。任正非在一次内部会议上曾对员工这样说：

我主张你们在实干中不断提升自己的实际能力、管理能力，对人的团结能力。但是团结要讲原则，要加强原则性的团结。华为公司跨入新世纪以后，需要大量干部的时候，我们还是要在你们中间选拔优秀干部。但是即使有两个不优秀的，他们开后门上去了，不要怕嘛，我们都是有标准的，他干了一段时间干不了那活，他也得下来。一个人优点突出，缺点也会很突出，大家评议他优点的时候，也常会评议

---

① 孙亚芳：华为的智色女舵手．今日财富，2010.10

他的缺点。结果这个有缺点，那个有缺点，都上不去。结果找了一个人，嘿，这个人大家都觉得没有意见，上来的却不是人才。怎么防止呢？就是要有多少年的记录，这些年走过的脚印是谁都不能否定和磨灭的。这样我们就能产生一大批优秀的干部。我们将来有根据拿出来，1937 年他打过日本鬼子，1938 年受过伤，1942 年的时候他还到敌后去钻过青纱帐。那么一步步记录下来，我们选拔干部的时候一目了然。大家埋怨我们，说我们有时候是乔太守乱点鸳鸯谱。你说不点怎么办？8000 多人能认识几个？要做好调查吗？精力很有限。因此我们现在使用干部的过程中，也缺乏很深刻的依据。我们通过各种管理活动，通过各种管理工作，大家的评价，将大家的活动作个记录，即使没有得奖，我认为也应该记录，只是得奖的人多了 1% 的退休金。我认为这些记录对你一生的成长是有帮助的，但是，千万不要为功臣所累，不要以为自己是功臣了，就得意忘形了，那好，你就可能栽在这个自满的基础上了。

任正非虽然一贯主张从内部培养干部，但同时他也积极学习国外先进的管理方法，引进国际先进的人才任用机制，与华为实际相结合，探索出一条具有华为特色的用人道路。

我们确定了要自力更生，从自己的队伍里面来培养和选拔干部，但是我们并不排除外来的帮助。大家知道，Tower 公司现在给我们做顾问，IBM 公司正在全面充当我们的管理顾问。他们带来了很多好思想、好方法，经过我们消化以后，经过一次培训、二次培训、三次培训以后，我们就慢慢地传播到基层去。

在华为，几乎所有的高层管理者都不是直升上去的，更没有"空降兵"。任正非在其题为《在实践中培养和选拔干部》的演讲中谈道：

是不是外来的"空降部队"就一定不好呢？很多公司的历史经验证明，"空降部队"也是好的，但是其数量绝对不能太大。问题在于我们能不能把这支"空降部队"消化掉。如果不能消化掉，我认为我们公司就没有希望。那么，我们现在有没有消化"空降部队"的能力呢？没有。因为我们每级干部的管理技能和水平实际上都是很差的。

比如说，从哈佛大学来的几个博士，做的那套东西我们适应不了，结果，我们既没有受到教育，他们也没有发挥作用。如果我们把他们用到负责岗位上，他们那个指挥系统可能就会搞得一塌糊涂。但是，如果我们不用他们呢，像我们这样的"农民"，何时才能革命成功呀。

华为近年来确实开始尝试吸纳国际化人才，如聘请了近100名香港员工做财务工作，还聘请了一位来自IBM的采购总监做副总裁，但该副总裁一直无法适应华为的工作环境，与华为人也无法很好地沟通，一些华为干部由当初对该空降兵的敬仰、畏惧，逐渐变成了不耐烦、质疑，最后发展到了公开顶撞。最终，该名华为有史以来引进的第一名也是唯一一名"洋"空降兵悄然辞职。

任正非经常表示：华为要引进丙种球蛋白（丙种球蛋白也叫免疫球蛋白，把特异性抗原物质接种到机体，人体将产生特异性免疫力）。他想表达的意思是华为将通过引进外部人才使内部机制保持鲜活。但不少观察家分析认为，尽管任正非意识到引进外来人才的问题，但由于华为"集体奋斗"的文化影响，华为的创业者很难接纳外界坐享其成的"空降兵"，华为未来的接班人最终将产生于华为内部。

 # 第三节　群体接班制

华为的接班人问题显然是一个非常神秘的问题，可能也是困扰华为未来发展的一个重要问题。正如电信咨询公司Frost&Sullivan中国区总经理王煜全所说的："没有人能接任正非的班，能在华为树立起像任那样的威信。"

实际上，1995年华为刚刚度过艰苦的创业期时，任正非就已经在考虑接班人的问题了。华为接班人问题的第一次提出，是以增强企业竞争力为目标的"制度建设副产品"的形式出现的。那时候任正非刚过 50 岁，他当时考虑的也许并不是自己的接班人，而是如何建立一个让能力和价值观可以完整复制，人力资本不断增值的覆盖整个公司人力资源体系的接班人制度，这就是所谓"群体接班"思想产生的基础。

华为表示，在华为，每个员工都可以成为接班人。接班人是广义的，不是高层领导下台产生接班人，而是每时、每刻、每件事、每个岗位、每条流程都发生这种交替行为。每个人的岗位身边都有人盯着，你不行，人家上，这叫"全员接班制"。华为总裁任正非通过这样的做法，把危机意识和压力传递到每一个员工，通过无依赖的压力传递，使内部机制永远处于激活状态。

1997 年底，任正非曾说：

希望华为能够出现 100 个郑宝用，100 个李一男。

其背后的含义，是希望华为通过群体成长的方式，摆脱对个别人的依赖，这其中当然包括他本人。《华为公司基本法》的初衷是要培养接班人，实现个人到组织的超越。

在"接班人"问题上，与同为中国电子百强翘楚的联想相比，华为显然走在了后面，在 2001 年，57 岁的柳传志已将权杖交给 38 岁的杨元庆，自己退居幕后，完成了高层权力的过渡。

然而至今为止，任正非却仍未有一个明显的继承者。一般而言，培养一个合格的企业接班人需要数年甚至数十年的时间，即便在那些以稳健著称的大公司，姗姗来迟的接班人计划也往往会给公司带来不必要的内耗和动荡。显然，接班人问题确实已经成了华为一个重要的困扰。任正非多年来一直对企业的各级接班人提出两点最基本的要求：一是要认同华为的核心价值观，二是要具备自我批判精神。也就是既要坚持原则，也要不断自省，在"否定之否定"中实现创造性的发展。

华为可能采取"群体接班"方式。实际上这种猜测的基础是华为的股权结构。根据 2010 年 4 月华为对外公开的股权结构显示，截至 2009 年 12 月 31 日，华为控股的股东包括深圳市华为投资控股有限公司工会委员会和任正非，前者的持股比例为 98.58%，任正非持股 1.42%。任正非曾在早年间就提及，"使企业从必然王国走向自由王国，建立起比较合理的管理机制……慢慢地淡化企业家对企业的直接控制。"正是这样的思想，华为建立了著名的华为员工持股会 EMT。

EMT 在华为具有最高决策权。观察人士就此猜测此举是任正非的个人意志主导向"群体接班"转变的一种铺垫。

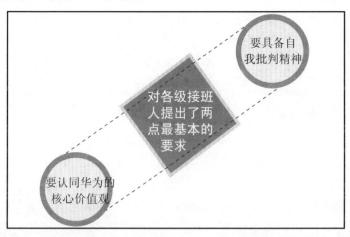

据《军人总裁任正非》一书的记载，2005 年，华为成立了日常最高决策层 EMT（经营管理团队），由孙亚芳董事长、任正非总裁以及 6 位分管不同领域的副总裁组成，构成群体决策的民主机构，并推行了"轮值主席"制，由不同的副总裁轮流执政，每月定期商讨公司战略决策。EMT 团队具有最高决策权，作为总裁的任正非也只是执行其决议。华为开始从任正非个人主导型的管理模式走向 EMT 的管理模式，华为新的使命与战略已经开始摆脱任正非的个人意志，体现出 EMT 团队的意志与价值诉求，更加具有全球视野和国际化思维，变得更加开放、兼容。华为 EMT 成员大都低调而沉稳，在华为内部，"接班人"的话题也就此淡化。

这种制度的最大好处在于，组织的整体性得到最大程度的保障。有员工评价华为的这种制度，就像每个人都是这个庞大机器里的一颗螺丝钉，你的离去与否对这个机器的运转不会带来任何影响，随时会有合适的人补充你的岗位。所以这种制度从某种意义上保证了华为在动荡的外部环境里，处于高速的前进而不会受到任何内部的干扰。

　　同样 EMT 的决策轮岗制度也充分保证了华为贴近市场，提高决策质量的导向。这种制度是趋于扁平化的管理模式，减少了传统管理金字塔架构所导致的管理层和一线、和市场脱节，同时降低了个体的决策权力，而增加了群体的决策力量，从而强化了公司一般决策的质量。当然这种轮值制度也会降低部门间的沟通成本，提高团队协调的能力，培养了潜在的高层领导者。可以肯定地说，华为的发展得益于这种"头狼"文化所演变而成的轮岗制度。①

---

① 胡宁涛，刘春蕾.浅谈华为的 EMT 轮岗制度.新人力，2011（11）

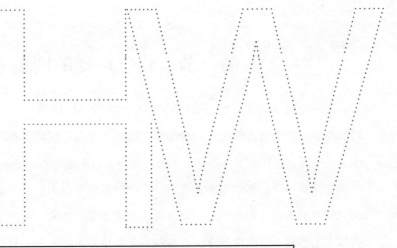

第7章
供应链管理

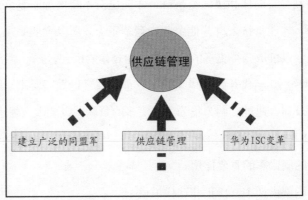

我们要善于建立同盟军。在目前残酷的竞争环境下，宁亏我们不能亏同盟军，我们亏一点能亏得起，同盟军亏一点就死掉了。我们现在有 200 多个同盟军，只要他们不做和我们竞争的事情，不伤害我们的利益，我们就要保护同盟军的利益。比如，我们的通信代理口，分销这个口，会出现很大的困难。当价格越来越低，给代理的利益越来越少，你们要研究怎么才能保护我们的同盟军，我们希望有一定（数量）的同盟军。一旦春天到来，这些同盟军就可以生龙活虎出去抢单，我们就缓过劲来了。

——华为总裁　任正非

第一节　建立广泛的同盟军

对于电信业来说，经过 20 多年的积淀和发展，已经进入了一个竞争空前激烈的时期。如果将市场比作一片海洋，那么生存在其中的企业们经过不断的优胜劣汰，呈现出这样的竞争态势：大鱼吃小鱼，快鱼吃慢鱼，群鱼吃单鱼。

在这样一个崭新的竞争时代里，企业依靠单体的力量很难继续高速地发展下去。只有努力寻找相关的战略合作者，形成资源、技术、生产、营销、品牌、渠道等方面的利益共同体和协同竞争群，才能应对不断增加的竞争成本和日趋激烈的竞争态势，才能抵抗来自其他企业的竞争压力。所以企业必须不断加强自身的核心竞争力，以争取获得更多的与优势企业合作的机会。

从 20 世纪 90 年代开始，华为就十分善于通过建立同盟军，比如与各地邮电局成立合资公司，通过它们为华为争取更多的贷款，以此大大促进华为的发展。

进入 21 世纪，随着电信业冬天的到来，任正非在这个寒冷的冬天深刻认识到建立广泛的同盟军的重要作用。

在一次内部讲话中，任正非这样说道：

我们要善于建立同盟军。在目前残酷的竞争环境下，宁亏我们不能亏同盟军，我们亏一点能亏得起，同盟军亏一点就死掉了。我们现在有200多个同盟军，只要他们不做和我们竞争的事情，不伤害我们的利益，我们就要保护同盟军的利益。比如，我们的通信代理口，分销这个口，会出现很大的困难。当价格越来越低，给代理的利益越来越少，你们要研究怎么才能保护我们的同盟军，我们希望有一定（数量）的同盟军。一旦春天到来，这些同盟军就可以生龙活虎出去抢单，我们就缓过劲来了。

自1998年开始拓展渠道，尝试网络产品分销的华为公司，在其网络产品系列不断完善、市场销售量与占有率不断增长的同时，渠道体系的建设也在有条不紊地逐级推进。在完善了其具有竞争优势的行业市场分销体系之后，华为公司于2002年1月28日，正式对外宣布了公开招募网络产品渠道高级分销商的全新政策。

华为的渠道结构分为两条线：一条是分销线，分别为高级分销商、区域分销商及授权经销商，主要做产品分销业务；另一条是行业线，分别由行业集成商、高级认证代理商、区域代理商三个部分组成，主要面向行业用户。

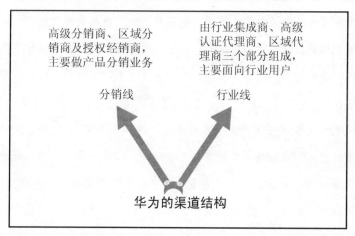

华为的渠道结构

对于这些渠道合作伙伴，华为一直坚持在"公平、互动、双赢"的原则下与其建立利益共同体。华为还从多方面为分销商提供支持，例如，帮助每个分销商进行明确的定位；帮助他们做好沟通客户工作；帮助他们制订针对企业、教育、金融等各行业的解决方案，提供了一个针对不同客户的方案模板等等。为了减小经销商的销售压力，华为只制定年度任务指标，而不像有的公司具体到月指标、季指标……华为这样做是为了保证每一个级别的合作伙伴都能拥有足够的利润空间。

为了更好地激励分销商的合作信心，全面提高合作质量，华为还推出了"阳光基金"计划。该计划项目由广告支持、新闻传播支持、解决方案展示中心、华为企业网 PI 视觉规范、宣传品支持组成，几乎所有的华为代理商与经销商都是该计划的受益对象。

这些措施也让许多与华为第一次合作的经销商，心态从"感觉自己是在赌博"→"感觉是在押宝"→"觉得是在投资"一步步得到转变，信心也一点一点得到增强。

任正非认为，花大力气保障这些同盟军的利益，其实也是在保障华为自己的利益。

我们规定，办事处主任、直销系统的人不得干预分销系统的经营。为什么不要干预他们呢？因为系统是他们在管理，他们只不过是当我们的代理商，只要明确是哪个领域的代理商、分销商就可以了，有困难的时候，我们是可以帮助他们的。电力系统问我们华为公司的产品怎么样，我们推广一下，华为公司的产品不错。为什么？他签了合同，就送了我们一件小夹袄，我们也能过几天。分销系统也是一样的，不要干预人家，至少可以帮助人家，不要说"这事我不管"，这个态度可不好，这是对同盟军的打击。我们公司胜利后，大家知道，这是一条供应链，将来的竞争是供应链的竞争。我们的供应链上要连着数百个厂家，有器件的、标准的、系统的、合同的制造商、分销商、代理商，是非常庞大的体系。要把这个体系中的其他人当成我们的同盟军，你们只是不能干涉人家的经营，但要在刨松环境土壤上作出贡献，一件件的小夹袄送来，只要送到两万件小夹袄就够了。我们冬秋的棉袄就够了，安圣已经给了我们一件大棉袄披上，再配上我们的同盟军，冬天就不存在了。

第二节　供应链管理

华为供应链管理堪称一流,精髓就在"和合"。华为对协作商的服务非常周到：不需要任何回扣和通融、为协作商做管理流程、提供技术和管理支持，还为协作商送管理培训。华为表示会将自己内化的管理平台开放给千万家企业，提供财务、知识产权、培训等专业化服务，帮助它们进军国际。在支撑它们不断提高核心竞争力的同时，华为也能较好地生存下来。

如今，企业存在的形态是一条从供应商到制造商再到分销商的贯穿所有企业的"链"。相邻节点企业表现出一种需求与供应关系，当把所有相邻企业依次连接起来便形成了供应链（Supply Chain）。这条链上的节点企业必须达到同步、协调运行，才有可能使链上的所有企业都能受益。于是便产生了供应链管理（Supply Chain Management）这一新的经营与运作模式。这时的市场竞争不再是单一企业的竞争，而是供应链之间的竞争。公司产品的成本不仅是生产成本的一种体现，也是供应链在公司以外环节的成本与效率的体现。

降低运营成本最核心的就是重整供应链。1999 年，IBM 顾问在对华为的调查中发现，华为的供应链管理水平与业内先进公司相比存在较大的差距：

华为的订单及时交货率只有 50%，而国际上领先的电信设备制造商的平均水平为 94%；

华为的库存周转率只有 3.6 次／年，而国际平均水平为 9.4 次／年；

华为的订单履行周期长达 20 ~ 25 天，国际平均水平为 10 天左右。

通过考察，IBM 顾问指出，华为的供应链管理仅仅发挥了 20% 的效率，还存在很大的提升空间。

长江商学院院长项兵在其文章《华为的全球化战略》中写道：华为供应链管理效率的低下反映了中国制造企业的"通病"。尽管中国企业十分关注降低制造成本，但注意力却只集中在制造环节本身，而很少关注制造环节以外的成本与效率的问题，导致综合运营成本经常处于失控状态。

事实上，我们强调"链条对链条的竞争"理论的重要性，不仅仅是提示中国企业能够关注如何提升产业链控制力，更为重要的是提高"端对端的整合力"，即从原料采购到客户管理等各产业价值链环节中，中国企业该如何依靠自身的独特竞争优势来整合原材料、制造、渠道、品牌等资源……

当华为的业务流程变革在任正非的坚定推动下最终得到实施后，公司发生了许多明显的变化。如果说这种变化最初表现在华为内部的动荡，那么在 2000 年之后华为积极拓展全球业务时期，它对提升华为在产业价值链的上游（供应商）和下游（客户）的管理能力方面所表现出的全球对接性，则相对隐性了许多。或许，这种流程变革就像是一种行业的"世界语言"，当你掌握它的时候并不觉得有多么重要；而如果你不掌握它，则只能用一种原始的方式沟通。许多中国制造企业大多为跨国公司从事 OEM 生产，在任正非看来就是一种最简单的产业分工方式。

华 为 在 2000 年 引 入 IBM 集 成 供 应 链 管 理 （Integrated Supply Chain Management），对公司的组织结构进行了调整，成立了统一的供应链管理部，它包括生产制造、采购、客户服务和全球物流。

华为前人力资源部副总裁吴建国在其文章《削华为的足以适 IBM 的履再造流程》中写道：华为业务流程涉及企业不同的职能部门。在原有的职能型组织中，每一个职能部门都想要充分发挥自己的作用，实现本部门的利益，而不是从整体出发，满足整个组织及客户的需要。因此，通过对业务流程进行必要的优化和重整，重新界定各个平行管理部门的职能，使组织的整体运行处于最优动态，才能最大限度地满足客户的价值期望。华为先淡化原有文化，减少对流程变革的阻碍作用，但文化的改变需要一个长期的过程，华为流程变革是否成功，尚需要时间的检验。

中国企业探索管理模式的历程可谓迂回曲折，但时至今日，还不能说已经找到了成功之路。一流的业务流程，可以从"硬件"上保障企业的战略执行力，但如果没有良好的"软件"——文化与人员素质的配合，仍然无法形成系统的力量。华为尚不敢轻言胜利的话，对于大多数中国企业而言，采取相对"温和"的业务流程优化（BPI），逐步提升员工的职业化水平，而不是业务流程重组（BPR），应该是更加可取的变革之道。我们期待超越，但又不能太急。

 第三节　华为 ISC 变革

ISC（Integrated Supply Chain，集成供应链）流程的概念就是，企业之间的竞争其实也是供应链之间的竞争。ISC 要求把公司运作的每个环节都看成是供应链上的一部分，不管是在公司内部，还是在公司以外的合作伙伴那里，都需要对每个环节进行有效管理，以提高供应链的运作效率和经济效益。

ISC 管理的原则是通过对供应链中的信息流、物流和资金流进行设计、规划和控制，保证实现供应链的两个关键目标：提高客户的满意度，降低供应链的总成本。ISC 不仅仅是一种物质的供应链，而且集财务、信息和管理模式于一体，华为总裁任正非曾经说：

集成供应链解决了，公司的管理问题基本上就全部解决了。

经过 IBM 专家的研究和论证，认为华为的核心竞争力在于技术的领先和市场的优势。在供应链管理的过程中只要牢牢把握住核心竞争力，其余非核心部分完全可以外包出去，让那些专业公司分包。在流程再造过程中，按照 IBM 专家的建议，华为对公司的组织机构进行了相应的调整，把原来的生产部、计划部、采购部、进出口部、认证部、外协合作部、发货部、仓储部等统统合并。华为成立了一个统一管理供应链业务的部门，叫做"供应链管理部"，由公司的高级副总裁担任部门总裁。而这个部门的设置，绝对不是简单地把分散在不同系统的部门合并起来，或者换一个名称，而是把供应链管理当做了公司降低成本、库存，提高供货质量、资金周转率、供货速度以及工程质量的有效手段。公司主要从供应链上获得成本优势，而不是像"血汗工厂"那样靠"压榨"工人来获利。这就是为什么华为人的工资奖金比别人高，而生产成本却比别人低很多的根本原因。

2000 年前后，华为公司通过业务外包，进一步将非核心业务"砍掉"。这一次主要涉及公司的生产环节，包括制造、组装、包装、发货和物流。为了平稳过渡，也为了妥善分流和安置原部门有关人员，华为出台了优惠政策和财政支持，鼓励原部门主管和骨干内部创业。注册成专门为华为公司服务的 EMS 代工厂，或者其他服务商，业务上受华为公司供应链管理部管理，经济上独立核算。没有了华为的员工身份，这些内部创业的工厂所雇用的员工就和社会上的平均成本扯平了。而创业团队就变成了股东和管理者，实现了平稳过渡，保障了改革后华为产品的 EMS 生产（代工生产）质量，同时也把制造成本结构性地降了下来。在深圳市就有大大小小上百家分包商专门为华为服务。这样做不仅发挥了专业分工的优势，而且降低了成本，减少了管理难度，提高了华为供应链的竞争力。现在华为基本实现了零库存和一周内交货的快速反应能力。

目前，华为变成了一个真正没有生产车间，也没有库存的 ISC 管理典范。保留的只是两项核心业务，一个是市场，另一个是研发。因为华为一向认为市场是公司的生命线，所以公司 38% 的人力资源都投在了市场部。即便是这样，华为的市场订单在履行中也有很多业务被分包出去，如工程安装、设备运行维护、客户接待、客户培训、市场调查等，都会经常分包给那些专业的中小企业。这样做华为不仅可以减少工资支出，而且可以控制居高不下的差旅费。通过专业分工和公开招标，大大降了市场运作成本，同时提高了服务质量与效率。

虽然研发业务属于核心业务，华为也投入了 48% 的人力资源，但是华为仍然把那些花费大量时间和人力的纯软件业务外包出去，因为这些工作只要"软件灰领"就能够胜任。华为给予有 3 年以上工作经验的"熟手"工程师的外包工资是每月 8000～10000 元，而改革前华为自己雇用的初级工程师的人均成本是一年 20 万元，外包可以节约将近一半的成本。2005 年，华为的外包工程师人数据说有 2 万多人，仅这一项就为华为节约了 20 亿元。也许，华为的研发部门以后会演变成没有软件程序员编制的部门，令人难以想象中国最大的"嵌入式软件"制造商几乎没有软件编程工程师。华为保留的是"核心业务中的核心业务"——系统分析师、架构设计师以及产品项目经理，因为他们决定了企业的先进性和竞争力。而软件编程工作则变成了"核心业务中的非核心业务",完全可以交付给批量生产和成本相对低廉的"软件工厂"的"软件灰领"去做。

与"集成产品开发"流程的变革相比,变革"集成供应链"流程对华为的挑战要大得多。这主要是因为它变革的覆盖范围更广,既包括公司内部的销售、采购、制造、物流和客户服务等多个业务系统,同时还包括企业外部的客户和供应商。因此,任何一个环节的问题都会影响整个 ISC 链条运作绩效的改进。"集成供应链"要运行良好就需要整个产业环境所有环节运作能力的提升。在中国,企业外部环节(客户和供应商)的现状在很大程度上限制了企业整个绩效的改进。

而且,虽然当时全球范围内"集成供应链"的实践开展得如火如荼,但是不同市场环境下的供应链管理模型差别很大。与"集成产品开发"在 IBM 已经成功实施多年的成熟度相比,IBM 自己也还正在实施自己的"集成供应链"项目,所以华为没有现成可以学习的模板,只能在供应链理念的指导下,以华为以及客户的现实为起点摸索着开展。

实际上,华为请 IBM 带给自己的集成供应链,所指的不是传统意义上的采购环节,而是包括了从采购、库存管理、生产制造,一直到产品交付与售后服务的所有业务环节。其原则是通过对供应链中的信息流、物流和资金流进行设计、规划和控制,保证实现供应链的两个关键目标:提高客户的满意度、降低供应链的总成本。

华为前人力资源部副总裁,现深圳市基业长青管理顾问公司首席顾问吴建国在其文章中写道:"华为 ISC 变革采取先完成采购和库存、运输、订单履行等内部环节,再建设和优化 ERP 系统,最后再发展电子商务的顺序。从变革的难度来说,ISC 重整对华为的挑战要大于 IPD 等其他变革,主要基于 3 个方面的原因:

"第一,ISC 变革的覆盖范围更广,它既包括公司内部的销售、采购、制造、物流和客户服务等多个业务系统,同时还包括企业外部的客户和供应商。因此,任何一个环节的问题,都会影响整个 ISC 链条运作绩效的改进。

"第二,供应链管理在相当大的程度上要依赖于企业 ERP、MRPII 的实施和改进水平。

"第三，不同市场环境下的供应链管理模型差别很大，特别是 IBM 正在实施自己的 ISC 项目。华为没有现成可以学习的模板，只能在供应链理念的指导下，以自己和客户的现实为起点来摸索着开展项目。"

任正非曾经说：

ISC（集成供应链）解决了，公司的管理问题基本上也就全部解决了。

如今，华为的集成供应链流程改革已经历了 8 个年头，在此期间，华为把集成供应链主流程分为 49 个子流程，179 个孙流程，又制定了 3 大类 4 大项 29 项考核指标。经过管理改进与变革，以及以客户需求为驱动的开发流程和供应链流程的实施，华为具备了符合客户利益的差异化竞争优势，进一步巩固了它在业界的核心竞争力。

华为目前正在进行的一项重要工作，就是进行结构性重组，按地区横向划分为 8 个分区，分别设立地区总裁和横向管理系统，一切按国际标准运作。

第8章

战略管理

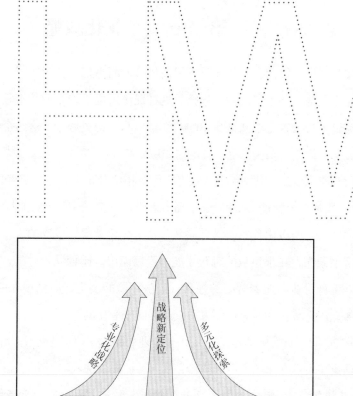

战略管理

华为固守通讯设备供应这个战略产业，除了一种维持公司运营高压强的需要，还为结成更多战略同盟打下了基础。商业竞争有时很奇怪，为了排除潜在的竞争者，花多大血本都不在乎。在通讯运营这个垄断性行业，你可以在一个区域获得一小部分的收益，可是在更多区域运营商们会关闭你切入的通道。任正非深知人性的弱点，守护着华为长远的战略利益。

——著名管理专家　王育琨

 # 第一节　专业化战略

客观来讲，经营企业往往要求规避风险，而不把鸡蛋放在同一个篮子的多元化企业经营是一种很好的战略选择。这种理论所成就的企业数不胜数，最典型的企业莫过于华人首富李嘉诚旗下的长江实业与和记黄埔了。这两个企业涉及的行业有贸易、物流、码头、电子、电信和房地产等。

因为李嘉诚多元化成功了，很多人愿意相信多元化。万科董事长王石分析说："香港市场是一个特例，弹丸之地，所有香港市民都在为两个行业打工，一个银行，一个房地产，所以出现李嘉诚是必然"。"多元化做得很成功的，一定是那个时代的经济很无序，在很粗放的时代才能够脱颖而出。比如通用电气，通用电气曾经有100多种行业，随着时间的推移，经济环境的变化，减到现在的十几种行业，它的多元化是减法的多元化，方向上是朝向专业化的"。

在20世纪80、90年代，中国内地企业曾掀起了一股多元化的浪潮，1992年，海尔结束了长达7年的专业化阶段，从冰箱扩展到洗衣机、电视、DVD、小家电、电脑、手机等行业。同年，珠海巨人集团做出了多元化的决定，斥资5亿推出了电脑、保健品、药品三大系列30多个新品。

在中国企业多元化倾向愈演愈烈的同时，任正非的目光却很超前，他早早地就提出专业化的经营战略。

在《华为公司基本法》第一条规定：

为了使华为成为世界一流的设备供应商，我们将永不进入信息服务业。通过无依赖的市场压力传递，使内部机制永远处于激活状态。

任正非信奉"将所有的鸡蛋都放在同一个篮子里"，无论是在业务选择还是在研发投入上，这种专业主义的坚持，至今折服着诸多企业家。前联想董事局主席柳传志将任正非的路比喻成敢从珠峰南坡走，柳传志说："这本身就使我对他充满敬重。"与平滑的北坡相比，南坡的艰险更需要攀登的勇气。

著名管理专家王育琨分析道："华为固守通讯设备供应这个战略产业，除了维持公司运营高压强的需要，还为结成更多战略同盟打下了基础。商业竞争有时很奇怪，为了排除潜在的竞争者，花多大血本都不在乎。在通讯运营这个垄断性行业，你可以在一个区域获得一小部分的收益，可是在更多区域运营商们会关闭你切入的通道。任正非深知人性的弱点，守护着华为长远的战略利益。"

华为总裁任正非是从一开始就明确了专业化中的奥妙，而全球最大的住宅企业万科则走了一段弯路。万科董事长王石在万科成立五六年之后，介绍万科做什么的时候，他是这样告诉别人的："告诉你万科不做什么反而比较容易，万科除了军火、黄赌毒不做之外，什么都做。"然而，王石最终在1993年确立了万科行业上的专业化选择。至于原因，1999年，王石在接受财经记者陆新之采访时详细解释道："企业做到10个亿的时候，你再往上做就非常困难了。你会发现你的资源本身就不多，人力资源、资本资源，实际上你本身就只有这么点儿资源，又被分到十几个行业当中去。绝对不能一味追求大规模，因为如果一味追求大规模又不能做到，再砍掉，规模不是反而越来越小了吗？我们慢慢发现，房地产市场在中国刚刚开始，市场非常大，而且能够维持比较长的增长时间。其次，市场很大，没有垄断，我们就选择了房地产。我们曾经选择做录像机，但是已经有9个国家定点的厂，每年进口的指标都分给这9家，所以根本行不通。已经确定房地产后，万科开始做减法。因为资源集中了，虽然调整时期恰好是房地产非常不景气的时候，1992 年、1993 年因为宏观调控，很多人不做房地产，但到了 1998 年房地产真正热起来的时候，万科情况很好。"

战略管理大师迈克尔·波特在来到中国接受《对话》采访时曾这样说过："多元化是很难成功的，证据表明很多多元化经营的公司都失败了，这些公司又回到他们的核心业务，发觉只有这样他们才能成功。所以你必须要非常小心多元化，多元化的工作必须要确保，你必须确保你有一些优势，从老的业务中移植到新的业务中。这中间必须要有一种合力产生，我们讲的这个合力是很难实现的，所以说我认为典型的误区，是在发展的经济中，大家多元化分散得太广了，因为有很多的机会，有很多发展的市场，你只看到到处都是机会，就会去做很多不同的事情。所以我想提醒你们注意，不要掉到这个陷阱里去。"

早在 2004 年 6 月，TCL 集团公司董事长兼总裁李东生宣布其宏伟蓝图之前，就曾经与 GE 前首席执行官杰克·韦尔奇有过一次尴尬的对话，当时他急于想知道曾经管理过 GE 北美彩电业务的韦尔奇是否有扭亏为盈的妙招，但是韦尔奇的回答却让他失望了："我当时赚不了钱，就把它卖了，我没有任何办法让这个业务赚钱。"韦尔奇这个建议的深层次含义其实就是要聚焦于自己的核心业务，把非核心的业务剥离出去。如今，李东生终于也开始了"归核运动"。经过一番资本运作之后，目前 TCL 的核心业务其实只保留了彩电和手机。

20 世纪 80 年代，韦尔奇上任之初，针对通用电气涉足行业过于分散、公司整体绩效不佳的情况，领导发起了一项声势浩大的"数一数二"的运动，凡是不能进入行业前两名的产业部门都要撤销，这项运动使通用电气在改善多样化经营方面发挥了积极作用。由分散投资走向集中经营，这是韦尔奇在战略上的聚合思维。

在企业的发展过程中，最容易犯下的错误之一，就是在增长的诱惑之下，"收容"了太多并不是自己特长的某些业务。这些业务或者与其他的业务没有太大关系，成为企业里的一个孤立点，有时候它们甚至还会危害到其他业务之间的正常关系，因此，随着企业的不断发展壮大，这些业务渐渐成为企业成长道路上的一个巨大包袱。这个时候，不失时机地卸掉这些包袱无疑是一个明智的选择。迈克尔·波特表示，企业应该出售那些与其他业务之间没有重要的关系或者阻碍别的业务之间进行共享的业务。

第二节 战略新定位

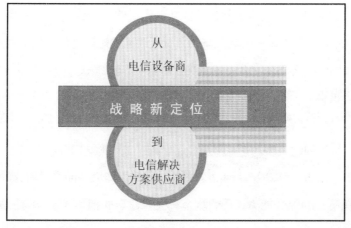

前联想董事局主席柳传志把制定战略比喻为找路，"在草地、泥潭和道路混成一片无法区分时，我们要反反复复细心观察，然后小心翼翼地、轻手轻脚地去踩、去试。当踩过三步、五步、十步、二十步，证实了脚下踩的确实是坚实的黄土路时，则毫不犹豫，抬腿就跑。"

同样，当华为探明了自己所要走的道路之后，就在所要走的道路上迅速奔跑着。

"10多年前，华为坚持以'电信设备商'为战略定位，华为在1998年推出的《华为公司基本法》中列有一条：'为了使华为成为世界一流的设备供应商，我们将永不进入信息服务业！'然而，电信设备市场的风云变幻出乎华为公司创始人当初的预料——传统的电信设备行业的辉煌期太短了！如今西门子已经退出了电信市场，北电、摩托罗拉这样曾经很风光的老牌电信设备商已走向没落，华为也不得不打破当初的'永不进入信息服务业'的承诺。尽管电信基础网络还是华为的核心业务，但是华为的业务发展更加注重从'硬'到'软'的层面倾斜——不仅重视电信服务业务，对互联网业务也早有谋划。因为华为已经认识到，在互联网时代，电信只有与互联网融合，才有生命力。"2009 年 6 月，《世界计算机》记者李云杰分析道。

如今，华为的新定位是：全球领先的电信解决方案供应商。

"华为只能转型为互联网与电信融合的 ICT 基础架构供应商，因为互联网与通信融合的结果是，未来将很难界定谁是电信运营商，谁是互联网或媒体公司，谁是电信设备商，谁是 IT 厂商。"华为负责互联网战略研究的某位负责人说。

松禾资本管理有限公司董事长罗飞分析道："随着全球 3G 时代到来，任正非看到了一个机会，一个华为可能成为行业第一的机会。在 3G 之前，华为在服务器、交换机、移动通讯三个领域都是全球第二，分别排在思科、朗讯、诺基亚之后。因此是在三个不同的领域与全球老大竞争。而 3G 时代对运营商提出了新的需求，就是要求供应商有'移动互联网综合方案'的提供能力，而多项第二的华为，无疑具有排在第一的综合能力。看到这个机会，任正非把华为定位为：在 3G 环境下的'方案提供商'和'系统服务商'。在新定位中，他说华为要做的事有两件：一是做网络铺设的'管道工'，做好管道建设施工；二是管道铺设完成后，给客户提供'计费和服务系统'。"

2010 年 1 月，华为企业业务产品线副总裁杨晨在接受《通信产业报》记者逄丹采访时表示："华为非常重视企业市场的发展，企业业务产品线专注于为客户提供前瞻的解决方案和服务。经过 2008 年和 2009 年的努力，华为已经和全球 50 家知名运营商中的 36 家运营商建立了深厚的合作关系。同时，华为企业业务产品线致力于为企业网市场的发展建立一个成熟健康的生态系统。"

华为技术有限公司高级营销专家孙亦开在"2007 年手机多媒体应用大会"上说道："在流媒体领域里面咨询公司统计报告是在未来两年 3G 的用户会达到 5 亿以上。通过 3G 看流媒体业务，体验新的业务会超过 1 亿，也就是 1/5 以上用户使用 3G 最主要体验这种业务，收入可以达到 60 亿美元，每个用户每月为 3G 业务付 5 美元以上。当然增长最快的区域首先是美洲、西欧和亚太。

"我们现在做好准备了吗？全球有250家运营商已经做了准备，其中绝大多数运营商是我们所说的，85%的运营商准备采用3G的技术，基于移动微蜂窝技术，其他15%会采用基于DVB和DMB技术。在250家运营商里面，会有200家以上来支持移动流媒体技术。移动流媒体如何在3G时代成为一个杀手业务，它应该是产业链的整合，在各个领域互相密切配合，使它不断发展，后面有一个发展趋势，这主要分五部分，华为公司的分析基于Gartner的模型。五个阶段是这样的，起步阶段，业务触发期，然后是泡沫或膨胀阶段。其中第三阶段是低谷，处于泡沫破灭、期望值很低的阶段，逐渐恢复到进入成熟期。在预期中，虚拟生活在移动领域和互联网领域炒得比较火，现在认为是很有前途的，但是通过数学分析的话，业务是有一个发展先后顺序的，也就是说在我们这里，我们认为最先发展的，通过2G也可以看到的digital music实际上是横轴的成熟度和纵轴对它的预期，这有一个曲折前进的关系，并不是正向的增长。我们预期P2P，CDN，这些都是在近三年内实现，在日本、阿联酋以及欧洲的法电以及沃达丰，基本上都是采取这种模式发展。根据产业链成熟情况来发展各种业务。"

百度的搜索平台每日承载来自138个国家、数亿次点击访问的海量数据处理，这对服务器的容量及存取性能来说，是一个极大的挑战。为定制高性能的搜索服务器，百度将求助之手伸向了华为。

如今电信与互联网已日益融合，ICT成为未来的发展方向。尤其是随着3G时代的到来，以移动互联网为代表的移动数据业务已呈现快速增长的趋势，传统的互联网业务正在加速与移动通信进行融合。全球主流运营商，以及各CP/SP都已将ICT作为其业务发展的战略重点。在ICT基础设施最为关键的服务器领域，华为发挥了在电信与互联网领域的综合优势，可提供技术领先的服务器产品和端到端的支撑服务。在不到半年的时间里，华为与百度多次就SSD存储技术在服务器上的应用进行了密集的交流和探讨，针对难点技术多次攻关，终于在2008年年中向百度交付了第一批采用SSD领先存储技术的高性能搜索服务器，使搜索服务器的读写速度提升了几十倍。

第三节　多元化探索

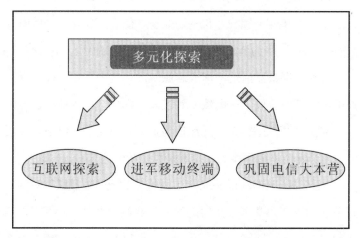

近两年，华为似乎在外界不断展现出一些崭新的面貌。在我们的印象中，华为早已不仅仅是低调端着电信行业金饭碗的企业，面对着日新月异的变化，华为的业务延展到更多有增长潜力的热点。

1. 互联网探索

多年前，华为便已经开始了与互联网企业的接触，曾与百度、盛大成立了联合实验室。为这些互联网厂商提供服务，华为积累了一定经验。

2008 年下半年，华为成立了互联网业务部，由朱波担任业务和软件产品线的首席市场官，正式开始了在互联网领域的探索，华为对互联网业务的态度变得更积极起来。后来爱米网正式上线，华为首先开始了 SNS 社交网站的尝试。2010 年，华为将整个公司分成了运营商 BG、企业 BG 和消费者 BG 三大业务集团，互联网业务部被归入了消费者 BG 下面。[①]

2. 进军移动终端

华为加快向非电信领域挺进的一个重要原因，是其当前正面临的成长瓶颈。

---

① 宋业楠.步入多元化经营的华为.职场八卦，2012.5

电信运营商在 3G(第三代移动通讯) 建设上的投资正在放缓，而 4G 网络建设尚未大规模展开，在此背景下，华为终端包括移动宽带终端、手机、融合终端和视讯解决方案四大产品线。企业业务和终端消费电子产品 (智能手机和平板电脑等) 成为华为寄予厚望的两大新引擎。[①]

虽然华为进入手机领域时间较晚，但其希望在短时间内取得领先地位。华为希望可以在两年之内，成为全球最有竞争力的厂商之一。

2012 年，华为与 IBM 在企业移动办公解决方案上达成战略合作，华为的智能手机和平板电脑作为承载平台。目前华为终端已与华能集团和亨得利集团签署合作协议。

3. 巩固电信大本营

除了在互联网领域频频出击，华为也不忘继续巩固电信大本营，加深与欧洲的合作。2012 年 5 月，华为斥资 15 亿美元在匈牙利建欧洲物流中心。2012 年，华为欧洲物流中心的仓库面积将达 25000 平方米，进出口货物金额达到 15 亿美金，物流吞吐量预计达到 50 万立方米，将覆盖欧盟境内全部国家。2012 年，华为在欧洲已设有 37 个代表处，6 个研发中心，9 个培训中心，其研发、服务、培训以及生产和销售业务遍布整个欧洲，员工人数约有 7000 人，其中 65% 以上为本地员工。[②]

---

① 黄运涛，李千仪 . 华为跨出电信市场，欲效仿通用多元化之路 . 路透中文网，2011.11
② 华为斥资 15 亿美元在匈牙利建欧洲物流中心 . 新华网，2012.5

专题 1

迈克尔·波特：战略定位的三个出发点

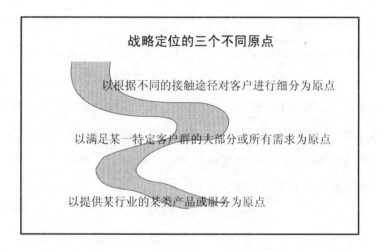

战略定位的三个不同原点

以根据不同的接触途径对客户进行细分为原点

以满足某一特定客户群的大部分或所有需求为原点

以提供某行业的某类产品或服务为原点

战略定位有三个不同的原点，它们并非相互排斥，而是经常重叠。

首先，定位可以以提供某行业的某类产品或服务为原点。我把它称为基于种类的定位，即基于产品或服务种类的选择而不是基于客户细分市场进行战略定位。只有当公司通过其独特的运营活动提供最好的特定产品或服务时，基于种类的定位才具有经济意义。

采取这一定位的典型例子是吉菲·罗伯国际公司（Jiffy Lube International）。这是一家专营汽车润滑油的企业，不提供汽车维修与保养等其他服务。与综合汽修商店相比，其价值链提供的是更低廉、更快捷的服务，这样的组合非常具有吸引力，以至于许多顾客决定分别进行采购，润滑油从业务专一的吉菲·罗伯那儿零买，而其他服务则仍然从其竞争对手处购买。

　　客户之所以选择吉菲·罗伯国际公司，是因为看中它在某一特定的服务领域拥有性能卓越的价值链。基于种类的定位面向的客户范围很广，但是大多数情况下，这种定位只能满足他们需求中的一小部分。

　　定位的第二个原点是，满足某一特定客户群的大部分或所有需求。我把它称为基于需求的定位，这更接近于传统的目标客户定位的观念。

　　例如，在个人理财业务中，贝西默信托基金公司将自己的服务对象锁定在那些可投资资产不低于500万美元并希望储蓄资金和积累财富兼顾的富裕家庭。通过为每14户家庭指派一名经验丰富的客户服务主管，贝西默公司围绕着个性化服务展开运营活动。例如，选择在客户的农场或游艇而不是公司的办公室与其会晤。贝西默提供一系列针对客户要求的服务，其中包括投资与不动产的管理、油气资源投资的监督，以及对赛马和私人飞机等个人资产的核算。对于大多数私有银行而言，贷款是它们最主要的业务，但贝西默的客户却很少需要贷款，贷款在客户的资产负债表和损益表中仅占很小的一部分。尽管贝西默的客户主管薪酬颇丰，人员成本在营业费用中所占的比重很大，但是其针对家庭的差异化服务还是为它带来了非常可观的投资回报，回报率远远高于其他主要竞争对手。

　　定位的第三个原点是根据不同的接触途径对客户进行细分。虽然不同客户的需求有一定的相似性，但是为了接近这些客户而设计的运营活动应该有所区别。我把这样的战略定位称为基于接触途径的定位。

　　以美国卡麦克院线（Carmike Cinemas）为例。该公司专门在人口不到20万的小城镇运营电影院。在规模如此之小且不能承受大城市票价的市场中卡麦克是如何实现赢利的呢？说起来也很简单，就是通过一系列精心设计的运营活动降低成本结构。它为小城镇的观众提供标准化、低成本的影院设施。公司自主开发的信息系统和管理流程降低了影院对劳动力的需求，每一个影院仅需一名经理就够了。此外，集中采购、廉价的租金和劳动力成本（由于影院都在小城镇）以及极低的经营管理费用（仅为2%，而行业平均水平为5%）也使卡麦克获益匪浅。尤其值得一提的是，在小社区中运营使卡麦克可以采取一种更加个性化的营销方式——影院经理几乎认识每一个主顾，他常常靠个人接触来提高上座率。作为几乎独霸所在市场的连锁影院（其主要竞争对手常常只是高中的橄榄球队），卡麦克不仅能得到非常卖座的电影，而且在同发行商谈判时也常常能争取到更好的条件。

（本文摘编自《什么是战略》，作者迈克尔·波特，来源：哈佛《商业评论》，2004 年 1 月）

专题2

适度专业化企业拥有的优势

1. 差异化

专业化能力可以加强企业的差异化，创造多个竞争优势。例如，差异化的公司能通过较高的产品定价和抢占新市场来增加收入；与外部专家合作能增加利润并允许公司退出无利可图的市场；内部管理更少的资产可帮助公司重新分配资源，以投资更具战略意义的业务。实现差异化需要企业强化关注力和专业知识，提高对核心业务的控制能力，这在某种程度上能产生强大的风险抑制力。但是公司必须明确自己在整个行业中所处的位置，只投资真正具有差异化意义的业务，并在驱动这些业务创新的同时寻求建立适当的互补型合作关系，这一点非常关键。

2. 快速反应

快速反应是专业化企业的第2个优势。一直以来，企业都在精心设计的基于机会预测和威胁假设的业务模式中运行，迫使客户接受公司的价值主张。这些企业充满了固定流程，不仅延长了推出新业务所需的时间，还大大制约了有效协作的能力。相比之下，专业化企业通过业务模块化、消除非关键业务组件、利用现有外部专家等特点，快速感知并响应意外的市场环境及客户需求的变化。

3. 高效率

专业化企业的效率也远远高于采用传统业务模式的企业。传统企业致力于一体化整合，乐于投资固定资产，追求自主开发核心能力，并希望在所有业务领域创建规模优势。专业化企业则把主要资源聚焦在具有战略意义的业务模块上。专业化企业不同于传统企业，他们能够灵活地适应成本结构和业务流程，在更高的生产力、成本控制、资本效率和财务可预测性水平上降低风险并开展业务。

专业化企业在为员工、客户和股东增加价值的同时也为企业自己创造价值：满足客户要求使企业获得客户忠诚度；满足员工要求使企业能够保持领先地位并减少员工流失率；实现股东价值使企业能够赢得股东信任并获得更多的融资选择。

第9章
国际化策略与管理

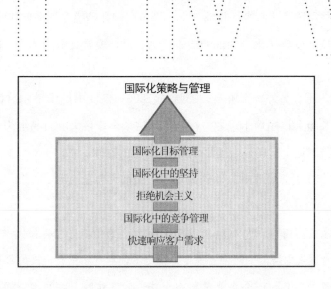

华为有一条内部定律，那就是只要是国际通信大展，华为一个不落都要参加。华为每年几乎要参加 20 多个大型国际展览，每年在参展上的投入至少是一个亿。《IT 时代周刊》记者所搜集到的关于华为国际展的资料中，1999 年的埃及电信展、巴西电信展、莫斯科电信展……2000 年的南非电信展、突尼斯电信展……2001 年的美国展、墨西哥展、印度展……华为每到一个新市场，都会把规模盛大的通信展办到那里。

 # 第一节　国际化目标管理

在国内，真正具备国际化视野的企业，无非海尔、联想、华为。前两者只是迈出了国际化的步伐，而一路跟跟跄跄，真正阔步向前的，是任正非引领的华为。

2001 年，在 20 世纪 90 年代中一路高歌猛进的欧美 IT 企业，大多数陷入 10 年高速增长以来的首次业绩衰退。20 世纪 90 年代的明星公司北电网络更是首现巨亏，欧美市场运营商纷纷收缩开支。设备商们开始感受到来自外部的市场寒意，同时也首次感受到了来自内部的成本压力。这让嗅觉灵敏的华为，闻到一丝市场的先机。

此外，还有另外一个机会，那就是，2001 年 11 月，卡塔尔首都多哈，WTO 第四次部长级会议主席卡迈尔一槌敲下：这个全球最大的贸易组织正式接纳中国为会员。跨越这个门槛，中国用了整整 15 年的时间。

2001 年 1 月，任正非在欢送海外将士出征大会上说道：

随着中国即将加入 WTO，中国经济融入全球化的进程将加快，我们不仅允许外国投资者进入中国，中国企业也要走向世界，肩负起民族振兴的希望。

在这样的时代，一个企业需要有全球性的战略眼光才能发奋图强；一个民族需要汲取全球性的精髓才能繁荣昌盛；一个公司需要建立全球性的商业生态系统才能生生不息；一个员工需要具备四海为家的胸怀和本领才能收获出类拔萃的职业生涯……所以，我们要选择在这样一个世纪交替的历史时刻，主动地迈出我们融合到世界主流的一步。

华为利用了经济低迷带来的机会，从2001年以后表现出了海外业务进攻的姿态。2001年，任正非在其题为《迎接挑战，苦练内功，迎接春天的到来》的演讲中谈道：

我们现在要有精神准备，要振奋起精神来。海外情况非常好，今年独联体地区部、亚太地区部会在上半年开始有规模性的突破。大家知道今年（2001年）一季度我们出口大于内销，国内销售低于出口。当然国内是因为萎缩了一点，但是出口也涨得太猛了一点，比去年同期增长了357%。今年下半年后，我们认为中东、北非地区部要起来。昨天走在马路上，听了东太平洋地区部的汇报，在发达地区，发达国家，今年也要销售7000多万美金。欧洲地区部的发达地区我还没听汇报。去年汇报比较保守的地区部今年也起来了，我想明年南美地区部也要起来，南美地区现在在做什么呢？到处在测试，到处在开实验局，这就是市场开始走向新的好转的迹象。

……

我认为有必要动员大家，至少动员在座的部下，要输出一些到海外去，在海外的进步是很大的。当时出来时，一些人认为公司不要我们了，把我扔出来了。出来几年一看，我感觉在海外的锻炼很大的，进步很快，成长很快。这是客观事实。新的一年里，我们还会继续遇到困难，其实越困难时我们越有希望，也有光明的时候。因为我们自己内部的管理比较好，各种规章制度的建立也比较好。市场发生波折时，我们是最可能成为存活下来的公司，只要我们最有可能存活下来，别人就最有可能从这上面消亡。在人家走向消亡时，我们有两个原则，是我们应该吸纳别的公司好的员工，给他们以成长、出路的机会。所以市场部的员工心胸要开阔，能包纳很多优秀员工进来；同时，在座的及你们的部下，要选派一些好的到海外去。加强对中东及好多国家的增兵，增加能量。大家要有新思维、新方法和创造性的工作及思维方法去改善这种市场的状况。

后来正如任正非所计划的一样，根据 Gartner 的统计，华为在电信业最不景气的 2002 年，投入研发的资金占总营业额的比例为 17%。这一比例要高于诺基亚、阿尔卡特和思科。正是华为在研发和技术上的长远储备，为其走向海外打下了坚实后盾。

然而，"太平洋"并不好跨。两年以后，华为将收到竞争对手思科的春节礼物：向华为的软件和专利侵权提起诉讼。这是中国加入 WTO 后，中国企业所遭遇的一起最显著的知识产权跨国诉讼。

 # 第二节　国际化中的坚持

一生屡败屡战，以为民谋求自由幸福为己任的孙中山先生，1895 年 2 月创立"兴中会"，10 月 8 日广州起义失败，流亡海外。1900 年 9 月在广东发动惠州三洲田起义失败后流亡日本。1907 年 5 月第三次起义于潮州黄冈，历时六日而败。第四次是 1907 年 6 月命邓子瑜起义于惠州七女湖，历时十余日而败。1907 年 7 月徐锡麟起义于安庆，失败殉难。同年 7 月，孙中山主持镇南关起义，再遭失败。据统计，自 1894 年到 1911 年之间发动革命起义事件共有 29 次之多，直到 1911 年 10 月 10 日武昌起义，孙中山在危难中奋击成功，一举推翻了两千多年的封建帝制，成为中国民主革命的先行者。

华为在国际市场的奋斗，也正如孙中山先生样，"屡战屡败、屡败屡战"。"带着自己的品牌闯天下"，满怀激情的华为人豪迈地走向了世界，然而迎接他们的不是鲜花和美酒。开拓国际市场的艰难程度远远超出了华为人的想象。

1995 年，华为开始走向海外市场。3 年内华为有数十个代表团访问俄罗斯，前后数百人次；俄罗斯代表团也数次访问华为，但任正非认为，华为真正对俄罗斯了解多少，能否打开市场，仍然没有把握。任正非感叹道：

梁国世（当时负责开拓俄罗斯市场的华为负责人）每天不断地喊话（通信不好，大声说话），嗓子像公鸭一样。而且孤身一人在俄罗斯工作了这么久。这种不屈不挠的奋斗精神，支撑他们跌倒了再爬起来，擦干身上的泥水，又前进。他们在一次一次的失败中，相互包扎好伤口，又投入战斗。

刚开始的时候，华为在国际上的进展很不顺利，偶尔拿到一个几百万美元的订单，就足以让华为感到欣喜。尽管如此，华为还是执著地持续投入，执著地"屡败屡战"。因为华为人深深懂得，作为世界一流的设备供应商，不仅要有过硬的产品、技术和服务，还要有全球化的市场，特别是要拥有一批全球顶级的大客户。另一方面，顶级大客户的订单合同金额巨大，一旦获得，对于设备供应商的稳健和持续发展至关重要。

在国际化的初期，只要听说某国的电信运营商有项目招标，华为的销售人员必然赶去投标，但许多时候都是失败。不过正是在这些点点滴滴的积累中，华为的国际竞争经验逐渐丰富起来，发展策略也清晰了。华为开始选择一些重点市场重点突破，同时，频频参加世界各大通信展。此外，华为还积极参加国际组织，参与国际标准的讨论与制定。

华为公司常务副总裁徐直军在"中国高科技企业全球化战略研讨会"上，讲到了在国际化初期，华为从屡败屡战到零的突破：

"1996年，年轻的华为制定了全球化战略。但是对于华为来说，除中国外，全球所有的国家和客户，所有的文化和环境都是陌生的。当时华为公司绝大多数员工都很年轻，平均年龄是二十七八岁，基本上家庭条件也不是很好，没有出过国，国外什么样子基本上不清楚。更为不利的是，当时世界上的许多国家对中国并不了解。在这种情况下，华为走出国门时主要选择南斯拉夫、俄罗斯、巴西、南非、埃塞俄比亚这些国家。但是在抵达这些国家后，华为的营销人员傻了，以后也仅仅知道中国使馆在哪里，而客户在哪里根本无从谈起。因此每到一个国家，华为的销售人员首先得花半年的时间解决生存问题，即解决怎么生活的问题，然后再慢慢地摸清客户在哪里。在最初的半年或更长时间里，相当多的营销人员基本没有见到过客户，即使知道客户的人在哪里，但是很难见到客户。"

1996 年，徐直军被派往俄罗斯开拓市场，但是在俄罗斯待了两周时间，根本就没有见到客户，只见到有可能成为合作伙伴的公司以及边缘的做支撑性的机构。徐直军至今很清楚地记得当时他见俄罗斯负责软件部门领导人时的情形，听说中国公司能够做交换机，俄罗斯人根本就不信，他们第一句话就说，俄罗斯根本不会用任何新的交换机，所以不可能和华为合作。当时徐直军带了交换机的两块电路板和自己设计的芯片，他把电路板和芯片掏出来摆到他们面前。看到中国的技术水平大大超出他们的预期和俄罗斯的水平时，这些俄国人震惊了。他们坐了下来，徐直军打开投影仪开始介绍产品，听完整个介绍以后，俄国人对华为的产品有了兴趣，后来华为进一步和这些机构联系，最终将华为的交换机卖到了俄罗斯。

当时为了见到客户，让客户认识华为，华为的销售人员采用了一个很"累"的方法，就是做标书，然后把标书送或者寄给客户。"我们当时最大的兴奋就是能够见到客户。其实我们心里也清楚，这些标书送过去不可能中标，因为我们连客户的面都没见过。但是，我们当时希望，标书发过去以后，客户会读我们的标书，通过读我们的标书可能会了解华为，了解华为的产品，这样我们再和他们接触的时候，他们会对华为有一个基本的印象。"徐直军说。事实证明，这种方法是很有效的。

1999 年 8 月，坚持不懈的华为终于迎来了国际市场上零的突破，而且还是个"双喜临门"：华为在也门和老挝正式中标。

很早以前，任正非就表示"国际市场拒绝机会主义"。对华为而言，国际化是个长期投入的过程，华为国际化是实在投资，目标明确，与只想捞一把就走的公司有着本质的区别。

华为从 1996 年开始拓展俄罗斯市场，开始几年因为俄罗斯宏观经济不好，卢布贬值，总统普京从各方面开始整顿经济，一些国际大的电信设备制造商因为看不到短期收益而退出了俄罗斯市场。但是，华为却坚持了下来，并且抓住俄罗斯电信市场新一轮的采购机会，经过 8 年的蛰伏，最终成为俄罗斯市场的主导电信品牌。2003 年华为在俄罗斯及周边独联体市场实现销售额超过 3 亿美元，俄罗斯分公司 90% 的员工都来自当地。

事实上，直到 1999 年，华为在国际上才形成规模，并建立大的营销和服务网络，该年度华为公司海外销售达 5000 万美元，2000 年实现 1.28 亿美元，2001 年 3.3 亿美元，2002 年 5.5 亿美元，2003 年 10.5 亿美元，2004 年 22.8 亿美元。正是因为坚持国际化战略不动摇，尽管屡战屡败、屡败屡战，经过 10 年艰苦的拓展，终于在国际市场上取得了较大的成绩，2005 年，华为国际市场销售占总销售额的 58%。

2009 年对于被称为"土狼"的华为来说，正是月圆之时。这只潜心修炼多年的"土狼"，迎来了即将变身的关键时刻。美国市场的突破是具有决定性意义的一场战役。在华为总裁任正非看来，美国才是他认定的真正意义上的全球主流市场。因为全球电信设备的最大买主大部分集中在北美，这个市场每年的电信设备采购量是全球电信开支的一半。而为了北美市场的破局，华为足足抗战了 8 年。

经过多年的拓展，目前华为已在美国、英国、俄罗斯、巴西、新加坡等 40 多个国家设立了代表处或分支机构，产品已进入了法国、英国、德国、西班牙、巴西、俄罗斯、沙特、埃及、韩国、新加坡、泰国、秘鲁、南非、中国香港等 40 多个国家和地区。

第三节　拒绝机会主义

随着互联网的发展，世界变得越来越平等。全球化已经不是你想不想的问题，而是怎么参与的问题。

海尔集团董事局主席兼首席执行官张瑞敏曾说："如果不国际化，风险可能更大"。张瑞敏认为，"中国企业已经到了一个没有后路可退的阶段，可能很多企业还没认识这点。尤其是对两个一体化认识：国内国外市场一体化、国内国外竞争对手一体化。我国企业其实已完全置于全球经济一体化的竞争当中了，你在国内碰到的对手，在国际上也会碰到。你很难说我在国内做得很优秀，就可以高枕无忧了。目前如果还在争论：做品牌和做代工（OEM），谁更适合中国目前企业的话，那就显然没看到问题的本质。其实，无论做品牌，还是做代工，你都必须做到世界级的水平，才能体现你的竞争力！即使是做螺丝的中小企业，如果能做到世界份额的 20% 以上，那也是世界级的竞争力。台湾做笔记本电脑代工，已经占到全球份额的 60%，这就是代工的名牌。"

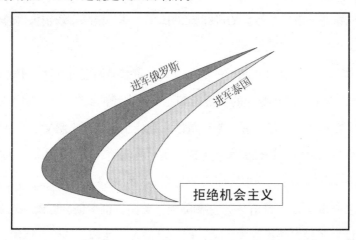

相较于人们对企业多元化的诟病，国际化却总是备受推崇，"走出去"一直是中国企业家孜孜不倦追逐的梦想。于是，中国企业的国际化步伐不断加快，跨国并购的大戏也不断上演。在 2004 年"国际化"浪潮中，通过规模并购，TCL 和联想都快速地完成了惊险一跃，TCL 从规模上跃升为全球彩电业第一、手机前五之列，联想则有意借 IBM 之力进入全球 PC 第二之位，尽管他们此前的海外销售收入在其公司销售比例中还只是较为微小的一笔。

条条大路通罗马。华为科技在 2004 年迎来了海外市场的丰收：华为 2004 年的海外销售额突破 20 亿美金。不同的是，华为在海外鲜有规模并购。可以看出，与企业家的热情相反，跨国并购案中为人们津津乐道的突破屈指可数，而更多则成为供商学院的学生分析的失败案例。华为是一个例外。

华为在国际市场上是一步一个脚印踏踏实实走过来的。很早以前华为总裁任正非就表示：

国际市场拒绝机会主义。

任正非当初的这句话一直被奉为华为开拓国际市场的圭臬。从 1995 年开始，华为就开始了国际市场拓展的征程，而这种征程是在"屡战屡败、屡败屡战"中不断完成的。对华为而言，国际化是个长期投入的过程，华为国际化是实在投资，目标明确，与"只想捞一把就走"的公司有着本质的区别。

华为决定进军海外之后，提出了一系列打开海外市场的战略方针，其中有一条就是任正非所说的"国际市场拒绝机会主义"。什么叫做机会主义？根据列宁的说法："机会主义是牺牲根本的利益，贪图暂时的局部的利益。"任正非表示：

通信行业是一个投资类市场，仅靠短期的机会主义行为是不可能被客户接纳的。因此，我们拒绝机会主义，坚持面向目标市场，持之以恒地开拓市场，自始至终地加强我们的营销网络、服务网络及队伍建设。

中国盛产机会主义者，就像在炒股中很多人都抱着"赌一把"的心态，缺乏扎扎实实做事的态度。在不成熟的市场环境下，机会主义者为了达到目的不择手段。很多中国企业并不专注于自身核心竞争力的提升，而是想方设法通过一些非正规化的捷径达到目的。而他们因此获得的"成功"更激发了逐利者对机会主义的热情。但是，要想在海外市场上站稳脚跟，没有真本事是难以成就的。

华为拒绝机会主义的作风由来已久。在华为创办后不久正值邓小平发表南方讲话，中国经济进入高速增长阶段。但由于投资速度过快，规模过大，导致经济过热。其中炒股狂潮和房地产热就是两种非常典型的现象，很多人疯狂地投入到炒股中，而很多企业则疯狂于房地产的投资，但任正非却不为所动，拒绝一切他认为是"机会主义"和短期行为的东西，踏踏实实走实业之路，最终换来华为的崛起。

华为作为一个以技术起家的企业，与国际通信巨头相比其技术能力并不占绝对优势，在很多方面还存在问题。在国内市场，华为可以通过低价和客户关系来保障自己的市场占有率，但是在海外市场尤其是欧美等发达国家这些就行不通了。因为这些国家的技术本来就是世界第一流的，低价和关系在这里都没有市场，客户只需要最出色的技术和最优质的产品。

因此，在进军海外市场的时候，华为就制定了与国内市场有所不同的政策；要求被派驻到海外的员工一定要本着实事求是的原则，在技术和生产上来不得半点的马虎，要把每一个研发和生产步骤做到精确；要有强烈的责任心和原则性，要有把市场做大做长远的决心，拒绝机会主义，要用实力赢得海外市场。

华为在海外市场开拓举步维艰，不断碰壁，并曾一度停滞不前。华为开始进一步开拓国际市场，重点是市场规模相对较大的俄罗斯和南美地区。这个时期，华为在国际市场上并没有多少业绩亮点。华为在国际市场上基本一直处于"屡战屡败"的窘境，那时华为往往只能见到客户，拿到标书，但是投标之后却如石沉大海，没有任何结果。那个阶段异常艰苦，有时一个人在几个国家来回跑，但却一无所获。直到1999年，华为参加也门和老挝的正式招标并分别中标，这是华为在海外市场中第一次在真实招标项目中中标。那一年，华为的海外业务收入占其总营业额还不到4%。任正非没有改变他的国际化策略，而是继续加大投入。任正非表示：

> 我们现在不尽快使这些产品覆盖全球，其实就是投资的浪费，机会的丧失。
>
> ……
>
> 我在拉美时，与胡厚昆（现为华为全球销售与服务总裁，编者注）谈话，胡厚昆讲到了拉美市场拒绝机会主义。有合同，呼啦啦就来了，没合同，呼呼呼就走了。我认为他们的关系是不巩固的，至少普遍客户关系不巩固。
>
> ……
>
> 那些机会主义公司的客户关系是不巩固的，至少普遍客户关系不巩固。华为公司在拉美，在任何国际市场都坚决杜绝机会主义，坚持普遍客户关系原则。

在海外的华为干部要下到市场第一线，海外华为办事处要"多配车，跑起来"。在海外，华为员工不是自己开车，改雇当地的司机。这样语言又熟悉，还作为半个保镖，解决安全问题。

国际化是中国制造业的一个共同的话题。与TCL、联想采取的并购方式相比，华为和其同城竞争对手中兴通讯走得比较相似，都是自己开拓市场，进行自我积累。中兴通讯董事长侯为贵在接受媒体采访时说道："国际化有很多路径，购并总的来讲风险比较大。联想、TCL最终达到购并成功，也是非常不容易的。中兴通讯目前主要还是自己开拓市场，通过销售规模在国际上的扩大形成我们的优势和积累。这个过程中，我们要引进本地化人才，另外我们会根据需要建立一些合资工厂。我们的国际化目前主要的是通过自我积累的方式。"

征战国际市场10多年时间，中兴通讯始终采取一种稳扎稳打扎实的做法，坚持自主创新。在当地拥有一定市场后投资建厂，雇佣当地员工。

进军俄罗斯

1997年，华为进军海外的第一步迈向了俄罗斯。当时的中国产品在俄罗斯普遍面临信任危机，华为的艰难可想而知。华为从1996年开始拓展俄罗斯市场，开头几年因为俄罗斯宏观经济不好，卢布贬值，时任总统的普京从各方面开始整顿经济，一些国际大的电信设备制造商因为看不到短期收益而退出了俄罗斯市场。这一市场的主角空缺无疑给了华为一个"搭台唱戏"的绝好机会。

刚到莫斯科时，还没从国内市场的火热气氛中回过神来的李杰（编者注：当时他负责华为国际市场宣传）信心十足。他对员工说，我们要把俄罗斯的每一个地区都跑一遍，竞争对手吃饭、睡觉、滑雪、和家人团聚的时间我们都用来攻取阵地，一定能够闯出来。

著名管理专家、并购专家王育琨在文章《华为国际化调查报告》中这样记述着当年华为人在俄罗斯的奋斗历程："现任华为独联体地区部总裁的李杰，就是在这样的背景下被派往俄罗斯开拓市场。俄罗斯的1998年，天气倒是不冷，可市场太冷了，而且紧接着俄罗斯发生的一场金融危机，使整个电信业都停滞下来。李杰回忆说：'有在打官司的，有在清理货物的；官员们走马观灯似的在眼前晃来晃去。我不仅失去了嗅觉，甚至视线也模糊了。那时候，我唯一可以做的就是等待，由一匹狼变成了一头冬眠的北极熊。'这一年，李杰几乎一无所获，除了告诉俄罗斯：我们还在。1999 年，李杰还是一无所获。在日内瓦世界电信大会上，任正非点醒了自己的爱将：'李杰，如果有一天俄罗斯市场复苏了，而华为却被挡在了门外，你就从这个楼上跳下去吧。'李杰说：'好。'李杰马不停蹄地开始组建当地营销队伍，培训后送往俄罗斯各个地区，以此为基础建立了合资企业贝托-华为这个营销网络；在不断的拜访中，他们认识了一批运营商的管理层，友谊和信任在频繁的沟通中得以建立，从而形成了目前最主要的客户群。在艰难的起步中，华为从俄罗斯国家电信局获得的第一张订单只有区区 12 美元。"

《华为公司基本法》起草者之一吴春波分析道："华为进入国际市场是一种历史的必然。'过分依赖国内市场对公司来说是相当危险的。'走出去就有机会，但国际市场同样拒绝机会主义，同样拒绝短期行为。国际化是一种战略选择，更应该成为持之以恒的承诺和持久地投入。在国际化的道路上，华为绝不会一帆风顺，必须经受一番痛苦的磨练。但只要我们认定了国际化这条路，就别无选择。

"华为在进入俄罗斯市场时，正是用在苏联卫国战争期间被苏联军民广为传诵的名言，作为其战略宣言：'俄罗斯大地辽阔，可我们已无退路，后面就是莫斯科！'没有攻不下的市场堡垒，只有攻不下市场堡垒的人。华为在俄罗斯市场上，历经 8 年，从颗粒无收到满载而归，最重要的一条就在于对国际化战略的坚持和信仰。"

2004 年，在"中国高科技企业全球化战略研讨会"上，华为高级副总裁徐直军第一次正面向外界袒露华为公司在近 10 年来在整个全球化过程中的曲折、艰辛、经验和体会。

华为锲而不舍地坚持在俄罗斯市场的投入。当（时任俄罗斯总统的）普京全面整顿宏观经济、俄罗斯经济出现"回暖"之际，华为终于赶上了俄政府新一轮采购计划的头班车。

1997 年 4 月，华为就在俄罗斯当地建立了合资公司（贝托-华为，由俄罗斯贝托康采恩、俄罗斯电信公司和华为三家合资成立），以本地化模式开拓市场。

在早期的五六年里，华为在俄罗斯几乎没有拿到单子。但自 2000 年起，华为每年以 100% 的速度增长。华为设备在俄罗斯通信市场占有率为 14%，其中固网市场占有率约 20%。

华为坚持了下来，并且抓住俄罗斯电信市场新一轮的采购机会，经过 8 年的蛰伏，最终成为俄罗斯市场的主导电信品牌。2001 年，华为在俄罗斯市场销售额超过 1 亿美元，2003 年在独联体国家的销售额超过 3 亿美元，位居独联体市场国际大型设备供应商的前列。俄罗斯分公司 90% 的员工都来自当地。

进军泰国

2000 年，华为进入泰国打算卖 GSM 相关设备，但当时的泰国移动通信市场，GSM 网络已经被国外几家大的设备商瓜分殆尽，华为很难再从中分得一杯羹。如果按照一般厂商的做法，肯定是暂时撤出，等看准其他机会时再来进行市场开拓。但这种典型的机会主义的做法，是任正非明令禁止的。华为没有退缩，而是开始积极寻找市场空缺。功夫不负有心人，经过仔细的市场分析，华为人发现，当时的泰国移动运营商 AIS 虽然拥有 180 万用户，但第二大运营商 DTAC 紧随其后，竞争非常激烈，急需新业务来刺激用户数量的增长。

于是，华为人从试验局开始，说服 AIS 投入智能网建设，并且在 45 天内为其建立了网站。5 个月后 AIS 收回了投资，信任开始初步建立起来。AIS 在华为的帮助下，实现了滚雪球似的发展。三年时间里，AIS 用户数量增加到了 1200 多万。从 AIS 开始，华为陆续与泰国其他电信运营商都建立了业务关系。2005 年 1 月，华为又中标承建泰国 CDMA 移动通讯网络项目，合同总值 72 亿泰铢（合 1.86 亿美元）。该项目是 CAT Telecom 利用 CDMA20001X 技术建设网络，覆盖泰国 76 个府中 51 个府的计划的二期工程。华为通过精湛的技术和扎实的功夫终于在泰国站稳了脚跟。

第四节　国际化中的竞争管理

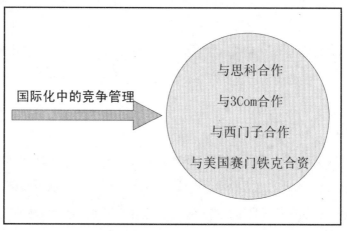

前以色列总理伊扎克·拉宾是中东和平的开拓者。他是以色列建国 60 多年来第一位提出"以土地换和平"概念的政治领袖。拉宾承诺在以色列的"安全得到切实保障"的前提下，通过政治谈判解决阿以争端，把侵占的阿拉伯领土逐步归还给有关阿拉伯国家。他还同约旦达成和平条约并正式建交，从而为中东和平进程取得突破性进展；在叙以会谈上，拉宾采取积极态度，承认叙利亚对戈兰高地拥有主权。拉宾所做的化解矛盾、着眼于民族利益的远见之举，受到爱好和平的人士的赞扬。华为总裁任正非非常赞赏拉宾的这种"以土地换和平"的思想。

在 2005 年的一次讲话中，任正非提出了华为的国际化策略，即"向拉宾学习，以土地换和平"。

我们的友商就是阿尔卡特、西门子、爱立信和摩托罗拉等，我们把竞争对手都称为"友商"，我们的沟通合作是很好的。我首先强调，我们要向拉宾学习，以土地换和平。

长期战略关系。而为了达到这一目标，暂时牺牲一些自己的利益也是值得的。

我曾经在与一个世界著名公司，也是我公司全方位的竞争对手的合作时讲过，我是拉宾的学生，我们一定要互补、互助，共同生存。我只是就崇敬拉宾来比喻与竞争对手的长期战略关系。

在华为国际化进程中，任正非越来越体会到和平与发展才是国家之间的主旋律，开放与合作是企业之间的大趋势。未来世界谁都不可能独霸一方，只有加强合作，你中有我，我中有你，才能获得更大的共同利益。

华为从1996年开始国际化，常用方式是与外国企业建立合资公司。随着国际化的推进，从2005年开始，国际化战略向着独立控股一个外国企业方向转型。转型有助于解决原有方式缺乏对合作伙伴的有效激励机制和企业文化冲突等问题。

与思科合作

2003年被炒得沸沸扬扬的"华为思科案"最终以二者握手言和而告终。这场官司不但没有让华为受到太大损失，反而有效地提高了华为在国际上尤其是在美国市场的知名度，促进了其国际化进程的加速前进。同时，任正非也通过这件事开始反思自己的国际化策略。他开始强调华为要与时俱进，市场策略要因时而变。任正非在其题为《华为大学要成为将军的摇篮》的演讲中说道：

当年的杭大校训就是"坚定不移的政治方向，艰苦朴素的工作作风，灵活机动的战略战术"。我们既要有坚定不移的方向，又不能过分教条，战略队形和组织结构要随着环境变化进行调整和变化。

比如，一讲到宽带，大家就说一定要可运营可管理，就要打倒思科，我们是否也可以举起右手支持思科，赚拥护思科的客户的钱，举起左手也可以做可运营可管理，赚反对思科客户的钱。在工作中不能强调一边就忽略另一边，不能走极端。眼前我们的问题是利润不够，所以要做些小盒子到各地抢粮食去。所以队形要根据市场进行变化,不能僵化和教条,要有灵活机动的战略战术,我们的宗旨就是活下去。

因此,与其说这是华为在技术上和市场上向对手妥协,不如说这是华为以"退"为"攻",让自己在市场竞争中处于更有利的地位。

与 3Com 合作

2003 年 11 月,华为 3Com 有限公司宣布,华为 3Com 有限公司正式成立并开始业务运作。华为 3Com 公司是由华为公司与 3Com 公司共同组建的合资企业。华为总裁任正非表示:"这是华为的一项商业投资。我们相信通过新的业务重组后,3Com 能够为客户提供更好的产品和服务,为客户带来更多价值。"赛迪顾问杨凯认为,此前华为在海外市场特别是北美市场上难有建树,而参与收购 3Com 后,可充分利用其资源和渠道,这对华为海外市场的扩展极为有利。

2005 年,任正非在其题为《华为与对手做朋友,海外不打价格战》的文章中写道:

华为现在还是很弱小,还不足以和"国际友商"直接抗衡,所以我们要韬光养晦,要向拉宾学习,以"土地换和平":宁愿放弃一些市场、一些利益,也要与"友商"合作,成为伙伴,和"友商"共同创造良好的生存空间,共享价值链的利益。我们已经在好多领域与"友商"合作起来,经过五六年的努力,大家已经能接受我们,所以现在国际大公司认为我们越来越趋向于朋友,不断加强合作会谈。如果都认为我们是敌人的话,我们的处境是很困难的。

所以这些年,我们一直在跟国际同行在诸多领域携手合作,通过合作取得共赢、分享成功,实现"和而不同"。和谐以共生共长,不同以相辅相成,这是东方古代的智慧。华为将建立广泛的利益共同体,长期合作,相互依存,共同发展。例如,我们跟美国的 3Com 公司合作成立了合资企业。华为以低端数通技术占 51% 的股份,3Com 公司出资 1.65 亿美元(占 49% 的股份)。这样一来 3Com 公司就可以把研发中心转移到中国,实现了成本的降低,而华为则利用了 3Com 世界级的网络营销渠道来销售华为的数通产品，大幅度地提升我们产品的销售。2004年销售额增长了100%，这样就能够使我们达到优势互补、互惠双赢。同时，也为公司的资本运作积累了一些经验，培养了人才，开创了公司国际化合作新模式。我们后来和西门子公司在 PDS 方面也有合作，在不同领域销售我们的产品，能达到共鸣的状态。

与西门子合作

2004年2月12日，西门子和华为正式宣布成立 TD—SCDMA 合资公司。该公司总投资超过1亿美元，西门子占股51%，华为占股49%。华为高级副总裁徐直军表示，新合资公司的实质意义在于 TD—SCDMA 技术标准的具体应用和产品业务层面，而对 TD—SCDMA 基本专利的分配没有任何影响。西门子华为合资公司表面上是一家基于 TD—SCDMA 标准的技术公司，但实质上仍是市场和产品应用层面上的商业联盟。

与美国赛门铁克合资

2008年2月华为与美国赛门铁克公司同时宣布，曾于2007年5月对外公布的双方合资公司已正式成立。新公司将为全球电信运营商和企业开发并生产世界领先的安全和存储产品及设备。任正非表示：

赛门铁克是全球领先的安全与存储软件公司，为客户提供一流的安全和存储软件技术，华为与赛门铁克的合作是华为 AllIP 和 FMC 战略的一部分。随着电信网络走向 AllIP，网络安全必将成为 AllIP 网络的基础。华为与赛门铁克的合作不但能为运营商客户提供全球领先的网络安全解决方案，而且还能为企业客户提供专业的安全及存储解决方案，使客户的网络更安全、更高效。

在备受业界关注的3G领域，华为拥有800多项专利，并与业界知名厂商签订了许多专利协议，先后与美国高通公司、爱立信公司、诺基亚等业界知名企业签订3G专利许可授权协议。

即使在中低端数据通信产品的海外市场拓展上，华为也在寻求更多战略合作伙伴。华为 3Com 公司总裁郑树生在接受《IT 时代周刊》采访时说道："我们在日本市场上的战略合作伙伴是 NEC 和三菱公司，我们在欧洲正在谈更多的合作伙伴。"华为和 NEC、松下合资成立了宇梦公司，研发 3G 手机。

2009 年，华为高级副总裁徐直军在接受《IT 时代周刊》采访时说道："（华为与国际伙伴之间）这是竞争之上的一种合作，是国际企业发展的一种趋势，在竞争中共享，在共享中竞争。我们势必通过这种竞争合作的方式，争取实现华为早日全面的国际化。华为目前已经与 3Com、西门子、NEC、松下、TI、英特尔、摩托罗拉、朗讯、SUN、IBM 等多家公司开展多方面的研发和市场合作。其中的许多厂家是第一次与中国、甚至亚太区的公司进行类似的合作，华为已经与 3Com 合资成立华为 3Com 公司，与 NEC、松下合资成立宇梦公司，与西门子成立了 TD-SCDMA 合资企业。目前我们在国外没有委托加工厂。"

第五节　快速响应客户需求

当今的市场竞争，不是大鱼吃小鱼，而是快鱼吃慢鱼。

以 2010 年的日本地震为例，华为与所有在日本经营的外资公司一样，面临着艰难的抉择，是否要离开？华为最终决定，将后方服务从东京撤到大阪，包括任正非在内的公司高管，也飞赴日本打气。这个决定，让华为在震后成为最快恢复服务的企业之一。尽管日本电信市场相当封闭，但这一年间，华为在日本的产品销量又翻了一倍。因为华为更像一个本地公司，如果你地震的时候跑了，之后就很难再回来了，这也是华为走出去过程中的一个经验。[①]

竞技赛场上，更快的速度意味着领先，阿姆斯特朗、舒马赫、菲利普斯、博尔特是速度领先的代表。商业赛场上，Intel 和 AMD，UPS 和 DHL，甚至谷歌和微软的成功，同样体现了速度对企业成功的重要性。速度之于价值，是创造领先、

---

① 马晓芳. 华为副董事长郭平：跨境整合是高风险工作. 第一财经日报，2012.1

赢取机会、并成就领导者地位。

对运营商来说，技术的快速演进、终端用户需求和竞争环境的动态变化，使得运营商对速度的追求，已经从应对竞争的短期措施上升为企业的长期战略。快速入市（Fast time to market）——无论是新网络建设、旧网络改造，还是新技术升级\新业务推出——将是运营商未来数年内不变的需求。

因此，服务伙伴快速响应的特质，将成为决定服务满足运营商需求的重要标准，而这一特质伴随着华为的文化，已经融入华为服务的血液中。每时每刻，华为服务的项目团队和工程师们，都在世界各地创造着速度的纪录：2008 年，华为服务共交付了 24 万站点，平均每 10 分钟交付 4.5 个站点。

华为在欧洲很受欢迎。至于欧洲电信运营商为什么选择华为，同样一个问题，《人民邮电报》记者不仅询问了英国 Evoxus 公司首席技术官 KenRuncorn、法国 Neuf 公司首席执行官 MichelPaulin，也询问了荷兰 Telfort 首席技术官 Wiel 先生。原先记者认为，他们一定会提到华为的产品价格便宜。因为价格低廉在一段时间内曾经是中国企业打开海外市场的"通行证"。然而令记者惊讶的是，竟然没有一个人提到这一点。Michel Paulin 先生说："他们的技术很好，我多次到华为在中国的总部参观，他们的生产线绝对是世界一流的。更重要的是，他们能够快速作出反应。不管我们提出什么样的需求，他们总是能够在第一时间作出反应。华为的快速反应能力令人惊讶。"

华为负责海外市场的副总裁邓涛认为，与外国企业比，中国企业不仅仅有劣势，同样有非常明显的优势。比如，欧洲企业普遍反应较慢，用户提出一个修改建议，他们往往要一年甚至一年半才能改进。而中国企业，只要用户有需求，总是能加班加点，快速反应。一个要 1 年才改进，一个只要 1 个月就能改进，优势自然体现出来了。

PCCW，香港最大的信息通信服务（ICT）提供商，提供全方位的通信服务包括移动通信、固定电话、宽带以及 IPTV 等服务。面对复杂的网络覆盖场景带来的业务挑战，PCCW 选择了华为作为其合作伙伴，共同征服这一电信领域的"珠穆朗玛峰"。对此，PCCW 移动公司副总裁 Frankie 王表示："更好、更快，这是我们选择合作伙伴最关键的标准。华为与 PCCW 之间顺畅的沟通，是实现快速网络部署的最重要因素。我们的要求得到了快速且最大价值的回应。"

可以说，华为在国际电信运营商中已经在形成一个快速响应的品牌：华为曾用 3 个月的时间为香港的固网运营商和记开发出了号码携带业务，而同样的业务欧洲老牌的设备商此前花了 6 个月尚未完成。华为曾在泰国为 AIS 在 45 天内就完成了智能网的安装、测试和运行工作，这在国外电信设备商看来，一般至少需要半年时间。华为的交付成本和交付效率开始在业界形成良好的口碑。

Gartner 的一份报告认为，以往华为在国际市场上成功的主要优势仍是低成本和低价格。现在，良好的服务、当地化的组织策略和快速响应的机制，已经成为华为的核心竞争力。

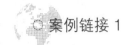

日本企业国际化的前车之鉴

推动日本公司早期成功的四大因素后来却导致了它们在海外市场的失败。

忠于自己的"经营之道"

日本公司创建了强大的公司制度、实践、思想和行为，从而改进和强化了它们的业务模式。尽管这些"经营之道"促进了日本公司的出口增长，但也损害了它们在国外市场的新业务。许多日本管理人员想当然地认为，海外市场成功的关键就是将其"经营之道"复制到海外。日本公司不在海外市场招募有经验的管理人员，遭遇失败就可想而知了。

孤立的国内市场

过去几十年中，日本境内的外国竞争对手对日本公司几乎不构成威胁，外国直接投资占日本国内生产总值的比例也很小。随着日本公司向海外扩张，这种孤立的国内市场显露出了弊端。主要通过出口与外资进行远距离的竞争，这无助于日本公司与外资直接进行"肉搏"战。

驯服的劳动力队伍

如果你致力于使产品和流程标准化，提高质量，减少缺陷，并降低成本，那么同质化且老实听话的员工队伍是一大优势。日本的劳动力如果不具备同质化的特性，便不值一提。但是国内同质化并且老实听话的劳动力队伍，无助于让公司做好准备去管理国外多元化且好斗的雇员。

同质化的高管团队

日本公司能够建立强大的业务模式和文化，在很大程度上应归功于有凝聚力的、同质化的领导团队。例如，在20世纪80年代和90年代，日本主要出口企业松下电器的高管团队是清一色的日本人。

在上述四个方面，"金砖四国"的大型企业或多或少都有当年的日本企业的特点。要避免重蹈日本公司的覆辙，新兴市场的巨头们必须改变自己的业务模式，减少对受保护的国内市场的依赖，学会管理多元化的员工，并且组建多元化的高管团队。

作者在研究中发现，在海外业务扩张方面取得成功的企业普遍采用了三种做法：

早年派驻海外有些公司，比如百事可乐公司，特意派遣年轻的高潜力领导者赴海外工作，从而使他们对国外市场的人才、顾客和机遇有所了解。更有甚者，高露洁公司要求营销部门聘用的年轻雇员必须具备国际经验。

权力总是集中在全球总部，所以，如果你希望确保公司领导层了解并信赖外籍管理人员，那你就必须将他们派往公司总部。如果要建立深厚的信任感，仅仅通过电话、传真、视频会议以及电子邮件进行互动是不够的，朝夕相处要有效得多。

教育成功的企业有严格的全球领导力发展项目。在雀巢公司，参加瑞士国际管理发展学院开办的"高级经理人发展项目"，是晋升到高级职位的先决条件。由于参加者来自许多不同的公司和国家，这会让经理人员接触到雀巢公司以外的最佳实践和方法。

作者认为，新兴市场的公司可以采取上述措施。这种措施确保在进军全球市场的时候其领导团队能够以更开明的态度对待战略和业务模式，并且拥有管理多元化员工队伍的经验，从而在海外市场取得成功。

（本文摘编自《日本企业国际化的前车之鉴》，作者：斯图尔特ꞏ布莱克，艾伦ꞏ莫里森；来源：哈佛商业评论，2012年3月）

案例链接 2

韩国企业国际化四个阶段

从 20 世纪六七十年代到现在，韩国企业国际化大致经历了四个阶段。

第一阶段：成为国内名牌

在这一阶段，企业的主要目标是使品牌存活下来，积蓄潜力成为国内领导品牌。在这个过程中，出口贸易、来料加工和贴牌生产是主要的经营方式。20 世纪 70 年代，韩国出现了贴牌生产和合资的潮流：比如现代为美国福特和日本三菱组装汽车发动机、大宇与通用汽车合资。这样做的目的是获得国外核心技术和宝贵的市场经验。

第二阶段：切入海外市场

当时作为发展中国家的韩国企业，进军海外市场有两条路选择。

一是"高端切入"，直接进入美日欧等发达国家市场。这对于品牌影响力较低但产品品质较好的企业来说，能快速在发达市场提升品牌认知度，三星采用的就是这一路径。

二是"低端切入"。先进入亚洲、拉丁美洲等欠发达市场，等积累了充分的经验和品牌影响力之后，再进入发达国家市场。这对于品牌影响力不够的企业来说是比较现实的选择。一个例子是现代汽车。1974 年，现代汽车首次研发成功 1300cc 的 Pony，这款由意大利设计、采用三菱发动机的轿车，在 1976 年首次出口至南美的厄瓜多尔，开创了韩国汽车出口的先河。

进入海外市场后，韩国企业发现，光提高产品制造工艺技术是不够的。韩企一方面开始整合营销传播渠道，打造全球统一的品牌形象；另一方面开始重视研究和生产符合当地需求的产品，加速品牌本土化进程。

面对国际市场经验比较缺乏、对当地消费者了解不够的困难，韩国企业也通过与国外品牌合资、技术合作等方式来克服。而更大的挑战来自内部管理，如组织架构的设置、跨文化的沟通等软性问题。

第三阶段：在国际市场取得品牌核心竞争力

到了 20 世纪 90 年代，由于成本和规模的优势，以及在技术、资金和品牌方面羽翼渐丰，韩国企业越来越强调自主开拓海外市场。在此过程中，韩国企业遇到了发达国家撤资、撤技术等问题，面对困境，韩国企业不但没有停止，反而更积极主动地进行品牌建设。

主要的应对方法是：(1) 持续技术创新，同时关注全球消费者多样化的需求。为此，许多企业在多个市场设立专门的研发中心。(2) 通过积极参与全球性活动，在世界范围内提升品牌影响力。如三星从 1998 年开始赞助每届冬夏季奥运会、起亚赞助 1998 法国世界杯、现代和 LG 赞助 2002 韩日世界杯等。

第四阶段：品牌竞争力不断延伸

现阶段，全球化深刻影响了企业的行为。韩国企业在确立全球品牌的同时，开始向更多市场延伸。在此过程中，越来越注重品牌文化的本土化，目标是取得不同市场消费者的文化认同，让品牌深深根植当地消费者心中。这就是我们常说的：放眼全球进行思考，立足本地进行行动 (think globaly，act localy)。

品牌本土化是一个系统的策略，主要包括研发机构和研发人员本土化、产品本土化、市场活动本土化，另外还有重要的一点是与当地公众共享利益。这也是目前三星正在尝试的做法。

(本文摘编自《韩国企业国际化四个阶段》；来源：湖北日报，2011 年 4 月)

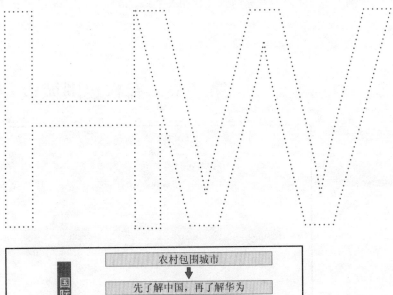

第10章
国际化路径与管理

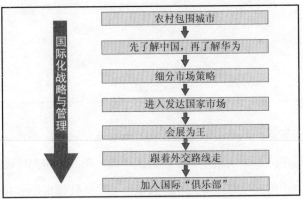

国际化战略与管理	农村包围城市
	先了解中国，再了解华为
	细分市场策略
	进入发达国家市场
	会展为王
	跟着外交路线走
	加入国际"俱乐部"

由于中国的媒体不发达，对外影响力不大，中国在外国人心目中的形象不是清朝的样子，就是红卫兵到处贴标语的形象。他们还一直怀疑中国人有没有电视看。在华为内部，许多人把《红高粱》称作对中国形象有负面效应的影片。尤其是《红高粱》在国外获奖以后，影响很大，外国人对中国人的形象就更加思维定势了，他们还以为中国人现在的生活状态和《红高粱》上是一样的。

从巴西回来的华为国际营销部的周道平深有感触："你真的难以想象他们是怎么看中国的。他们甚至以为中国人还在穿长袍马褂呢。有一次我们邀请客户来中国参观，他们出发之前到处找相关书籍，最后决定研读的书是《末代皇帝》！"①

 ## 第一节　农村包围城市

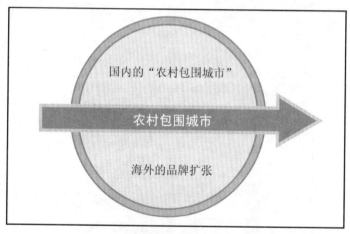

农村包围城市，最后夺取全国胜利的革命道路，是以毛泽东为代表的中国共产党人在领导中国革命实践中逐步摸索出来的一条具有中国特色的发展道路。其基本内容是：中国民主革命首先在敌人统治力量比较薄弱的农村，发动农民武装暴动；建立人民军队、建立革命根据地，把武装斗争、土地革命、建立政权结合

---

① 华为国际化：从"红高粱"到"高科技".凤凰网商业，2012.4

起来，使之建成支持长期革命战争的战略基地；依托根据地积累发展革命力量，随着革命战争、人民武装和根据地的发展，逐步造成农村包围城市的战略态势，最后夺取全国胜利。

经济领域中的市场如战场，企业如兵团。华为总裁任正非将毛泽东军事上的战略决策思想逐步深入并运用到企业的战略管理模式当中，华为的品牌扩张就是典型的"农村包围城市"模式。

国内的"农村包围城市"

1990 年，华为开始自主研发面向酒店与小企业的 PBX 技术并进行商用，以此积累经验和实力。1992 年，华为自主研发出交换机及设备，批量进入市场，当年产值达到 1.2 亿元，利润则过千万，员工超过 100 人。这个阶段，正是证券市场和房地产市场繁荣的时候，不过华为没有卷入。任正非事后强调：

我们认为未来的世界是知识的世界，不可能是这种泡沫的世界。

任正非将所得投入到容量更高的 C&C08 交换机。

1992 年，以阿尔卡特、朗讯、北电等为代表的跨国巨头仍然把持着国内电信市场，而华为只是一个新品牌。这一年，华为自主研发出交换机及设备。于是任正非决定"农村包围城市"：采取人海战术，覆盖农村市场。1994 年 6 月任正非在内部讲话中说：

在当前产品良莠不分的情况下，我们承受了较大的价格压力，但我们真诚为用户服务的心一定会感动上帝，一定会让上帝理解物有所值，逐步地缓解我们的困难。

华为从广大农村和福建等落后省份开始，把主要竞争对手的"兵力"引向其薄弱地区，拉长战线，"这种时候，敌军虽强，也大大减弱了；兵力疲劳，士气沮丧，许多弱点都暴露出来"。然后，华为再采取"人海战术"（集中兵力），各个击破空白市场（拿下一个县一个县的电信局）。当然，任正非在将毛泽东的这些思想运用到企业实践当中的时候，绝不是照抄照搬，一味模仿，而是结合当时的国情、市场特点，根据企业的自身优势制定的。

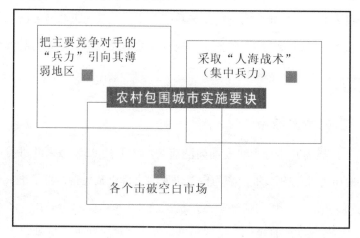

由于农村市场线路条件差、利润薄，国外厂商都没有精力或者不屑去拓展，从而给国内通信设备厂商带来了机会。华为的销售员全部深入到县级和乡镇市场，因此生存下来，并一路由小做大，渐次进攻到市级、省级，直至国家级的骨干网市场。

随后几年，华为渐次进攻到市级、省级、国家级的骨干网市场。1995 年，华为成为中国国家级通信网的主要供应商。从 1988 年创业到 1995 年成功进入中国电信的国家核心网络，华为 7 年磨一剑，证明了"农村包围城市"品牌扩张模式的成功。

任正非以"农村包围城市"的战略迅速攻城略地，使通信设备价格也直线下降。

华为"农村包围城市"品牌扩张模式能够成功的重要原因在于品牌的差异化市场定位。根据《中国企业报》记者崔玉金的记载，"早在启动农村市场之时，华为就下放绝大多数的销售人员到乡镇、县级市场。每位销售人员都分有一片固定的区域，天天去当地邮电局和电信局报到，帮助电信局解决一些技术上的问题，并不忘借此机会宣传自己物美价廉的产品。此时的广大农村正是电信事业亟待发展的时期，对电信产品有广阔的需求。华为通过各种途径，让基层电信部门认可自己的品牌，进而大范围使用自己的产品。就这样，华为抓住了客户的需求点，其产品一步步在广大的农村地区安了家。"

海外的品牌扩张

华为总裁任正非曾经用"屡战屡败，屡败屡战；败多胜少，逐渐有胜"来形容华为的国际化之路，而他所采用的手段则可以用"农村包围城市"来概括。

华为当时的心态是：你欧美跨国公司吃欧美市场的肥肉，我可以先去啃亚非拉市场的骨头。当时国际通信品牌几大巨头占据了欧美主流市场大部分的市场份额，华为在产品、技术、人才、综合实力等方面都与其差距悬殊。为了避其锋芒，华为"集中优势兵力，制胜薄弱环节"，先从非洲、中东、亚太、独联体以及拉美等发展中国家入手。

1995年，华为启动了拓展国际市场的艰苦漫长旅程，起点就是非洲和亚洲的一些第三世界国家。这一战略思路很清晰，但真走起来也非易事。华为的可贵之处在于坚持，在于能够承受"屡战屡败，屡败屡战"的折磨。在这些国家，华为的竞争对手不是当地的廉价劳工，仍然是跨国公司的销售人员和他们的代理。

一位在刚果的华为市场代表说："这个地方虽然乱，但是块好地，拱一拱就能拱出金子来。"而在这块能拱出金子的地方，爱立信、诺基亚等国际品牌却很难派销售人员来，因为高额的员工补贴让他们的产品毫无优势可言。然而艰苦的环境，更使得华为的"狼性"发挥得淋漓尽致。

任正非曾经这样写道：

中国是世界上最大的新兴市场，因此，世界巨头都云集中国，公司创立之初，就在自己家门口碰到了全球最激烈的竞争，我们不得不在市场的狭缝中求生存；当我们走出国门拓展国际市场时，放眼一望，所能看得到的良田沃土，早已被西方公司抢占一空，只有在那些偏远、动乱、自然环境恶劣的地区，他们动作稍慢，投入稍小，我们才有一线机会。为了抓住这最后的机会，无数优秀的华为儿女离别故土，远离亲情，奔赴海外。无论是在疾病肆虐的非洲，还是在硝烟未散的伊拉克，或者在海啸灾后的印尼，抑或是在地震后的阿尔及利亚……到处都可以看到华为人奋斗的身影。

从 1995 年起，经历了 6 年的漫长拼搏，一直到 2001 年，华为在国际市场才真正有了成效。相继打开东欧、南欧市场后，华为开始挺进西欧、北美。

2005 年，华为海外合同销售额首次超过国内合同销售额，占销售总额的58%。这一年，英国电信宣布其 21 世纪网络供应商名单，华为作为唯一的中国品牌，与国际跨国品牌入围"八家企业短名单"。

打开并以新兴市场为据点的策略，被中国企业普遍运用。包括与华为同城兼竞争对手的中兴通讯，也把发展重心集中在发展中国家市场：亚洲的印度、巴基斯坦，非洲的肯尼亚、刚果等。

 # 第二节 先了解中国，再了解华为

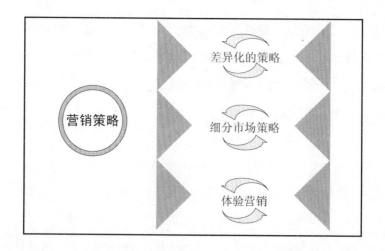

在规划《华为公司基本法》时，华为总裁任正非就明确提出，要把华为做成一家国际化公司。它意味着华为未来十几年甚至几十年的奋斗目标就是成功地走

出国门，在更广阔的天地博取更广阔的发展空间。1996 年，年轻的华为确定了全球化战略，决定进入国际市场，重点提供以宽带交换机为核心产品的"商业网"产品，开始了国际化的征程。

但是，包括任正非在内的诸多华为人也许并没有想到，在国际化进程中，他们最先遇到的困难并不是产品得不到认可，也不是华为做的传播工作不够，而是因为华为品牌背后的"国家渊源"被误解和轻慢。在海外市场拓展进程中，海外客户对中国误解甚多，甚至认为中国生产不了高科技产品。最初奔赴海外市场的华为人，常常遇到很多人士因不了解中国经济和中国企业而提出一些令人啼笑皆非的问题。比如在印度，华为聘用的当地技术员指着新德里的立交桥问："你们中国有这样的立交桥吗？"在非洲的博茨瓦纳，面对正在入网测试的华为设备，当地技术人员不止一次地询问："这真的是中国人自己生产的产品吗？"

华为公司高级副总裁徐直军谈到自己亲身经历的一件事情："曾经有一个沙特客户，应华为邀请到中国访问，可能在他的意识里中国贫穷落后，出于'善意'特意穿了差一点的衣服。但当他走上深圳街头后，已经发现自己错了。在与华为高层会谈之前，这位沙特客户强烈要求要先买衣服再会见。"

华为副总裁邓涛曾经是华为开拓非洲市场的元老，之后转战欧洲。他回忆说，"华为刚进入欧洲时只有 2 个人，连运营商的门都进不去。因为欧洲人认为中国只能生产廉价的鞋子，至于生产高科技产品则闻所未闻。当华为参加法国戛纳的电信展时，法国电视台的报道题目是：'中国居然也有 3G 技术？'充满了怀疑和不屑。"

在这样的背景下，华为开拓国际市场的艰辛可想而知。如何让外国人认可中国已经是一个完全能够研制出高科技产品的国家，这对华为来说非常重要。巨大的文化鸿沟造成了国度之间理解和信任的误区。

虽然华为的员工在出国之前都会在培训部门接受相关培训，比如文化之间的差异以及相关产品等课程。但是那种异地的另一种文化、价值观、宗教和生活习惯还是给他们带来了不适应。每到一个国家，华为的销售人员首先得花半年的时间解决怎么生活的问题，然后再慢慢地摸清客户在哪里。在这段时间里，相当多的营销人员有半年以上基本没有见到客户，即使知道客户在哪里，也很难见到客户。

即使如此，对华为人来说，最痛苦的莫过于当地人对中国的不了解。因此，要让国外的客户购买华为的产品，了解华为，首先要做的是让客户先了解中国。

华为内部有一句玩笑话："先'卖'祖国，再'卖'公司，最后卖产品"。即先让国外客户承认中国这个大品牌，再认可华为品牌，最后才开始认识产品。因此，华为印制中国名山大川及各大城市建设成就摄影集，实施"东方丝绸之路"、"东方快车"等计划：请来全球客户和潜在客户亲身体验中国，不断向客户传递"中国企业也能生产高科技产品"的信息。

为了让客户了解腾飞中的中国形象，华为有一条约定俗成的路线图：每一个前来参观的外国客户要先游历北京、上海和广州等繁华的大都市，最后一站才是深圳总部。这条"东方新丝绸之路"据说是华为最有效的手法。华为用这种最原始的方法进行海外市场的公关：把能请到的海外运营商请到中国出访，不惜重金地让对方了解"这是中国"，"这是中国的华为"。

在2004年2月份的戛纳展上，华为高质量的3G业务演示引起了欧洲运营商的极大关注。欧洲的运营商们对华为的3GUMTS产品产生了很大的兴趣，纷纷表示希望能够和华为公司深入交流。为满足广大客户的需求，华为推出了以"Your profit, Our goal"为主题的"东方快车"巡回展活动，强调"要让客户看，要进行体验，为客户提供解决方案"。

巡回展活动旨在同客户探讨交流3G建网中的经验及网络演进问题。活动于2004年4月15日在西班牙马德里拉开序幕，行程几千公里，历经波兰、德国、英国、法国、捷克等多个国家，在欧洲运营商中引起了空前的反响，"旋风"已经成为华为的代名词。欧洲运营商"震撼"于华为公司的综合实力、以客户为中心的理念、遍布全球的应用、丰富的3G建网和运营经验、端到端的解决方案及高可靠的设备、高质量的业务演示效果。

2009年底，由商务部门主导、旨在展示"国家品牌"新形象、名为"中国制造"的大型广告在美国CNN等国际主流媒体上投放。在这则广告中，一个个画面集中展现了"中国制造无处不在的身影"。其创意表现是从"Made in China"到"Made with China"的理念升级,广告语中文翻译为"中国制造、世界合作"。这可以看出 :中国正在用国家的机器改变"中国制造"的国际形象。这则广告已经不是简单的提高"中国制造"的知名度这么简单,它预示着中国制造在世界中的地位,更重要的是表明了中国政府的态度,已经显示出中国在全球经济中的地位 ;也传递了一个信息,打压中国产品,实行贸易保护不利于整个世界经济的协作。

这无疑成为中国企业积极"走出去"的大好时机。不过,对中国企业来说,更大的挑战不只如此,他们既要借此机会向海外市场输出能展示"中国创造"的新形象产品,又要改变屡屡被西方国家诟病的物美价廉"中国造"的不良形象。

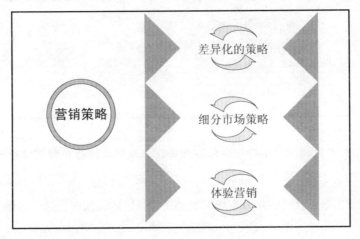

在同一个时期,各个公司所推出的产品在很大程度上是可以相互替代的。华为充分意识到这一点,因此在营销策略方面,并没有涉及所有的市场,而是始终是在市场细分的基础上,选择最具有发展空间、更具有针对性的目标市场。通过市场的需求发挥公司自身的优势,在激烈的竞争中从众多的替代产品中脱颖而出取得最终的胜利。

第三节　细分市场策略

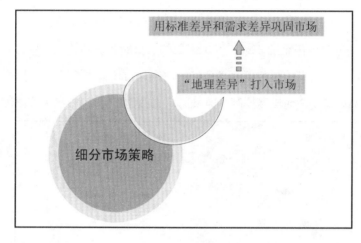

"永远不要抱怨没有市场，那是因为你没有发现或创造新的细分市场。"只有你发现或创造了细分市场，你才能获得你充分的定价权，才不会被同质竞争所困扰。发现或创造了自己的细分市场，就创造了自己的利润区。这是市场营销的一条重要理论。

市场细分（market segmentation）是指营销者通过市场调研，依据消费者的需要和欲望、购买行为和购买习惯等方面的差异，把某一产品的市场整体划分为若干消费者群的市场分类过程。每一个消费者群就是一个细分市场，每一个细分市场都是具有类似需求倾向的消费者构成的群体。

对客户进行市场细分，通过实施品牌战略提升企业竞争力，是许多国际品牌成功的关键。韩国 SK 电讯在实施品牌战略中，把韩国所有的用户按 5 岁为一个年龄段进行细化，建立个性化、品牌化服务，如 TTL 是为 19 岁至 24 岁、年轻动感的顾客提供的移动电话服务；TING 是专为十几岁青少年提供的服务；UTO 是为 25 岁至 35 岁、有一定消费能力的职业人士提供的服务；CARA 是专为已婚女性量身定做的服务等，这种市场划分取得了很大的成功，使每一类的客户都有了归属感，都拥有属于自己的品牌。

市场细分后的子市场比较具体，比较容易了解消费者的需求，企业可以根据自己的经营思想、方针及生产技术和营销力量，确定自己的服务对象，即目标市场。通过市场细分，企业可以对每一个细分市场的购买潜力、满足程度、竞争情况等进行分析对比，找到有利于本企业的市场机会，使企业及时作出投产、移地销售的决策或根据本企业的生产技术条件编制新产品开拓计划，进行必要的产品技术储备，掌握产品更新换代的主动权，开拓新市场，更好地适应市场的需要。

中国的电信市场不但广阔，而且用户的水平和层次相差很大，需求多种多样，繁杂无比。要想满足所有用户的所有需求，对于任何一家通信设备制造商来说都是不可能的，因此华为的领导人开创性地把市场细分作为企业营销策略的第一步，希望通过合理的市场细分，有效地了解和把握不同市场的竞争情况和满足程度，挖掘那些尚待开发和有上升空间的细分市场，形成并确立一个适合自身发展的目标市场，迅速取得市场优势，提高市场占有率。

"地理差异"打入市场

总的来说，细分市场的依据很多，而相对于强劲的国际竞争对手来说，华为在开拓市场初期技术优势并不明显，所以华为根据自身的特点，在打入市场的初级阶段主要采用了一种"地理差异细分"的市场细分形式。

早在华为与上海贝尔竞争程控交换机市场开始，华为就打出了它的特殊策略——农村包围城市，选择上海贝尔根本不屑一顾的"农话市场"作为突破口。华为没有花多大力气就完成了"农村包围城市"中对农村市场的开创和巩固，进而提出了能满足运营商网络改造的需求，迎合国内信息市场的发展要求。宽带城域网的建设，迅速占领了本该属于上海贝尔的大片市场。这时华为采取的细分依据就是"地理差异"。

用标准差异和需求差异巩固市场

对于占技术优势的产品，华为则会采用"标准差异"，即强调自己产品的技术优势，以及与其他产品形成技术标准上的差异，从而赢得崇拜这一技术的用户购买和使用。华为根据自身对中国电信市场的了解，充分满足国内用户在不同情况下的不同需求。

随着企业的进一步强大，华为的产品无论是在农村还是在城市都占据了有利地位，而且，华为的产品技术也逐渐在市场上取得了优势地位，这时华为就可以采用"标准差异"和"需求差异"进一步巩固自身在市场上的地位。尤其是对于国外的竞争对手，华为采取的依据一般都是"需求差异"：通过强调自己产品的技术优势，与其他产品形成技术标准上的差异，从而促使推崇这一技术的用户购买和使用。

比如 NGN 网络和 3G 技术，还有高端路由器等，华为采用的都是在国内外处于领先地位的国际一流的先进技术，像这样的产品就可以采用"标准差异"。因为在当今市场，使用竞争对手所没有的技术来诱惑和鼓动用户，无疑是很有效的一个手段。

之所以在面对国外的竞争对手时采取"需求差异"，主要是因为华为面对的与之竞争的很多都是国际一流的大公司：思科，北电，朗讯等。它们拥有多年的历史和经验，有高端的技术设备和先进的管理经验，华为要想在产品技术上压过它们是不可能的，但是这些国际公司的劣势就是不能像华为那样对客户的需求做出迅速反应。当客户出现问题时，国际公司派技术人员去现场解决往往需要很长的时间，极易对客户造成巨大的损失。华为在这方面就很有优势，所以应该从服务方面入手，真正做到以优质服务满足用户需求。

例如，到 2006 年年初，华为已经将研发领域覆盖 6 大产品线，为了满足不同客户的需求，华为还提出了独具特色的解决方案：从城市的无线市话到偏远地区的普遍服务，从提供宽带移动数据业务到建设企业专网，几乎所有的用户都能从华为找到满意的方案。也正因为如此，华为得到全球越来越多的运营商和用户的尊重和认可，华为的市场越来越具备成熟性和完备性。从产品技术上看，从终端手机设计到网络核心软件，从芯片设计到提供系统技术方案，甚至从无线网络到网络融合时代的技术应用，华为都已经日臻成熟，所以更应该充分利用这一优势，以这一优势在市场上迅速崛起。

此外，华为还利用以下策略巩固了自己在国内市场的扩张优势：

1. 敏锐的市场洞察力，缩短产品研发周期，在时间上抢得先机；

2. 发挥地域优势，以"农村包围城市"的战略登陆偏远及中小城市，间接占领市场；

3. 从优秀的售后服务入手，赢得顾客信赖；

4. 拓展客户关系网，从情感上战胜对手；

5. 付费使用专利，促使技术进步。

事实上，在同一个时期，各个公司所推出的产品在很大程度上是可以相互替代的。华为充分意识到这一点，因此在营销策略方面，并没有涉及所有的市场，而是始终在市场细分的基础上，选择最具有发展空间、更具有针对性的目标市场。通过市场的需求发挥公司自身的优势，在激烈的竞争中从众多的替代产品中脱颖而出取得最终的胜利。

处于市场中的企业在做营销计划时，都需要细分市场，这样才能获得更多的消费者认同。无论是使用多品牌还是单一品牌策略，目的都在于使产品和服务解决方案覆盖更多的客户群体，但如果各个品牌或各解决方案之间定位不清晰，市场细分标准不一致，将会导致"自相残杀"，也会令客户摸不着头脑，品牌建设则更无从谈起。

 # 第四节　进入发达国家市场

信息化把世界推平了，这意味着什么？把所有的围墙都推倒了，整个世界是一个平台。狮子每天想，一定要跑过羚羊，不然就没的吃，羚羊想一定要跑过狮子，不然就被吃了。现在没有国界了，中国狮子可以吃美国羊。世界扁平以后品牌集中度大大提高。飞机就是波音和空客；饮料就是百事可乐、可口可乐；零售业方面，家乐福已经在中国开了1000多家店，这使很多中国零售业遇到困难。由此可见，品牌集中度越来越高。所以对中国企业来讲，如果你不是一个品牌就很难做下去。在现在的世界上，世界品牌就是消费者可以听得懂的语言，你不是世界品牌别人就不会听懂。

与在国内的过分低调相比，华为在国际市场上明显要活跃得多。从不接受媒体采访，刻意回避媒体的华为总裁任正非甚至对下属表示，应该多接受国际媒体的采访，让世界了解一个真实的华为。任正非表示：

我们在国际市场上需要发出适当的声音，需要让别人了解华为。

1999 年，华为离国际化的市场营销仍相去甚远，其中一个根源是华为的国际化仍局限于"零打碎敲"的"兜售"，这与真正的品牌运作相比隔着一道长长的"鸿沟"。没有品牌的销售是艰难的，每一单要想拿下都需要付出艰辛的努力。

2004 年，在"中国高科技企业全球化战略研讨会"上，华为高级副总裁徐直军第一次正面向外界袒露华为近 10 年来在整个全球化过程中的曲折、艰辛、经验和体会。《通信世界》周刊社长刘启诚对徐直军的演讲做了记载，"当时为了见到客户，让客户认识华为，华为的销售人员采用了一个很'累'的方法，就是做标书，然后把标书送或者寄给客户。'我们当时最大的兴奋就是能够见到客户。其实我们心里也清楚，这些标书送过去不可能中标，因为我们连客户的面都没见过。但是，我们当时希望，标书发过去以后，客户会读我们的标书，通过读我们的标书可能会了解华为，了解华为的产品，这样我们再和他们接触的时候，他们会对华为有一个基本的印象。'徐直军说。事实上后来证明，这种方法是很有效的。1999 年 8 月，坚持不懈的华为终于迎来了国际市场上零的突破，而且还是个双喜临门：华为在也门和老挝正式中标。"

如果说华为的国际化是从一点一点地打拼开始，那么从 2004 年开始的全球运营商及设备制造商的整合，为其提供了腾飞的第一次机遇。也正是从 2005 年开始，利用其他设备制造商整合之机，华为大跨步地进入了欧美等发达国家市场。

除了"东方丝绸之路"和"东方快车"的品牌计划，华为人也努力融入到当地商业氛围中，接受当地市场的运作规则。刚开始华为人接触英国电信（BT）时经常遭到冷遇。经过几年的摸索，华为人终于知道了 BT 的规矩：要参加投标必须先经过他们的认证。终于找到了通往成功的捷径，于是华为申请参加 BT 的认证。经过两年时间的认证，他们改变了以往对华为甚至于对中国的看法。在这个过程中，华为人更深刻地理解了品牌国际化的含义。

2009 年，华为高级副总裁徐直军在接受《IT 时代周刊》采访时说起了华为在欧美国家的市场拓展，徐直军说道："欧美市场的市场壁垒较高，对中国高科技品牌的认可度较低。同时，它的电信网络的建设已经比较成熟，相比发展中国家而言，机会要少一些。我们在欧美市场上首要是建立品牌，通过开设实验局、投放产品广告、参加各种电信专业展览会和电信论坛、与客户进行技术交流、举办产品的欧洲巡展、甚至邀请客户参观公司等活动，增加客户对华为公司的全面了解（包括产品、技术、服务等等）。目前我们的产品已大规模进入德国、英国、西班牙、法国、葡萄牙等欧美国家。"

如今，华为的 3G 技术跻身全球第一阵营，率先在阿联酋、香港、毛里求斯、马来西亚实现商用，并突破欧洲 UMTS 市场，承建荷兰全国 UMTS 网络。在 NGN、IPDSLAM、NG－SDH 等新产品的市场拓展中，抢占了国际市场建设的第一轮商机，巩固了华为的国际品牌和国际市场地位。

第五节　会展为王

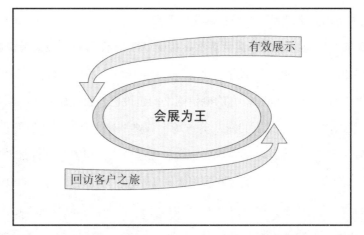

在大多数国内企业还没有意识到会展对于企业重要性的时候，华为的会展营销已经具有了很高的水准，并成为国内企业中最能发挥出会展最大效益的企业。

"1996年～2000年，我们每年都要参加几十个国际顶级的展览会，一有机会就到国际舞台上展示自己。1995年开始，我们到日内瓦去看国际电联ITU的展览会；1999年华为开始参加ITU的展览会；到2003年华为参加ITU展览会的时候，租下的是一个505平方米的展台，成为当时场面最大的厂商展厅之一，给西方电信运营商留下一个颇具震撼力的印象。"华为全球技术服务部总裁李杰在接受《IT时代周刊》时回忆说。

华为的一个从拉美市场回国的市场部员工同样在接受《IT时代周刊》采访时说："很多时候我们的困难不是如何推销我们的产品，而是我们根本见不到客户。每个国家盛大的通信展在业内都是极受关注的，华为的展台和很多国际巨头连在一起，而且通常规模比它们更大、布置更细致，展出的也是我们最先进的技术和产品。很多人原本不了解华为，通过这些展览，他首先会在视觉上有一种震撼效应，然后他会关注华为的产品和技术。这其实不仅是一个宣传的过程也是一个品牌再塑的过程。"

哈佛商学院客座教授 J.Tang 博士曾经这样评价华为："在中国，肯定找不到第二家像华为一样热爱参展并且总能充分展示自身的大气的企业。"这句话说得一点也不错，就是与国外的竞争对手比起来，华为的会展也毫不逊色。曾经参观过 2003 年华为 ITU 会展的 J.Tang 博士对此有着真实而深切的感受，并为"中国华为的出色和精彩感到自豪"。

华为之所以热衷于参加会展，是因为华为认为参加有影响力的会展往往能培养一批潜在的客户群，对自己的产品和品牌今后在国内外市场上取得进步、获得认可打下坚实的基础。事实上，华为参展的精神面貌和干劲，对客户而言无疑也是一种很大的吸引。无论是国内还是国际的展览会上，总是能看到华为活跃的身影，参展人员们充满激情、信心饱满，获得了客户和业内人士的交口称赞。

在电信行业，几乎所有的人都知道华为是最喜欢参加展览会的一个公司。而且难能可贵的是，频繁地参加这么多的展览，华为的展台依然每次都能够给人一种特色鲜明、与众不同的感觉。能做到这一点，华为参展前的准备工作功不可没。

有效展示

更让人惊叹的是，华为的参展次数虽然频繁，却每次都能做到不空洞，不重复，总能够在不同的展览会上拿出自己最新最好的不同的研发成果。

华为每年都会拿出 10% 以上的营业额用于产品的研制开发，所以华为能够研制出大量实力出众的新产品。这样在每次的会展上，华为重点推荐的新产品无论从性能还是价格上，与对手相比基本都占有绝对的优势。

一旦会展拉开序幕，无论是参展产品，还是展台规模、讲解人员素质、观众评价等方面，华为都努力胜过其他参展商。几乎所有参观完华为展台的人，都会有一种感觉，就是华为的产品到底有多先进已经不是最重要的了，关键是这一产品的确是最适合自己的，就像为自己量身定做的一样。这就不仅仅是对新产品和新技术进行宣传，同时也是对华为形象和其品牌的一种宣传。

在会展上经常出现的情况就是，华为的展台前面挤满了观众，而相邻的许多展台的观众则寥寥无几，门可罗雀。这其中要归功于华为的市场策划推广人员每次都能够想到非常好的创意和华为的目标市场紧密结合起来，把整个展厅做得新颖别致，把产品展示上升到了艺术的高度。

华为参加的展览越多，级别越高，就越是有更多的机会遇到国际知名的企业。这些企业展出的产品往往代表着近期业界最尖端的科技和行业未来的发展方向，通过与这些顶尖企业的同场竞技，华为能够尽早地发现自己的产品和人家比有多大差距，具体哪方面还有欠缺；或者是通过对比看清自己在哪方面处于明显的领先地位，进一步努力保持并扩大领先优势。

再者，越是高级别的展览，参展的观众大多也都是有一定实力的企业代表，所以华为就可以借助会展这个平台很好地了解到目前市场上客户最需要的是什么产品，生产哪些产品可以在未来的市场上获得竞争优势。

回访客户之旅

参加一次大型的会展对一个企业而言相当于一次阶段性的汇报，很多企业都认为一次成功的会展最主要是展前的准备工作和会展期间的介绍接待工作，会展一结束，也就意味着这次的展示工作全部告一段落。

但是对于华为而言，会展结束了并不能代表什么，华为的工作人员还有一系列的工作要做：现场新闻发布会、答谢晚宴以及对客户的回访。尤其是参加国外的会展时的回访工作，华为做得极为细致深入，这样做的目的只有一个，那就是增进与客户间的关系，发现潜在商机，提高产品的销售量。

可以说，华为会展后的回访是有建设性意义的，它充分体现了一家高科技企业的战略性眼光，不仅使华为的战果扩大了数倍，而且提升了华为在国际上的地位。

办会展已经成为华为走向世界的"必杀技"，也成了华为传播品牌文化的一个鲜明特色。在世界范围内，华为每到一个新的市场，都会在那里举办规模盛大的通信展，一方面介绍自己的产品，另一方面提升品牌知名度。华为的钱没有白花，几乎每一次的通信展都十分地成功，几乎每一次通信展都为华为进一步进军国际市场奠定了基础。

第六节　跟着外交路线走

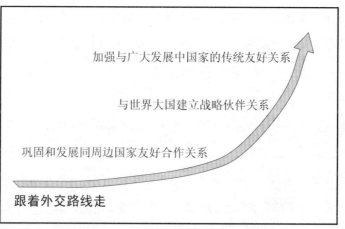

华为在国际化过程中或多或少地借力中国外交力量。华为最早接到的几张海外订单都来自传统对华友好国家如老挝、也门、巴基斯坦等。1997 年华为与俄罗斯电信等合资成立贝托－华为 BETO-Huawei Joint Stock Co.，而当时正值俄总统叶利钦访华不久，中俄关系正经历蜜月期。

华为总裁任正非在其文章《走过欧亚分界线》中明确提到：

华为公司的跨国营销是跟着我国外交路线走的。

经济日益成为国际关系中的关键因素，政治外交越来越注重以经济外交作为基础和先导。作为企业来说，华为依照外交路线设计营销路线是明智的选择。这样可以在国家外交的背景下，长期稳定海外发展方向，可以优先获得政府的支持。

"与世界大国建立战略伙伴关系，巩固和发展同周边国家友好合作关系，加强与广大发展中国家的传统友好关系"，是新时期我国外交战略中三个重要内容。

华为的跨国营销基本上也是沿着这三条线走过来的。

巩固和发展同周边国家友好合作关系

1996 起，华为响应国家"走出去"战略积极开拓海外市场。任正非 1996 年率团参加第八届莫斯科国际通信展期间，叶利钦总统访华，中俄之间确立了面向 21 世纪的战略伙伴关系。同时，中国在上海与俄罗斯、哈萨克斯坦、吉尔吉斯斯坦、塔吉克斯坦确定了边界，五国一起签订了军事信任协议。华为在参加第八届莫斯科国际通信展的时候，正好叶利钦总统访华，任正非在其文章中记述道：

访俄期间，正好叶利钦总统访华，对中国的经济建设给予了很高的评价。江总书记与叶利钦总统确立了中俄之间的面向 21 世纪的战略伙伴关系，并在上海与俄、哈、吉、叶确定了边界，五国一起签订了军事信任协议。这对中国实现十五年发展纲要有十分重大的影响。我们可以集中有限的资金用于建设而不是军事，双方相互开放的市场可以互补经济增长。我国的外交路线，在小平同志"不要管别人的事，把自己建设好"的方针指引下，十年来大见成效。尽管美国天天在喊中国"威胁"论，没有人相信它，周边邻国都信任中国的和平共处五项原则。我们赢得了执行"十五纲要"难得的和平环境。国内又政治稳定，经济开始有序，本世纪末的最后几年，是近百年来最好的发展时期。我们一定要珍惜这个难得的机会，在下世纪初，确立华为的国际地位。

我们在俄期间，俄罗斯人民对中俄的战略伙伴关系也评价十分高。塔斯社两次大型报道我公司展览，给予了很高的评价。我想应该不是因为我们技术产品十分好，好到俄国政府这么重视我们，而是沾了江总书记与叶利钦总统的光，沾了中俄相互希望改善关系的光。

......

我国经济与俄经济有较大的互补性，我们结成跨世纪的战略伙伴，中国的轻工业品及民用工业品有了广大的市场，因此，我们可以引入俄的重工业产品。我们也可以在俄租赁土地、养牛、养鸡、种植蔬菜……改善俄的供应，赚取我们需要的钢材、水泥、化肥……一切诚实的中国人都会大有作为，奸商就不要去了，败坏我们民族的形象。华为将在俄开展经济合作、共同研制与生产电子信息类产品。我们可以认真吸收其尖端科学、军事科学的成就，用于民用，迅速提高自己的水平。也把我们达到世界先进水平的08机，打入俄罗斯市场，争夺世界上这个大国大网，一逞英豪。东欧及俄罗斯，还在进行经济改革，经济已经开始复苏。我们要从积极的方面去观察，不要老用消极的观点去看待东欧。

在第八届莫斯科国际通信展上，30多个国家600多参展商组成的庞大阵容，都是看中了俄罗斯潜在的巨大市场。华为参加这种这么大规模的国际展，还是第一次。在华为工作小组备展期间，任正非还抽空访问了保加利亚、罗马尼亚、阿塞拜疆等几个国家。任正非在其文章中写道：

在访问完保加利亚、罗马尼亚后，在临展前一天，我们回到莫斯科。展台已经架起来，各项工作已经铺开，展会里的各国国旗已经挂起来了，五星红旗迎风飘扬，5000套资料已整理堆放整齐，各种礼品已经分类放好。万事俱备，只欠开幕。

……

展会开始前，我们和使馆的人邀请过俄科技委通信局、邮电部官员，他们都打趣说："中国有什么高科技？"由于使馆的出面，使他们仍然礼貌到访。他们看后十分震惊：中国的通信技术怎么会这么先进？没有西方的帮助，怎么会达到这么高的水平？

俄总统办公室信息处的专家们不声不响地悄悄参观了半个多小时，发觉中国不像他们想象的那么落后，才亮出名片，要求见见我。在我陪同他们继续参观的半个多小时中，他们频频表示对中国所达到的水平的赞赏。他们对08机的交换速率能完成这么多功能、图像、数据、分组交换、话音都在同一平台内，表示了赞赏。意犹未尽，他们还要看许多公司，刚走出十几步，我方接待人忘记说功耗了，便追上去补充说："我公司标准万门机功耗仅60安培，比国外同类机型300A低五倍"。他们十分诙谐地说："你们的机器比西方好五倍，我们非常欢迎。"

紧接着俄邮电部正、副部长下午也到访，也给予了高度评价。为了让俄记者照好相，我们握手时间达 1 分钟。他们不断说要扩大中、俄之间的合作，嘱咐我们要通过展览会找到俄罗斯的合作伙伴。在后来的三个月中，我们又先后派出三个小组去过俄罗斯。俄邮电部对我公司印象好转，俄邮电部部长工作会议相当于我国的局长座谈会，专门邀请我们参加，同时被邀请的只有芬兰、法国。中国商品从低形象走到这一步，说明我们已改变了他们的印象，这为明年五月在莫斯科的第九次国际通信展览会打下了良好的基础。我们计划用三年时间打入俄罗斯市场的目的有希望能够达到，我们还在持续不断地努力。俄罗斯是一个大国，接受一种产品也是不容易的。随着我们打进香港电信网，我们在罗马尼亚、立陶宛、爱沙尼亚、拉脱维亚开局的成功，也会促进我们进入英国电信网、俄罗斯电信网。公司在海外面对的是发达国家的著名公司，一时难以取得较大的成效，投标中也会有许多失败，但是搏标的过程锻炼了我们，我们提高了产品的技术水平，更好地服务于国内用户。

展会的后几天，一些世界著名公司如 AT&T，都来索要资料，我们友好地奉送。俄许多工厂也提出合作的愿望，渐渐地转入高潮。我国驻俄罗斯李大使、格鲁吉亚李大使派来罗秘书参观展览。这次出行阿塞拜疆、保加利亚、罗马尼亚、俄罗斯，使馆官员给了很大的帮助。阿塞拜疆的雷大使、保加利亚的乔秘书、罗马尼亚的邓秘书，特别是俄使馆科技处、教育处……给予了我们极大的帮助。十五的月亮还没有升起，但前面的一半是他们的。俄罗斯及国内驻莫斯科的许多新闻单位也来参观采访，莫斯科广播电台还播放了我的讲话。塔斯社及多家俄罗斯报刊给以报道。《人民日报》《光明日报》《人民邮电报》《深圳商报》《深圳特区报》……都转发了图片新闻。我们想轰动一下市场，结果轰得太大了，中俄关系的需要超过了市场的需要。我们为自己的祖国骄傲。

展会一闭幕，任正非就急急赶回祖国，没有参加华为员工的度假活动。但任正非表示，俄罗斯的美丽风光一定还要来看个够。中俄关系的改善，美国就会感到：没有他，地球照样转。中国一定会富强起来，不是美国想遏制就遏制得了的。

与世界大国建立战略伙伴关系

1997 年 10 月 26 日至 11 月 3 日，时任中国国家主席江泽民应当时的美国总统克林顿邀请对美国进行了国事访问。这是 12 年来中国国家元首首次访美，是中美关系史上一次具有重大意义的访问。两个月后，任正非也飞赴美国考察 IBM 等著名公司，这是中美企业史上一次最具中国特色的企业思想和西方经典管理方法的亲密接触。

任正非在回国后写下的《我们向美国人民学习什么》，任正非在其文章中写道：

美国政府出于自己的内外政策需要，长期敌视社会主义的中国。它谋求霸权主义，以期保护其对资源的获得以及市场的占有，消灭社会主义，推行其价值观，以强加给各国人民。

中美关系时好时坏，是出于美国政府的需要，我国斗而不破的政策也是为保护自己的灵活措施。美国一边使用人权为幌子，拼命攻击中国，用台湾问题、西藏问题……干扰你，使你只有招架之力，一边它就乘机获得贸易的好处。

中国在不断地加强自身的改革，持续十几年的经济增长，有利于国内问题的解决。十五大以后，国企改革的力度加大，只要持续稳定地发展，中国的国际形象就会越来越得到改善。企望美国完全改变政策是不可能的。但作为强国，中国就有了说话的地位，以后更会是强大的社会。先工业化的国家通过贸易自由化，使后工业化的国家长期处于辅助地位。中国是一个大国，我们要像当年搞两弹一星那样，拿出伟大的气魄来，在经济上、科技上站起来。当前，应在教育上加大发展，普遍提高人民的素质，认真学习各国的先进思想，在观念上对自身实现解放。从事高科技产业的人员更应向美国人民学习，学习他们的创新精神与创新机制。在软件技术革命层出不穷的今天，我们始终充满追赶的机会。

因此，中美之间的风风雨雨还会不断地出现，但不影响我们向美国人民学习他们的创新机制与创新精神，学习促进我们更快地富强起来。

加强与广大发展中国家的传统友好关系

2000 年，时任国家副总理的吴邦国出访非洲时点名让任正非随行，目的是鼓励和肯定华为，并让随行的各部部长也正面地认识和了解华为，看政府对华为开拓国际市场是否能给予一些帮助。2001 年 1 月，作为随行的四家企业负责人之一，任正非随时任国家副主席的胡锦涛出访中东等国，由此华为的中东市场向纵深挺进。

任正非积极地参与了众多国家领导人率领的企业家代表团出访，这种出访越来越务实，引导和帮助华为在海外市场获得成功，对开拓当地市场起到了极大的推动作用。

谈到开拓非洲市场的经历，华为当时的负责人邓涛有颇多感慨："刚到非洲，面对 25 个国家、4.5 亿人口、地盘差不多是中国两倍的一个陌生市场，没有人知道华为公司，甚至都不太了解中国，一切都要从零开始。非洲地区和印度、巴西、俄罗斯这些大国不同，国家分散，你不出差就死定了。1998 年我基本上都是一个人频繁跨国出差，那年在肯尼亚，居然两个月没讲过汉语。几年下来，飞机坐了不知道多少趟，从波音到蜻蜓飞机，光护照就用掉了 3 本。"

第七节　加入国际"俱乐部"

在国际市场开拓初期，华为就在俄罗斯成立合资公司，以双方共有的品牌进行销售。经过几年的探索后发现，即使在发展中国家市场，自有品牌建立的过程也相当漫长，而在欧美等发达国家的市场，由于国外企业的品牌早已深入人心，华为自有品牌建立的难度更加巨大。

对重大项目，欧洲运营商只对进入战略供应商、战略合作伙伴的"短名单"上的厂商发标。要想进入英国电信（British Telecom，简称 BT）的重要潜在战略供应商级别，需 40 小时认证；战略合作伙伴则必须接受 200 小时的全面彻底认证。BT 在全球只有三个战略合作伙伴。

入选英国电信"21 世纪网络供货商名单"，表面上是在比试技术和产品的性价比，而实际上是在考量质量保证体系。此前，英国人不相信中国人能制造出高质量的交换机，所以，华为人刚开始接触英国电信时经常遭到冷遇。那时候的华为，甚至连参加招标的机会都没有。后来，华为人明白了英国电信的规矩：要参加投标必须先通过他们的认证，他们的招标对象都是自己掌握的短名单里的成员。华为从 2002 年开始，请英国电信对其做了两年的管理认证，

在为期近一周的认证中，英国电信采购认证团对华为进行了一次全面、细致的"体检"。这次认证涉及业务管理的 12 个方面，涵盖从商用计划、客户关系管理到企业内部管理的纵向管理过程，以及从需求获得、研发、生产到安装的全过程。据《环球企业家》的记载，英国电信的专家对华为最有经验的流程专家、质量专家和公司的高层问了一个问题："从端到端全流程的角度看，影响华为将产品和服务高质量交付给客户的五个最需要解决的问题是什么？"在座却没人能答出来。为了通过国际标准的检验，华为花了 2 年的时间重新准备认证。

终于在 2005 年 4 月 28 日，英国电信宣布其 21 世纪网络供货商名单，华为作为唯一一家中国厂商，与国际跨国公司入围"八家企业短名单"。因为，英国电信表示未来 5 年将为此投资 100 亿英镑，所以"八家企业短名单"的产生就耗时两年。英国电信对于供货商的选择在业内以苛刻著称，尤其对于此次被称为业界最具前瞻性的下一代网络解决方案。

华为还通过积极参与行业标准制定来提高自己在业界的地位和发言权。华为目前是 91 个国内外标准组织的会员，并在 ITU、3GPP、OIF、WWRF、APF 等九个国际标准组织担任主席或副主席等领导职务。2008 年华为在这些标准组织中提出了超过 4100 件标准提案，他们积极参与和影响新技术标准的制定，争取更大发言权。

附录

任正非：海外不打价格战

20世纪90年代，日本、德国走向衰落，美国开始强盛。在主要附加值的利润产生在销售网络的构造中，销售网络的核心就是产品的研发与IPR（专利）。因此，未来的企业之争、国家之争就是IPR之争。没有核心IPR的国家，永远不会成为工业强国。

经济的全球化不可避免。华为的愿景就是不断通过证明自己的存在，来丰富人们的沟通、生活与经济发展，这也是华为作为一个企业存在的社会价值。我们可以达到丰富人们的沟通和生活的目的，也能不断促进经济的发展。华为不可能回避全球化，也不可能有寻求保护的狭隘的民族主义心态。因此，华为从一开始创建就持全开放的心态。在与西方公司的竞争中，华为学会了竞争，学会了技术与管理的进步。

华为有5000多项专利，每天我们产生3项专利，但我们还没有一项应用型的基本专利。一项应用型基本专利从形成到产生价值大约需要7至10年。1958年上海邮电一所就提出了蜂窝无线通讯，这就是手机等一切通讯技术基础的基础，也没有申请专利。那时连收音机都没普及，谁还会想到这个东西会普及到全世界？所以国家科技要走向繁荣必须理解那些不被人理解的专家和科学家。我们主张国家拨款不要向我们这种企业倾斜，多给那些研究基础的研究所和大学，搞应用科学的人要靠自己赚钱来养活自己。基础研究是国家的财富，基础研究不是每一个企业都能享受的。全球化是不可避免的，我们要勇敢地开放自己，不要把自己封闭起来；要积极与西方竞争，在竞争中学会管理。我们从来没提过我们是民族工业，因为我们是全球化的。如果我们把门关起来，靠自己生存，一旦开放，我们将一触即溃；同时我们努力用自己的产品支持全球化的实现。

我们提倡不盲目创新。我们曾经是非常崇拜盲目创新的技术公司，曾经不管客户需求，研究出好东西就反复给客户介绍，说的话客户根本听不进去，所以在交换机上，我们曾在中国市场出局。后来我们认识到自己错了，及时调整追赶，现在交换机也是世界第一了。

我们把竞争对手称为友商，我们的友商是阿尔卡特、西门子、爱立信和摩托罗拉等。我们要向拉宾学习，"以土地换和平"。拉宾是以色列前总理，他提出了"以土地换和平"的概念。2000年IT泡沫破灭后，整个通讯行业的发展趋于理性，未来几年的年增长率不会超过4%。华为要快速增长就意味着要从友商手里夺取份额，这就直接威胁到友商的生存和发展，可能在国际市场到处树敌，甚至面对群起而攻之的处境。但华为现在还很弱小，还不足以和国际友商直接抗衡，所以我们要韬光养晦，要向拉宾学习，以土地换和平：宁愿放弃一些市场、一些利益，也要与友商合作，成为伙伴，共同创造良好的生存空间，共享价值链的利益。我们已在很多领域与友商合作，经过五六年的努力，大家已经能接受我们，所以现在国际大公司认为我们越来越趋向于是朋友。如果都认为我们是敌人的话，我们的处境是很困难的。

这些年，我们一直跟国际同行在诸多领域携手合作，通过合作取得共赢、分享成功，实现"和而不同"。和谐以共生共长，不同以相辅相成，这是东方古代的智慧。华为将建立广泛的利益共同体，长期合作，相互依存，共同发展。例如，我们跟美国3Com公司合作成立了合资企业。华为以低端数通技术占股51%，3Com出资1.65亿美元（占股49%），3Com就可以把研发中心转移到中国，实现成本降低。而华为利用了3Com世界级的网络营销渠道来销售华为的数通产品，大幅度地提升产品的销售，使我们2004年的销售额增长100%。这样我们达到了优势互补、互惠双赢的效果，同时也为我们的资本运作积累了一些经验，培养了人才，还开创了国际化合作新模式。我们后来和西门子在PDS方面也有合作，在不同领域销售我们的产品，都能达到共鸣的状态。

在海外市场的拓展上，我们强调不打价格战，要与友商共存双赢，不扰乱市场，以免西方公司群起而攻之。我们要通过自己的努力，通过提供高质量的产品和优质的服务来获取客户认可，不能为了我们的一点点销售的增长来损害整个行业的利润，我们决不能做市场规则的破坏者。通信行业是一个投资类市场，仅靠短期的机会主义行为是不可能被客户接纳的。因此，我们拒绝机会主义，坚持面向目标市场，持之以恒地开拓市场，自始至终地加强我们的营销网络、服务网络及队伍建设。经过9年的艰苦拓展、屡战屡败、屡败屡战，我们终于赢来了今天海外市场的全面进步。

（本文摘编自任正非文章：《华为与对手做朋友 海外不打价格战》，来源：IT时代周刊，2005年7月）

案例链接

淘宝：农村包围城市

　　淘宝网是 C2C（客户对客户）的个人网上交易平台，由阿里巴巴公司投资创办。主要用于商品网上零售，也是国内较大的拍卖网站。淘宝网在创立之初，曾遇到了 C2C 巨头 eBay 的打击。eBay 想将淘宝扼杀在摇篮里。

　　当发现大一点的网站被 eBay 易趣占了，时任淘宝总经理的孙彤宇他们就去小一点的网站，没想到还是有一些被占了。不过淘宝的一干人马并没有泄气，于是去找再小一点的，发现再小一点的好像还好。于是他们想，要不去找最小的。这时，阿里巴巴集团董事长马云的灵光闪现了："世界上不是只有一条路通向罗马。毛主席能想出农村包围城市这样创造性的军事理论，我们也可以拿来用一用。eBay（易趣）不是控制了大城市吗？我们就到农村去，到敌人的防守最薄弱的地方去壮大自己。"

　　马云的策略是这样的："他们（eBay 易趣）在新浪等大型网站拦截我们，他们认为那些大型网站拥有 70% 到 80% 的流量。但是我们相信中小型网站，它们同样有很好的流量，而且它们的广告量很少，所以对我们来说这里更加便宜。他们会全力推广'淘宝'这个名字，以确保流量上升。"

　　马云所说的农村就是中小网站。淘宝员工在寻找网站做推广的过程，还发现了中国互联网社会里面的一个非常特殊的群体——个人网站联盟。这些网站虽说每个网站都很小，但是当他们加在一起时，也许就相当于一个新浪，相当于一个搜狐。马云说道："当时互联网上的小站点已经有了站长联盟，只要和盟主谈判，就可以一次拿下一批站点的广告投放。投放数量多了之后，就会有影响力大的网站开始让步，后来我们又拿下了相当于省级电视台广告联盟的一批网站。"

在那段时间，淘宝员工扫遍了国内的站长联盟，最终在一夜之间，让所有的中小网站都挂上了淘宝网的广告。淘宝在跟个人网站联盟的合作是采取弹出窗口的方式，也因为这样的一种方式，淘宝也曾经被评为十大流氓软件第二。

孙彤宇说道："2004 年的时候，淘宝网在市场推广上遇到了一些阻力，而在一个'新生的孩子希望放大自己声音'的状况下，我们必须突围。在突围过程中，我们发现跟个人网站合作，在个人网站上弹出淘宝网的广告窗口是一个非常有效的推广方式，于是我们一直在做，一直到 2005 年的 6 月份，做了一年不到的时间。我想解释的是，淘宝网并没有去给大家的机器里面装什么插件，只是弹一个广告、一个页面出来。坦率地说，这给淘宝带来了很多的访问量，也很快提升了它的知名度，当然也给淘宝网引来了第二名的'流氓软件'的称号。因为这些负面的影响，我们去年(2005 年) 6 月份就逐步减少了这种广告投放的方式；从 2005 年 7 月 1 号开始，已经完全杜绝了这种方式。在此我也要向广大网友说一声'对不起'，尽管这是我们不得已而为之的做法，但是给大家造成了困扰，非常抱歉。"

在中小型网站上做广告有这么几个好处，马云细数道："在这些小网站上广告价格和浏览量之间的性价比会更高，因为这些网站收取的广告费相对低廉，但是流量并不像人们想象的那么小。淘宝纯粹靠这样的推广就能够获得初期的流量，并且进入良性循环。这样的结果，其实一开始是出乎大家意料的。现在，淘宝的广告在大门户网站畅通无阻了。在线下的广告也日渐多样化的时候，我们也没有放弃这种模式。这真的是一种非常有效的推广模式。"

随着时间的推移，互联网开始认识到淘宝这个新网站的力量。马云说道："eBay（易趣）的广告约束条款非常严厉，把禁投同类广告的时限一直延续到他们投放结束以后的一段时间。但几乎就是这个条款一到期，张朝阳的搜狐就开始与我们签订投放协议。到此，eBay（易趣）对淘宝的封杀可以说已经结束了。"

不久，新浪有人停止了 eBay 易趣的网络广告；而从 2005 年 4 月起，搜狐不但停止了 eBay 易趣的广告，而且还宣布与其竞争对手的淘宝结成了战略伙伴。

第11章

融资管理

HW

融资管理		
重视现金流	融资渠道	向大企业拆借
与邮电部门成立合资公司	海外回款问题	内部职工银行
参股合作是大势所趋	砍掉非强项业务	不差钱，不上市

　　根据华为 2008 年财报，华为 2007 年、2008 年的资产负债率分别为 69.56%
和 69.34%，距离国际社会普遍认可的 70% 贷款预警线仅一步之遥。由此，华为
对其贷款预警线的"敬畏之心"可见一斑。

 # 第一节　重视现金流

　　现金流充沛，研发投入大，产品的利润空间较大，市场更容易推广，从而形
成新一轮的现金流又支撑了研发。这是一个良性循环。

　　任正非引用围棋之道来阐述他对于现金流的态度：

　　咱们多一口、多一口再多一口，只要气多几口，我们就活过来了。所以在这个
问题上我认为，我们一定要重视现金流。

　　华为是一家技术型公司，技术当然是任正非所重视的。但是，作为一个企业
领导者，任正非平时最关心的一个问题是"华为的冬天"，再一个就是现金流。而
这两件事基本上是密切相关的。

　　1991 年那时华为现金流非常紧张，借贷困难，到账的订货合同预付款也都
全部投入到生产和开发，这让华为人感到了前所未有的压力。12 月，首批 3 台
BH-03 交换机终于包装发货出厂。12 月 31 日晚，华为在蚝业村工业大楼开了一
个庆功会。会后很多员工才知道，公司当年收到的订货预付款已经全部用完了，
再发不出货，有可能面临破产。创业初期对资金的巨大需求，使得任正非在经营
华为的过程中，一直非常注意保持充裕的现金流。

　　人民大学金融证券研究所所长吴晓求教授在第二届中国基金国际研讨会上
说："有家企业，银行账户上有稳定的大量的资金余额，但这家企业的老板是极
端厌恶风险的，甚至厌恶证券，一谈到股票他就害怕，就生气。我就碰到这样一

位。他就是华为总裁任正非先生，我跟他谈过两次，他一谈到股票，就极端厌恶。他说投资股票纯粹是不务正业，他说我的公司永远不会和股票打交道，永远也不会和证券打交道。为了说服他，我讲了很多道理，试图说明资本市场将会更有利于他企业的发展，我花了很大的力气，最终还是未能说服他。"

2001 年，任正非曾多次预言的"冬天"提前到来。在国际市场上，由于网络泡沫造成了世界电信市场开始急剧下滑和出现萎缩,世界电信业的冬天"来临"了。时为世界上最大的通信设备制造商的朗讯公司裁了将近一半以上的员工。财务报表显示，朗讯公司 2000 年实际完成的销售额只有 189 亿美元，裁掉了 5 万 5 千名员工，而原先估计该年度完成的销售额应该是 270 亿美元，也就是说，在裁员过程中朗讯公司又丢失了 80 亿美元的市场；在很多无线领域都处于世界领先水平的马可尼公司，更是股票大跌，濒临破产。

在国内市场，在华为，这同样是一个寒流来袭的"冬天"。2001 年，华为在苦苦经营了 5 年的海外市场上依然是屡战屡败；华为在国内市场错失小灵通的市场良机后，之前被远远地甩在后头的中兴通讯后来居上。在这种内外夹击的艰难处境下，人们都很关心华为如何度过这个"冬天"。任正非由此提出：

我们公司要以守为攻。大家总说：华为的冬天是什么？棉袄是什么？就是现金流，我们准备的棉袄就是现金流。

这个"棉袄"就是华为将旗下的通信电源公司华为电气出售给美国爱默生公司所获得的 7.5 亿美元。这对当时的华为来说是至关重要的"棉袄"，用任正非的话说是"够华为支持一阵子"。

任正非还指出，企业处在"冬天"时，销售方法和销售模式都必须实施转变。

要改变以前的粗放经营模式。我宁肯低一些，一定要拿到现金。

……

存在银行、仓库的钱算不算现金流呢？算！但钱总是会坐吃山空的。所以必须要有销售额。大家有时对销售额的看法也有问题。我卖的设备原来是100块钱，我90元卖掉了就亏10元，这种合同坚决不做。坚决不做呢，公司就亏损了23元。因为所有的费用都分摊了，在座的开会的桌子，屁股坐的椅子费用都分摊进去了，还要多拿23元贴进去才能解决这个问题，甚至可能还不止这个数。如果亏了10块钱卖，能维持多长时间呢？就是消耗库存的钱。消耗消耗消耗，看谁能耗到最后。就是谁消耗得最慢，谁就能活到最后。

为了获得充足的现金，任正非想尽了办法，他甚至动员有市场经验的员工转到市场财经部。

几年前，我组织市场财经部（华为负责货款回收的部门），大家死都不愿意去。现在一看，市场财经部的人哗啦啦老升官、升高官、到国外升官。没办法，不升他升谁呀，升你？你不会呀。不升他，在国外那么大的合同，钱拿不回来咋办？那是"棉衣"啊。

事实上，任正非对于现金流的重视，贯穿了华为的整个发展历史。

在华为发展初期，有一个"政策"——谁能够为公司借来一千万，就可以一年不用上班，工资照发。

现金流对于一个企业的发展有着生死攸关的作用。它不仅代表着企业一定时期内的现金流入和流出的数量，反映业务的现金收支状况，还是一个企业是否稳健发展的重要标志。因此，在华为的发展过程中，保障现金流的稳定和保持足够的现金余额一直是任正非非常重视的一项工作。在某些特殊时期（例如2001年的"华为的冬天"），现金流甚至被作为一项企业战略来抓。

《创业邦》对商业咨询企业福克斯资源公司（FOCUS Resources）总裁李·斯特里兰德（Lea Strickland）的谈话有着这样的记载，"企业家们通常认为，'只要我能销售出产品，我就能获得收入，然后我就会得到现金，'但那可不一定。你需要用现金来支付租金、购买设备并发放员工工资。如果你的账单需要按月支付，可你通常要花 60 ～ 90 天的时间才能收到来自客户的付款，你可能将陷入困境。
糟糕现金流的其他迹象包括：你的销售收入增加但你的银行存款余额仍无变化；
存货资产比销售额上升得更快；或者，你总是在最后一天甚至更晚才能支付账单。
因此，与供应商的沟通非常关键。你可以通过事前谈判争取到较好条件，如果你
有问题也不妨直说，而不是一直等到超过支付期限。"

　　同样，华为的同城兄弟中兴通讯也异常重视现金流。中兴通讯有个重要"梯
度推进"战略："现金流第一，利润第二，规模第三"，也就是说不能够单纯追求
规模扩张。很多企业包括一些海外企业盲目进行规模扩张，其中大多数都失败了。
中兴通讯董事长侯为贵认为，企业在发展过程中首先应该保持自己的健康，否则
今天扩大了，重组了，明天又分解了，来来回回受害的是员工，是股东。所以中
兴在财务方面采取健康和稳健的政策，强调不要把研究的重点放在规模上。如果
企业是健康的，一定能够积累强大的竞争能力，企业也自然会成长。这种成长不
是拔苗助长，它是一种有规律的、科学合理的成长。

第二节　融资渠道

　　2011 年 5 月 18 日，一则"华为将融资 15 亿美元"的消息再次将华为抛入聚
光灯下。这与华为后期战略转型有密切的联系。华为原来专注商业，并不进军服
务领域，但自 2010 年推出云计算以来，隐现变身 TMT（泛指电信、IT 及移动互
联网等行业）服务商的势头。

　　实际上，华为多年来融资渠道主要依靠贷款。1996 年 6 月 1 日，时任国务院
副总理的朱镕基视察华为，他对华为的程控交换机打入国际市场寄予厚望，对华
为在国内市场上与外国企业竞争的精神大为赞赏，并要求随行的四大银行行长要
在资金上给予华为大力支持。

　　当时华为的年销售额已达 26 亿元，跻身国内电信设备四巨头之列，但是资
金问题仍然深深困扰着任正非。有朱总理的金口玉言，1996 年下半年，招商银行

开始与华为全面合作。当时很多省市电信部门的资金也很短缺，他们很少能够做到以现金购买设备。于是招商银行推出了买方信贷业务，让电信部门从招商银行贷款购买华为的设备，华为再从银行提取货款。这种在今天已经广泛应用于房屋按揭、汽车按揭等各个领域的金融工具，在当时却是开了先河。

1997 年，华为实现销售额 41 亿元，但负债却高达 20 亿元。虽然得到了来自招商银行的间接融资，但仍然解决不了华为的资金瓶颈问题。

1999 年左右，由于国家金融政策放开，国内银行业也逐步商业化运作。由于华为资信好，业务发展迅猛，银行也开始给华为大规模放贷。现在，位于中国业内龙头老大的华为，被很多银行奉为座上宾，那些曾经拒绝向华为贷款的银行，纷纷通过各级领导找到任正非，称"华为要多少贷款立马都给"。被银行行长包围住的任正非戏谑地说：

当年我没有钱，急需资金，你们死活不给，躲得远远的。现在我有钱了，你们又找上门来，千方百计想塞给我。银行真的是嫌贫爱富啊！

2004 年 11 月华为公司在香港宣布与 29 家银行就 3.6 亿美元借款协议成功签约。华为此次组织国际银团借款获得 80% 超额认购，筹资额由原定的 2 亿美元增加到 3.6 亿美元。该借款为 3 年期定期放款和循环放款，主要目的是支持华为国际市场的高速发展，华为将利用这些资金加快国际市场开拓的步伐。此次银团借款是无担保、无抵押的信用借款，体现了国际知名银行对华为的认可和信任。除了自身融资之外，在为客户融资方面，华为也与国际金融机构开展全面的合作。2004 年 9 月，华为成功为阿尔及利亚电信 8 万线 CDMA·WLL 项目组织了 2800 万美元的 6 年期买方信贷。华为已经在销售环节开始引入银行资源以增强竞争力。

根据《第一财经日报》记者孙珏的记载，"截至 2006 年末，华为在国家开发银行办理的应收账款转让业务余额为 70 多亿元；根据经审计的财务报告，华为公司 2006 年末的资产负债率为 66%。根据 2004 年华为公司和国家开发银行的公开披露消息，100 亿美元的融资额度基本上将用于华为海外战略推进中的出口和提供买方、卖方信贷，帮助其拓展海外市场。而在同国家开发银行签署协议之前，华为还曾同中国进出口银行签署了类似的出口信贷框架协议，额度为 6 亿美元。"

此外，2008 年后，受金融危机影响，全球信贷紧缩，且与华为关系密切的国开行正向商业银行转变，可以想见，日后贷款也并非易事。

国金证券研究员陈运红表示：目前，中兴、华为的资产负债率均达到了 68% 以上，必须要重视信贷危机可能引发的资金风险。虽然当前中兴、华为在各银行有良好的信誉度，贷款障碍也不多，但是受价格战、拖欠款和全球经济恶化的接连影响，中兴、华为面对高负债率和与销售额不对称的现金流，一旦市场发生波动，资本链出现问题，中兴、华为可能会难以应对。华为 2008 年销售收入达到 183.3 亿美元，实现净利润 11.5 亿美元，同比增长 20%，其中 75% 的收入来自海外市场。

世界电信、移动通信业正处于转型期，给正在进行中的我国通信业的资产重组也带来了巨大商机。加上华为面向全球市场的扩张，如没有巨大的资金流保障技术的持续投入，以领先的技术领先市场，华为并不是没有可能会失去市场。

 ## 第三节　向大企业拆借

1987 年，任正非以 2 万元开始创业，1988 年将公司命名为"华为"，这个时候华为和当时深圳的许多公司一样，都是靠做代理求得生存。1992 年以前，华为的业务都是代理香港的交换机，对资金的需求量并不是很大，主要依靠创业初期的点滴积累。在这段时期也许任正非也想过要做些改变，但终因资金缺乏而作罢，因为当时银行全是国有制，他们宁愿将大笔贷款贷给一个烂摊子的国有企业，也不愿贷款给一家没有知名度的民营企业。相信任正非也经历了一个难以抉择的过程，到底是继续做代理还是另外闯出一条新路。1992 年，华为的销售额突破亿元大关，任正非终于下定决心，投资亿元研制 C&C08 机。

搞研发就需要研发人才，华为一开始研制 C&C08 机，就发现科研力量明显不足。于是在 1992 年底、1993 年初华为开始大量招兵买马。由于任正非把企业的重心放在研发上，将全部资金投入研发中，放在代理业务上的资金大量减少，而代理业务货款回收周期过长，所以华为第一次出现了现金流不足的问题。连续几个月都发不出工资，员工们士气低落，有些还打起了退堂鼓。任正非多方告贷未果，在1992年、1993年，被逼无奈向大企业拆借，利息高达20%～30%。据说，华为当时有个内部政策——谁能够给公司借来一千万，谁就可以一年不用上班，工资照发。

第四节　与邮电部门成立合资公司

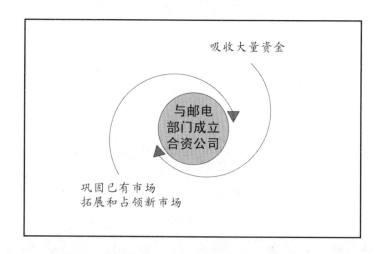

在企业发展初期，资金短缺成了华为最大的问题。作为一家没有任何背景的民营企业，华为根本无法从银行贷到现款，只能向大企业拆借资金，但这也不是长久之计。为了获得更多的资金用以自主研发，华为必须要重新开辟一条新的相对稳定的融资渠道。

在这种情况下，华为在公司内部推出了一种不上市发行的虚拟受限股。这种股票最初只许公司内部的员工进行购买，但公司的员工毕竟有限，购买股票的资金并不能够解决实质性的问题，华为不得不进一步扩大融资范围。1993年，华为还真找到了一条绝佳的融资办法,就是争取各地邮电部门的员工入股。

华为的具体做法是与各地电信部门的直属企业——各地的电信运营商洽谈成立合资公司,并大量吸纳邮电系统员工入股,华为对电信员工的入股年限、入股数量都没有任何限制。

华为和各地电信部门成立的合资公司,并没有把产品、特别是有技术含量的产品放到这些所谓的合资公司。这些合资公司的任务只有一个,就是从事最基础的销售代理业务。而且在 1996 年以前,合资公司的另一方,也就是各地的电信部门很多并没有投入实际的资金,而是凭借"当地的资源优势"入股。1998 年前后,华为与各地电信管理局合作成立了沈阳华为、河北华为、山东华为、四川华为、北京华为、天津华为等共计 27 个合资公司,遍布全国。

吸收大量资金

为了能够吸纳尽可能多的电信职工入股,华为不但为其允诺了一般为 50% ~ 70% 丰厚的红利,并承诺将来华为的股票上市了,即变为统一法人,可随华为的股票一同上市。在这种高额利润的驱使下,先后有 100 多家地方邮电系统认购了这种股票。

这样做,其实是变相的打通另一条融资通道:电信部门的员工都认购了华为公司的股票,那么他们在很大程度上就和华为公司组成了一个利益共同体,要共负盈亏,共担风险。华为公司的业绩上去了,他们手中的股票也会跟着升值,反之会连本钱也赔进去。那么在一系列的争竞标之中,电信部门的员工自然希望华为能最终竞标。通过这种方式,华为大量吸纳邮电系统员工入股,融合资金,并通过他们争取到更多的银行贷款,大大缓解了华为在资金方面的紧张压力。

巩固已有市场,拓展和占领新市场

任正非在讲话中提到:

公司理顺了省、市各级政府的关系,得到了地方有力的支持,开始使中央机关了解我们、支持我们，大大改善了发展的外部环境。

所以，合资公司的另一个目的，就是通过建立这种看似让利性质的利益共同体，使赋予了新的含义的利益关系代替了以往单纯的买卖关系；利用排他性，阻击竞争对手进入，最终达到巩固已有市场、拓展和占领新市场的目的。合资模式让华为几乎成了国内电信市场上的垄断型供应商：在国内每一个省、直辖市和自治区都建立省级市场办事处和工程服务体系；在每一个地区、市、县都设立客户经理，几乎覆盖了中国各运营商的所有相关部门。

在华为的《合资企业工作指导书》中对合资公司的功能做了如下描述："合资企业要在当地解决贷款和融资问题。合资公司注册以后，要把自己的注册资金，存到有可能提供贷款的银行，并抓紧解决贷款问题。必要时，可以向两家以上的银行存、贷，争取合资对象出具担保或由华为母公司担保。"正是这些空壳似的合资公司的成立，使华为资金短缺的局面真正得到缓解。

第五节　海外回款问题

大型通信设备的订单尽管金额巨大，但同时受回款周期所限。尤其是通信企业进行国际业务开拓，需要实行海外结算，回款的周期比国内相对较长（通常价值一亿美元的订单合同要分好几年实施）。华为需要为它庞大的技术研发支出找寻现金流，尤其是它还在苦撑 3G 商用的三大技术标准。因此，在海外市场要高速扩张，就需要大量的周转资金，尤其在一些发展中和落后国家的项目，甚至要近 12 个月才能收到，这就对企业的现金流要求很高。

据英国《金融时报》报道，2007 年华为最主要的业务增长来自新兴市场，比如东南亚、东欧和非洲。相对于欧美，新兴市场的账期较长——可以长达 200 多天，这部分市场业务的大幅增长，给华为新增了一定的资金压力。

对中国设备商来说，开拓印度市场还面临着更现实的问题就是——现金流。

在大盘子被海外巨头瓜分后，中国设备商进军印度，只能把视角更多伸向新兴市场。但由于印度非主流运营商尚处于网络建设初期，自身盈利造血能力不足，会直接把风险和成本转嫁给供应商。

2008年，华为和中兴都在印度市场取得很大的突破，给公司的业务增长带来很大的贡献。但也存在一些问题：1.利润率的问题，印度运营商的压价能力有目共睹，谁的价格低就用谁的设备；2.回款的问题，经济危机下，运营商融资必然受到负面影响，付款周期拉长，付款条件更加苛刻，增加了设备商的回款风险。

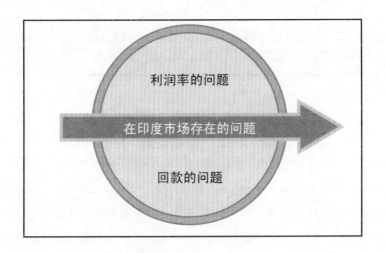

任正非一直非常重视回款和现金流，2004年前就颇有先见之明地设立了专门负责回款的市场财经部。华为一般采取三种方式避免海外贸易的回款风险：一是在签订项目之前，让对方预付30%的款项，抽样产品后再付40%，剩下的到全部交货后再支付；第二是针对一些特殊的国家，可以利用政府的协议，如某石油国家和中国有一项20亿元的石油框架协议，中国可以此将各个产品，包括通信产品与它进行贸易，然后华为再从政府那里获得资金；最后一种方式是针对非洲一些国家，利用当地的资源，华为跟其他公司结合。

另外，华为广泛使用了出口信贷，因此，货款回收的周期比较短，回收率也比较高。自进入海外市场初期，华为就得到了中国进出口银行等中国金融机构的大力支持。作为支持我国开放型经济发展的国家出口信用机构，中国进出口银行始终将支持高技术含量、高附加值的机电产品和高新技术产品扩大出口作为融资重点，支持我国有比较优势的企业走出国门。

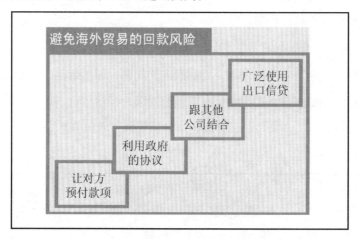

 第六节　内部职工银行

华为员工持股制度始于 1990 年，当时，华为刚刚成立 3 年，资金相当紧张，而民营企业融资又非常困难。因此，实行员工持股成为内部集资、克服企业发展资金瓶颈的良策。虽说华为在创业之初就实行的是高薪策略，但那些高薪员工的工资并没有拿到手，每个月只能拿到一半的现金，另一半只是记在账上，成为白条。当时，华为总裁任正非跟大家聊天说：

我们现在就像红军长征，爬雪山过草地，拿了老百姓的粮食没钱给，只有留下一张白条，等革命胜利后再偿还。

在当时的股权管理规定中，将其明确为员工集资行为，当时参股的价格为每股 10 元，以税后利润的 15% 作为股权分红。2000 年之前，华为还设有一个内部职工银行，其目的也是为了解决融资困难的问题，只是后来由于国家的明令禁止而撤销。

由于华为自始至终实行的是高薪策略，随着华为公司规模的扩大，发到员工手里的钱是越来越多，而员工如果不是急需，留下那么多钱也没有多少用。再加之华为员工工作压力大，根本没有时间去做些炒股、炒楼的投资，钱也只是存在银行。而这笔钱对于资金密集型的通信设备企业来说，又是有实用价值的，因此当华为遇到资金紧张的时候，就会想起利用华为人的这笔钱。

自 1998 年以后，华为基本停止了内部股权融资。当华为又启动了尘封多年的内部股权融资时，就证明华为的资金又遇到了问题。2003 年，华为因为大举推进国际化进程，资金再度紧张，于是华为向企业内部各个层级的广大主管和骨干推出了 MBO（管理层收购）计划，大规模地给核心骨干配股。据《IT 时代周刊》特约记者李侃分析，华为大规模地给核心骨干配股主要目的有两个，一是向银行申请股权抵押的贷款额度，缓解华为当前由于 3G 业务推迟所带来的资金紧张问题；二是将股权向新的骨干核心层倾斜，通过 3 年的锁定期，稳定核心员工队伍，共同度过这段困难时期。华为在将来通过净资产增值、股权分红等方式，将利益分配给员工。这样，既可以有效降低华为的资产负债率，又可以让员工一起承担部分经营风险。作为一种力度强大的激励措施，华为 MBO 的最大目的就是通过 3 年的锁定期稳定核心员工队伍，共同度过困难时期。至此，任正非在现金流问题上终于找到了另一条更为从容更为有效的解决途径。

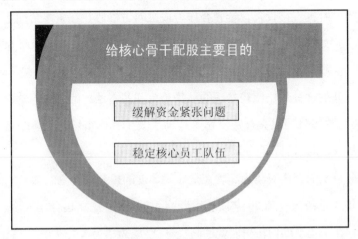

2008 年 12 月，从华为内部多位员工处证实，华为完成新一轮大规模内部员

工配股。虽然在华为内部员工配股并不是一件新鲜事，但此次规模之大、融资金额之高在华为历史上仍属少见。据华为内部人士透露，此次配股的股票价格为每股 4.04 元，年利率为逾 6%，涉及范围几乎包括了所有在华为工作时间一年以上的员工。当时华为的公开资料显示，华为员工总数为 8.75 万，如果按照参与人数为 8 万人计算，此次内部融资总额在 70 亿元左右。

这次的配股方式与以往类似，如果员工没有足够的资金实力直接用现金向公司购买股票，华为以公司名义向深圳的银行为员工提供担保，银行向员工发放"助业贷款"，员工只需要在银行的文件上签字，就完成整个股票认购过程。

我们知道，贷款是华为海外拓展的重要资金来源之一。华为将应收账款转让给国家开发银行，以获得贷款。2004 年，国开行协议在未来 5 年内向华为提供100 亿美元融资额度，而此次华为的内部融资正是 5 年的期限即将到期的时候，这也并非巧合。

第七节　参股合作是大势所趋

除以极有竞争力的价格给用户让利、让合作方获得满意的经济回报外，华为更会在适当的时机直接投资、参股合作方或被对方参股，在资本层面上与合作对象互相融合。如华为投资 1 亿港元入股持 3G 牌照的香港通信运营商 Sunday，并为其提供了巨额销售贷款。

对任正非的这种战略比较熟悉的《华为公司基本法》的起草人之一吴春波认为："华为与跨国公司成立合资公司不是为了某个具体市场，更多的是战略上的考虑。这是双赢的结局。"

与国际巨头的合作对华为品牌在全球知名度的提升具有重大意义。截至 2005年 1 月，华为已经与全球 50 家顶级运营商中的 20 家建立起合作关系。"国际伙伴越多，你在市场上的信任程度就越高"。这已成为华为人的共识。

值得注意的是，让利给合作对象经济利益，并不意味着华为仅仅依靠价格的低廉从竞争中胜出。华为一开始基本上是在价格层面竞争，但现在已更多地与西方对手在质量层面上展开竞争。

"华为已经尝到了资本的甜头，合资正在成为华为战略性侵入和分担风险的重要手段。"Frost & Sullivan（中国）公司总裁王煜全表示。

企业战略发展部已成为华为最重要的部门之一。"空手套白狼"在很多合资案里，华为"分文未掏"，仅注入相关业务和员工，就换取了控股权。

第八节　砍掉非强项业务

2001年2月，华为与爱默生电气签下秘密协议，将非核心业务华为电气（Avansys）卖给全球电气大王爱默生（Emerson），并改名为安圣电气，就此，华为获得了7.5亿美元（65亿元人民币）的现金。这是华为第一次通过出售公司资产获得资金，以防备公司可能遇到的危机。在华为总裁任正非看来，华为出售业绩良好的华为电气，保持充裕的现金流就是以守为攻。

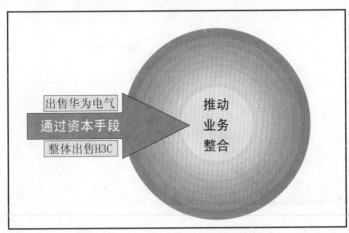

大公司都没有生存空间了，小公司更加困难。大公司为什么死不了？是银行不让它死，不是它自己不想死。如果它死掉了，银行就被套住了。这种连环性的社会影响还要相当长一段时间内才能完成。在这种情况下，我们公司要以守为攻。

……

我们现在账上还有几十亿元现金存着，是谁送给我们的，是安圣，人家给我们送来棉袄够我们穿两年的啊！

华为前高管胡勇分析道："华为充分利用中国的研发低成本，大量招聘研发人员。先利用主业务的研发和营销平台去培育新产品，当新产品（非电信网络核心产品）做大后，将其出售，一是起到融资的作用，二是将融资来的钱投入核心产品的研发和市场。通过补贴（降价）使核心产品迅速扩大市场份额、量产化、提高竞争力。摩托罗拉最早发现自己研发的产品还不如 OEM 华为的产品，所以从 2001 年就开始 OEM 华为无线产品，先是 GSM 核心网，然后是 3G 的核心网、基站。在核心产品线华为用的是格兰仕微波炉的策略，其目的是不要有太多的王小二去开豆腐店。2001 年，华为 7.5 亿美金出售电源和机房监控业务给爱默生；2005 年，华为 8 亿美元出售 H3C 企业网和数据通信业务给 3Com。"

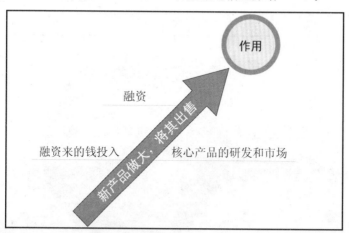

整体出售 H3C，是华为第二次通过资本手段来推动华为业务的整合。2006 年 11 月 29 日华为公司宣布，华为已接受 3Com 的竞购报价，双方已完成华为 3Com 技术有限公司（以下简称 H3C）的竞购程序。华为以 8.82 亿美金将其所持的 H3C 的 49% 股权转让给合作方 3Com 公司，交易完成后，H3C 将成为 3Com 的全资子公司。对于华为转让股权，电信专家陈金桥博士分析认为，华为近几年国际化拓展相当激进，国际化拓展的收获期还未到来，资金比较紧张，出售股权融资是一个不错的选择。

如今，世界电信、移动通信业正处于转型期，中国通信业的资产重组带来了巨大商机，加上华为面向全球市场的扩张，对于庞大的华为而言，其现金流并不充裕，日显紧张。在这样一个大背景下，华为如果没有巨大的资金流保障技术的持续投入，以领先的技术领先市场，则很有可能失足于未来，而砍掉非强项的业务则有助于保证现金充裕。

第九节　不差钱，不上市

作为资金与技术双密集的通信行业，资金充足成为企业快速成长不可或缺的"一条腿"。而国人津津乐道的华为公司，原先与道琼斯、纳斯达克、伦敦指数、日经指数、恒生指数、标普指数、德国指数等等，一概无关。当然，华为投资的股票也与此无关。因此，华为上市，一直是焦点：分拆、透明度考验、联合3Com……每一步都在牵动着业界的目光。人们在猜测，低调的华为究竟有着怎样的打算。有关华为上市的传闻，已经炒得沸沸扬扬。在外界的种种揣测中，事件的主角华为却始终保持着缄默。华为的上市从2004年就开始放出风声，直到今天还无定论。

与华为所不同的是，2004年12月，中兴通讯努力已久的"资本国际化"终于取得了历史性成果：公司成功在香港联交所挂牌上市，成为国内首家"A to H"公司。

上市的理由总是相似的，而不上市的公司却各有各的理由。华为不差钱，这也是外界揣测华为不上市的原因之一。很多人认为华为上市是迟早的事，只是一个时间问题。"（华为总裁）任正非已经60多岁了，上市将是他考虑的最重要的下一步棋。估计只有在上市之后，华为的股权治理结构明晰化了，任正非才会放心交出他的权杖。现在的华为还带有不少人治的色彩，任正非的理想是构建一个国际化的、法治的华为"，一位华为的中高层人士预测。

任正非早先也从明里暗里表示过：

华为上市的那天，就是我退休的那天。

……

我们不是不上市，而是在找一个合适的机会。

华为如果上市，复杂的股权结构将彻底暴露。因为一直不是上市公司，华为的经营策略不那么透明，也极少让竞争对手抓住把柄。非上市公司的好处是，华为在日子艰难的时候，没有回购股票的压力，同时也不需要为股东们一时兴起的多元化浪费精力。但弊处就是，华为因此缺少一个更加直接的融资渠道。

华为也有过上市的冲动，但却因为种种原因被拒。

2000 年华为也曾经申请上筹划中的创业板，结果因为"没有科技含量"而被拒，确实是天大的讽刺。不过在当年的专家眼里，刚刚搞出万门程控交换机和 GSM 基站的华为确实也没有太多的"科技含量"。

2002 年，华为也曾尝试海外上市计划。当年，由于内部股权太过复杂，剪不断理还乱，最终一直没有付诸实施。而为了解决内部股权问题，华为曾在 2003 年成立了华为控股，但由于内部员工的利益无法平衡，最终还是没有上马。

上市有助于华为员工持股规范化。如果在国内上市，可以将员工的股份收集起来成立一个公司，以法人股的身份进入上市公司，但不可以流通。而如果在海外上市，员工股就可以上市流通，通过上市可以解决华为老员工大量持股沉淀下来的问题。据华为内部人士估计，假如按照目前华为每股净资产计算，全部兑现员工的股权将接近 100 亿元，这对于华为来说是一个沉重的包袱，而上市将可以把这个包袱让资本市场来消化。

关于是否需要上市也有着不同的观点。2009 年 11 月，索尼前董事长出井伸之应深圳企业华为、万科和三诺之邀来深访问。出井伸之表示，不能把上市当做一种集资的手段，公司上市不等于企业是优秀的，不等于是成功的，仍需要在各方面好好努力。日本不少好的企业并没有选择上市，但依然受人尊敬。

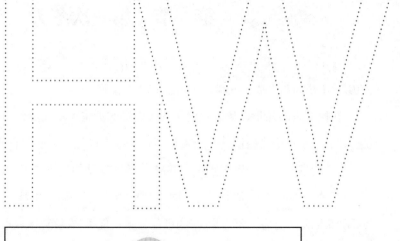

第12章

"冬天"管理谋略

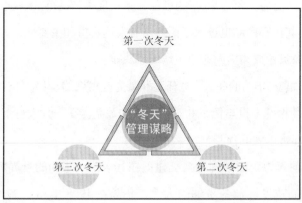

水煮青蛙的故事，想必大家都知道。同一只青蛙，在"危机"中安然逃生；在"温暖"中葬身热锅。这则故事给我们的启示是企业家必须永远保持危机意识。青蛙之所以被煮死在锅里面，原因是什么？原因是青蛙体内感应生存的器官只能感知外界剧烈的变化，而对缓慢"渐进"的危险变化却反应迟钝，或者说，青蛙过分重视当前的享受，忽视了对潜在威胁的理性认识。任正非不断告诉企业员工："华为总会有冬天，准备好棉衣，比不准备好，想好我们应该如何应对华为的冬天。"

第一节　第一次冬天

在 1995 年、1996 年，任正非一直强调"繁荣背后就是危机"，在思想上较好地引导了华为员工戒骄戒躁，不被胜利冲昏头脑。

在接下来的几年，华为实现了突飞猛进的扩张。不仅出台了《华为公司基本法》，引进了任职资格制度，还实现了产品的多样化，除了原有的电话交换机外，还介入了数据业务、无线通讯、GSM 等通讯领域的主导产品。1998 年，华为终于成长为国内通信制造业霸主。同年，华为的销售额比 1995 年增长了 6 倍，达到了 89 亿元。更为重要的是，华为已经基本实现了"农村包围城市，最终夺取城市"的战略目标，其核心产品也进入了国内所有发达省份和主要城市。从 1998 年开始，华为取代上海贝尔成为国内通信市场的领头羊。

人们都知道"华为的冬天"是任正非最先提出来的，但人们不知道这个"冬天"的到来，某种程度上也与任正非有着直接的关系。在一片大好形势下，华为也对未来做出了非常乐观的预测。

据华为前人力资源部副总裁吴建国在其著作《华为的世界》中的记载："为了给预计的高速发展储备足够的人才，华为在 1998 年和 1999 年采取了近乎疯狂的招聘战略，两年之内招聘员工超过 7000 人，当时很多学校像西安电子科技大学甚至出现整班整班的毕业生几乎被华为一网打尽的情况。到了 1999 年年底，华为的员工人数已经超过了 12000 人,比两年前的 6000 多人整整翻了一番。但是,一场无法预料的寒流却让任正非对于未来发展的预测第一次失误了。"

说起这场无法预料的寒流还需从中国的入世开始谈起。从 20 世纪 80 年代起,全球电信行业出现开放的趋势。1997 年,69 个世界贸易组织成员国签署了《基础电信协议》,就全球电信业的开放与自由竞争达成共识。随着新一轮 WTO 谈判——西雅图回合的开始,电信业的开放和自由化在全球范围内已经成为潮流。

在入世和国内日益高涨的反垄断的双重压力下,中国在 20 世纪 90 年代后期加快了电信改革的步伐。经过一系列调整,中国电信市场上出现了中国移动、中国联通、中国电信、中国吉通(以国际互联网的接入服务为主)、中国网通(以数据宽带网络业务为主)、中国卫星(以卫星通信业务为主)和中国铁通共同角逐的格局。

电信市场的分拆带来了不稳定因素,各省的电信网络建设都停滞了下来,组织调整、企业内部建设、分拆业务成为各地电信部门的关键词。因此 1999 年的华为,创业以来首次年增长率没有超过 50%,任正非感觉到了"寒意"。

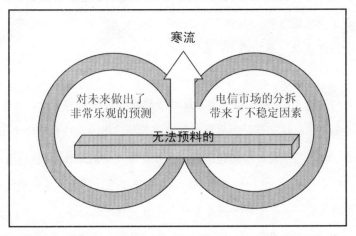

一个正蓬勃发展的企业,突然宣称自己必将走入寒冬,这并非危言耸听,而是他们看到了一个自然的发展规律:没有什么事物可逃脱衰退和死亡。

在 2000 年那篇闻名于业内的《华为的冬天》中,任正非这样阐述"失败一定会到来"的观点:

10年来我天天思考的都是失败，对成功视而不见，也没有什么荣誉感、自豪感，而是危机感。也许是这样才存活了10年。我们大家要一起来想，怎样才能活下去。也许只有做到这点我们才能存活得久一些。失败这一天是一定会到来，大家要准备迎接，这是我从不动摇的看法，这是历史规律。

任正非当然希望给华为公司的太平时间越长越好，但是，四季轮回不可能永远都是春天，冬天是一定会到来的。

不过，在华为内部，《华为的冬天》虽然也引起了一些反响，但是大多数的华为人并没有因此而加强自身的"冬天"意识。

任正非不得不在另外一篇文章《北国之春》里再次强调提出"冬天"的论点。在2001年樱花盛开、春光明媚的时节，任正非一行踏上了日本的国土。此前，日本企业界从20世纪90年代初开始，连续经历了10年低增长、零增长、负增长的情况，目前仍然在苦苦坚持中。任正非对近现代工业发展史非常了解，对日本民族善于精工，在产品经济时代大放光芒的历史充满敬意。回国后，任正非充满激情地写下了《北国之春》。

在文中，任正非这样写道：

谁能想到，这10年间日本经受了战后最严寒和最漫长的冬天。正因为现在的所见所闻，是建立在这么长时间的低增长时期的基础上，这使我感受尤深。日本绝大多数企业，近8年来没有增加过工资，但社会治安仍然比北欧还好，真是让人赞叹。日本一旦重新起飞，这样的基础一定让它一飞冲天。华为若连续遭遇两个冬天，就不知道华为人是否还会平静，沉着应对，克服困难，期盼春天。

日本从20世纪90年代初起，连续10年低增长、零增长、负增长……这个冬天太长了。日本企业是如何度过的，他们遇到了什么困难，有些什么经验，能给我们什么启示？

任正非写道：

在松下，我们（指任正非等华为人员）看到不论是办公室，还是会议室，或是通道的墙上，随处都能看到一幅张贴画，画上是一条即将撞上冰山的巨轮，下面写着："能挽救这条船的，唯有你。"其危机意识可见一斑。在华为公司，我们的冬天意识是否那么强烈，是否传递到基层，是否人人行动起来了？

任正非赴日本考察时，华为已经经历了10年的高速发展。那么，华为在年销售额达到220亿元、已成为国内首屈一指的电信设备供应商时，算是成功了吗？

任正非在《北国之春》中接着写道：

华为的危机，以及萎缩、破产是一定会到来的。

现在是春天吧，但冬天已经不远了，我们（要）在春天与夏天就要念着冬天的问题。我们可否抽一些时间，研讨一下如何迎接危机。IT业的冬天对别的公司来说不一定是冬天，而对华为可能是冬天。华为的冬天可能来得更冷、更冷一些。（因为）我们还太嫩，我们公司经过10年的顺利发展没有经历过挫折，不经过挫折，就不知道如何走向正确道路。磨难是一笔财富，而我们没有经过磨难，这是我们最大的弱点。我们完全没有做好不发展的心理准备与技能准备。

我们在讨论危机的过程中，最重要的是要结合自身来想一想。我们所有员工的职业化程度都是不够的。我们提拔干部时，不能首先讲技能，要先讲品德，品德是我讲的敬业精神、献身精神、责任心和使命感。危机并不遥远，死亡却是永恒的，这一天一定会到来，你一定要相信。从哲学上、从任何自然规律上来说，我们都不能抗拒，只是如果我们能够清醒地认识到我们存在的问题，我们就能延缓这个时候的到来。

危机的到来是不知不觉的，我认为所有的员工都不能站在自己的角度立场想问题。如果说你们没有宽广的胸怀，就不可能正确对待变革。

正如任正非所提醒的，从全球来看，2000年纳斯达克指数一年下跌56%，第一次互联网泡沫破碎。思科、爱立信、摩托罗拉等电信设备巨头，纷纷告别了持续增长的状态。而包括朗讯和北电在内的巨头，都陷入亏损泥淖。在那次冬天，朗讯裁了将近一半以上的员工，北电裁了三分之二的员工。

以 2000 年 4 月纳斯达克股灾为导火索的全球电信产业的下滑波及了中国市场，在这一年，华为第一次增长停滞。与此同时，由于策略失准而错失小灵通和 CDMA 这两块"冬天"里最大的"奶酪"，则是华为没有延续增长神话的主要内部原因。

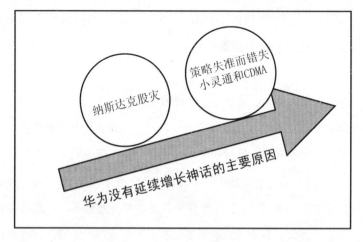

华为也利用了经济低迷带来的机会，从 2001 年以后调整了海外业务进攻的姿态。

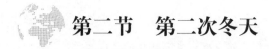 第二节　第二次冬天

2002 年，公司差点崩溃了。面对 IT 泡沫的破灭，公司内外矛盾的交集，我却无能为力控制这个公司，有半年时间都是噩梦，梦醒时常常哭。真的，不是公司的骨干们，在茫茫黑暗中，点燃自己的心，来照亮前进的路程，现在公司早已没有了。这段时间孙董事长团结员工，增强信心，功不可没。

2011 年 12 月，任正非这样回忆了当时华为发展的状况。

2002 年，华为销售额整体虽然下降了 17%，但是当年海外市场却增收了 210%！2000 年～2004 年，华为海外复合增长率为 122%，至 2004 年，华为快速地恢复了元气，整体销售额达到 460 亿元，净利润 50 亿元，大于当年 TCL、联想、海尔的利润总和。

在形势一片大好的情况下，2004 年下半年，华为总裁任正非第二次警告冬天来临。虽然这一时期，电信市场已经转暖，但是华为有自己的问题，同港湾的竞争正处在关键时刻。更为关键的是，电信巨头已经注意到华为的动作。英国《经济学家》撰文指出：华为这样的中国公司的崛起将是外国跨国公司的灾难。华为与思科的知识产权纠纷就在这一背景下展开。

任正非这次提醒的冬天是指整个行业的冬天。任正非认为，现在的困难是全行业的，核心团队要预见到未来形势的严峻性，要正确认识、掌握和驾驭客观规律。2004 年，任正非在研委会会议、市场三季度例会上讲道：

那么，这场困难是如何造成的？实际上是美国的新经济炒得太热造成的。

任正非分析道，当时的情况好像钢铁玩完了，汽车玩完了，什么都玩完了，只有搞信息才赚钱，触网即"发"，无"网"不胜。所有的上市公司，不管是卖鸡蛋的，还是卖鸭蛋的，只要有一个".com"，几百亿、几千亿就圈进来了。任正非当时就认为这是极不正常的，道理很简单，也很朴素：人们不能吃信息，穿信息，住信息。粮食不要了，房子不要了，汽车不要了，然后人们就富裕起来了，怎么可能？因此，在新经济理论虚拟财富的推动下，人们非理智的追捧，制造了整个世界对网络企业的大泡沫。任正非表示：

信息产业为什么最后会造成困难？因为消费者对信息需求是有限的，人只有一双眼睛，一天只有短短的 24 个小时，而信息资源是无限的。需求的有限性和供给的无限性，是信息产业致命的软肋，只要这个矛盾存在，信息产业的冬天就迟早会到来，冬天是必然的。

大家想想，光纤与芯片的原材料是河沙中提炼的硅。光纤与芯片的原材料资源是取之不尽、用之不竭的，大家都拼命地投资，就形成生产供给过剩。这种需求有限而生产过剩累积，必然导致行业的坍塌和困难，于是造成了今天的过剩和行业的困难。

任正非用网络经济中存在的问题，来说明信息产业的发展困境，他分析道：

网络经济与传统经济的区别集中表现在供求关系上，前者矛盾的主要方面是有效需求不足，后者矛盾的主要方面是有效供给。而解决供给问题比解决需求问题要简单得多。在传统产业中，需求是无限的，资源是有限的，传统产业的宏观调控只要控制资源就可以了。比如你已经有了一辆奔驰，再给一辆宝马要不要？你可能还要。这就是对传统财富的需求是无限的，但是我们的资源是有限的，地下的石油就这么多，如果我们把中东的阀门关了，你们家的宝马车只能用来养鸡。

传统经济的调节是通过调节资源来完成的，而信息产业中谁也控制不了资源，在我们的产业环境中根本就没有可调控的手段，因此在这个环境中出现生产过剩以后，坍塌是必然的。更可怕的是，尽管过剩了，还不断地还有新公司产生，IT专业和非IT专业的新人还不断涌入行业中，大量的资源还源源不断地投入这个领域，这种"前仆后继"，使过剩还要过剩。全世界有相当多的国家还没有认识到这一点危机，还源源不断地把资源大规模投入进去，因此过剩经济还将继续过剩。去年（2006年）大家对IT冬天的理解还是指库存，现在库存消化得差不多了，但市场并没有好转，所以我们要充分预见到未来形势的严峻性。

把泡沫炒大了，各种资源全部涌到IT行业来，这些都是人非理智的行为。

任正非认为，冬天是客观规律。他分析道：

首先，尽管是人的行为，但是因为我们不可能劝谁退出去，包括劝自己，因此，也成了客观规律。现在IT行业的人收入待遇过高，其后果是所有的人才蜂拥到这里；IT行业的利润很大，所有的资金都蜂拥到这里。人才、资金都跑到这里来了以后，结果传统产业既缺少人才，又缺乏资金。我们的 IT 行业的成长是基于传统财富增长以后人们对生活的要求而发展的，这其中包括对信息的要求。因此，IT 行业把大量人才和资金吸收进来以后，使传统产业的发展减慢。其次，所有的人吸收进来以后，大家都在这里相互竞争，使得过剩的市场更加过剩，价格体系还会进一步坍塌，最后经济周期的发展规律促使自然形成综合的宏观平衡。

最近，和一些美国的朋友交流比较多。他们对新经济的未来前景，可以说是十分担心，美国经济现在很低落，10 年内硅谷难以振兴。硅谷这次受到的打击是惨重的，"尸横遍野"，至少有几千个亿的风险投资瘫死，但美国大公司的破产才刚刚露出冰山一角。

在美国处于极度困难的情况下，中国能不能一枝独秀？答案是否定的。任正非分析道：

第一点，中国的运营商不会花很多钱来购买设备。中国的电信运营商开放竞争后，只要国家放开价格管制，他们的竞争很快会打到成本价。那么，打到成本价的公司，谁会用高价钱来购买我们的设备？其他网络商也是遍体鳞伤，他们不亏损，也是处在很低的利润水平，他们绝对不会用更多的钱来购买东西。当然，我们的客户回归理性对我们有一定好处，因为华为处在一个产品质量、服务、价格都有相对优势的地位。

第二点，我们不能奢望中国企业实现全面、迅速和整体的信息化。从理论上看信息化很简单，事实上很困难，难在商业模型的数字化，我们公司真正走了七八年了，投入了数百人，才达到现在的状况。我们走的道路如此艰难，中国的企业随随便便装几个路由器就是信息化了？如果信息化并没有使企业竞争力得到提升，他们会很快减慢或退出建设。

任正非将这个问题给大家讲明，其目的并不等于华为的员工就要带着悲观的情绪，认为华为没戏了。任正非的真实目的是：

如果我们连真实的困难都不知道，就别提战胜困难了。我们需要把困难真实地告诉大家，特别要告诉我们的核心团队，如果我们没有预见未来困难的能力，我们陷入的困境就会更加严重。

有人说华为公司从一个小公司发展到今天的规模，是糊里糊涂、懵懵懂懂就走过来了，我接受这种说法。这种说法至少减轻了我们高层领导的压力，不要把我们压得太厉害了，我们也不是先知先觉的，我们也犯过许多错误，包括泡沫化。但是事实上，我们走过了这10年道路，每一次我们看见、预见的困难，我们解决的措施都刚好和时代的发展同步了，同拍了，所以我们取得了成功，才会发展到今天。《华为公司基本法》上为什么提出了"三个顺应"？因为我们不能与规律抗衡，我们不能逆潮流而行，只有与潮流同步，才能极大地减少风险。因此，我们过去有能力预测我们的成功和胜利，今天我们有能力预测存在的困难和问题，那么度过这场困难，我们的条件是比别人优越的，我们是有信心的。

当前，整个全球经济在经受IT行业的痛苦，我们看清了全球出现一次泡沫化悲剧背后的原因，看清了事物的本质，就能够根据本质的原因调整我们的策略，使我们同步于世界的变化，这样我们公司危机就会小一点。

冬天也是可爱的，并不是可恨的。我们如果不经过一个冬天，我们的队伍一直飘飘然是非常危险的，华为千万不能骄傲。所以，冬天并不可怕。我们是能够度过去的，今年我们可能利润会下降一点，但不会亏损。与同行业的公司相比，我们的盈利能力是比较强的。我们还要整顿好，迎接未来的发展。

虽然任正非的语言中充满了危机感，但事实上，在2004年，华为实现全球销售额462亿元人民币，其中国内销售273亿元；国际销售额22.8亿美金，占总销售额的41%。2004年，华为获得了欧洲、中国香港等29家国际、国内银行提供的3.6亿美金银团贷款，并于2004年年底获得国家开发银行提供的100亿美元的融资额度。华为通过加强与国际、国内金融机构的合作，为国际市场的拓展提供了更好的融资平台。回首2004年，华为的国际化战略取得了初步的成功。

第三节　第三次冬天

冬天对于一些优秀的企业永远是一个机会。2009年8月，思科首席执行官约翰·钱伯斯在接受《纽约时报》采访时说道："我从管理大师杰克·韦尔奇身上学到了另外一个经验。那是在1998年，那时我们应该是全球最有价值的公司之一，当我向杰克·韦尔奇询问：'需要付出什么才能成为一个伟大的公司？'他说：'需要遇到很大的困难，然后克服。'我迟疑片刻，然后说：'嗯，当然，我们在1993年和1997年的时候确实经历过困难，那时候赶上了亚洲金融危机。'他说：'不，约翰，我指的是致命的打击。'那时候我对他说的话还不能透彻地领悟。"

"到了2001年，我们真的遭遇了致命的打击。我们从一个最有价值的公司沦落为很多人对我们的领导力开始怀疑的地步，挫折过后，到2003年，韦尔奇给我打电话说：'约翰，你们现在可以成为一家伟大的公司了。'他是对的，正是那些我们不愿意看到的事情让我们不断壮大。"钱伯斯笑着说，"你绝对不想浪费危机带来的发展良机"。"我们每次都能变得更加强大，拥有更多的市场份额，进军更多的相邻市场。"

钱伯斯表示，"1993年、2001年、2003年，这几个年份是思科在成长历史中经历过的一些挑战时期。但每一次我们都抓住了机会。在危机之后，我们的市场份额增加了、实力增长了、市值也提高了。"

作为思科最强有力的竞争对手之一，华为同样也是在危机中快速成长。华为总裁任正非总是在喊冬天来了。这一喊，便是10年。在过去的10年里，华为的收入从152亿元人民币到2009年的218亿美元，增长迅猛，并一举超越了阿尔卡特朗讯和诺基亚西门子，成为继爱立信之后，全球第二大电信设备制造商。

别人看到的只是华为的辉煌，而任正非看到的却是华为走过的、即将面临的一个又一个困难。于是，就在大家为华为取得的成绩感到无比骄傲的时候，任正非又一次拉响了冬天警报。

2007 年年报显示，华为销售收入已经达到 125.6 亿美元，跻身世界通信设备商的前五强。正是在这样一个时候，任正非第三次提出"过冬"。这倒是与当前的经济环境很搭调，而且，尽管未来经济不景气，但可能反而是华为的好日子。"尽管如今经济环境不好，电讯还是要发展的，但经济环境要求人们在价格上有所考虑。或许这段时间的冬天，正是华为的春天。"著名企业战略专家姜汝祥说，"未来 4 ～ 5 年，就是华为提升核心竞争力的时候，在战略、组织、制度层面改善提升，以应对下一轮的经济复苏。"

2008 年初，在给华为 EMT（核心管理层）及部分产品线高管的一封邮件中，任正非转发了美国《财富》发表的一篇名为《思科准备过冬》的短文，并郑重地对此文写下按语：

思科的今天，就是我们的明天。当然我不是在激励人们，而是在警示人们，他们比我们更早地感知到市场竞争的艰难与残酷。思科比我们聪明，他们对未来的困难早一些采取了措施，而我们比较麻木而已。

任正非还提醒华为员工说：

近几年，我国的经济形势也可能出现下滑，希望高级干部要有充分的心理准备。也许 2009 年、2010 年还会更加困难。

2008 年 7 月，任正非：

对经济全球化以及市场竞争的艰难性、残酷性做好充分的心理准备。

任正非这一次的警告远没有《华为的冬天》给世人和员工以震撼，在任正非的"恐惧文化"或曰"危机文化"的警告中，中国企业和华为员工都吓大了，也有一部分华为员工"吓死了"——离开了华为。

任正非的"冬天论"通常被媒体总结为居安思危，的确是居安思危，但是仍然对应了当时电信产业的产业环境。

从2000年任正非第一次提出"冬天"以来，华为的年收入从152亿元人民币上升到125.6亿美元。这与任正非的危机意识密不可分。

任正非认为，华为现在面临的危机是经济全球化所带来的危机。经济全球化是美国推出来的，美国最后看到经济全球化对美国并不有利，所以美国再退向贸易保护主义，但是保也保不住。一旦经济全球化这个火烧起来了，就会越烧越旺。过去的100多年，经济的竞争方式是以火车、轮船、电报、传真等手段来进行的，竞争强度是不大的，从而促进了资本主义在前100多年，有序、很好地获得发展。而现在，由于光纤与计算机的发展，网络经济形成资源的全球化配置。使交付、服务更加贴近客户，快速而优质的服务；使制造更加贴近低成本；研发更加贴近人才集中的低成本地区……这使竞争的强度大大增强，将会使优势企业越来越强，没优势的企业越来越困难。特别是电子产业将会永远地供过于求，困难的程度是可以想象的。任正非分析道：

经济全球化使得竞争越来越残酷了，特别是我们电子行业，竞争极其残酷。我就举个例子来看：电子产品的性能、质量要求越来越高，越来越需要高素质人才，而且是成千上万、数万的需求，这些人必须有高的报酬才合理。但电子产品却越来越便宜。这就成了一个矛盾，如何得以解决，我们期待某一个经济学家能因此获得电子经济诺贝尔奖。我们仅是比其他公司对这个竞争残酷性有早了一点点的认识，才幸免于难。

任正非举了一个因新经济而受到重压的案例，他说道：

你们读书的时候都很崇拜贝尔实验室的吧？10多年前，我去贝尔实验室，当时DWDM还处在发明阶段，其中发明的一个波就是GW载波。当时光纤还只能有三个载波，发明这项技术的博士亲自给我做图形表演。

结果没多久光传输像排山倒海一样，迅速地形成过剩，把贝尔实验室也席卷了，大水冲了龙王庙。成则亦光，败则亦光。我们也在这里苟延残喘。我们的光传输产品，七八年来降价了 20 倍。市场经济的过剩就像绞杀战一样。绞杀战如什么呢？就如拧毛巾，这毛巾只要拧出水来，就说明还有竞争空间，毛巾拧断了企业也完了，只有毛巾拧干了，毛巾还不断，这才是最佳状态。

华为公司能长久保持到这个状态吗？华为的国际对手思科在 2008 年金融危机的影响之下，已经开始缩减开支。思科实行了很多政策，如减少员工出差；减少会议来提高效率；高层领导出差不能坐头等舱，要坐，须自己掏钱等等一系列的措施。思科尚且如此，华为就能独善其身？任正非在参加华为优秀党员座谈会时分析道：

支撑信息产业发展的两个要素，一是数码，取之不尽用之不竭，还不用缴任何专利费；二是二氧化硅，做硅片的。这两个东西取之不尽用之不竭的，导致电子产品过剩。过剩的结果就是大家都拧毛巾，参加绞杀战。西方公司过去的日子太好了，拧的水太多了，所以拧着拧着把自己拧死了，我们也不是最佳状态。我们公司的铺张浪费现象还很多。

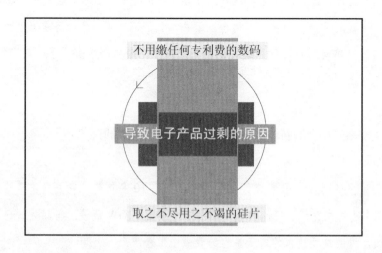

在这种情况下，怎么办？当然我曾经悲观过啊，每次犯忧郁症的时候就是那种病态，但不是我的完整思想。我曾经很发愁，觉得苦闷啊。华为公司只要稍稍不行了，怎么发工资啊？我觉得这是很大的压力。我们不是悲观主义者，但也要对经济全球化以及市场竞争的残酷性要有充分的心理准备。如果华为衰落怎么办？如何才能不衰落呢？总有一天，别人在发展，而我们在落后的。

这个世界的变化是很大的，唯一不变的是变化。面对这样的变化，每个企业如果不能奋起，最终就是灭亡，而且灭亡的速度很快。以前我们还有祖传秘方，比如说爷爷打菜刀打得很好，方圆五十公里都知道我们家菜刀好，然后孙子继承了爷爷的手艺。在方圆五十公里我还是优秀的铁匠，就能娶到了一朵金花啊。那现在铁匠还行吗？现在经济全球化啦。人家用碳纤维做的刀，削铁如泥，比钢刀还好得多。你在方圆几公里几十公里曾经流传几十年几百年的祖传，就被经济全球化在几秒钟内打得粉碎。所以在这样的情况下，就给每个人带来了生存的困难，所以每个人都要寻找生存的基点。

但是，竞争是好，还是坏？竞争使这个世界进步了，加速了，美好了。我们享受了这种美好。50年前，我记得我上小学的时候还打赤脚，还穿草鞋。我的梦想就是穿一双橡胶底的鞋。你看现在好多人都开汽车了，50年的变化是不可想象的。当年我在欧洲坐豪华的列车时，就想"哎，中国这是没戏啦"！我在美国坐了豪华大巴时，"哎，在中国可能我坐不上了，看不见了"。中国在这么短的时间发展这么快，我想都没想到，社会进步是很快的，这个社会进步给每个人带来了美好，但是也带来了痛苦。WTO是把物价降下来了，但是也让很多人失业了。

美国竞争失利是因为他们薪酬太高而失利，而不是因为华为的崛起使他们失败了。所以美国很多要人跟我交流，我就讲你们失败是因为你们的薪酬点太高了，不可能这么高的薪酬，怎么可能啊？你们的薪酬从哪里来的？是从那些 GDP 只有 200 多个美金的非洲弟兄们那儿取来的钱，来供这些 IT 皇帝们，能供得起吗？供不起的，最终有一天会支撑不起的。

著名咨询机构 Informa 在 2008 年的 Global Mobile 中发表专题文章称，全球移动设备市场越来越成为爱立信、诺西（诺基亚—西门子）、华为三强之争的战场，这三家厂商的市场领先优势越来越巩固。随着诺西的逐步复苏，华为在全球市场不断赢得大型运营商的合同，以及北美厂商的日渐式微，预计这三家主流厂商的份额最终会超过70%，市场地位无可动摇。

　　但是三强的境遇也各不相同。爱立信面临着越来越严峻的挑战。2008 财年 2 季度的财报显示，其 2 季度净利润同比下滑 70%，而网络设备的毛利率从 2007 年的 19% 跌至 10%。

　　诺基亚—西门子则仍处在复苏进程中。根据诺基亚—西门子的 2008 财年 2 季度财报，其运营亏损 4700 万欧元，从一年前的亏损 12.7 亿欧元中挣扎出来。

第13章
企业家精神与领导力

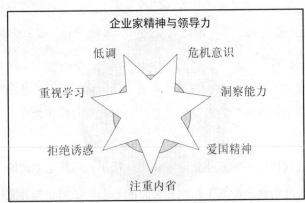

企业家精神与领导力

低调　　　　　危机意识

重视学习　　　　　　洞察能力

拒绝诱惑　　　　　爱国精神

注重内省

　　"企业家"这一概念由法国经济学家理查德·坎蒂隆(Richard Cantillon)在18世纪30年代首次提出，即：企业家使经济资源的效率由低转高；"企业家精神"则是企业家特殊技能（包括精神和技巧）的集合。或者说，"企业家精神"指企业家组织建立和经营管理企业的综合才能的表述方式，它是一种重要而特殊的无形生产要素。

　　例如，伟大的企业家、索尼公司创始人盛田昭夫和井深大，他们创造的最伟大的"产品"不是收录机，也不是栅条彩色显像管，而是索尼公司和它所代表的一切；沃尔特·迪斯尼最伟大的创造不是《木偶奇遇记》，也不是《白雪公主》，甚至不是迪斯尼乐园，而是沃尔特·迪斯尼公司及其使观众快乐的超凡能力；萨姆·沃尔顿最伟大的创造不是"持之以恒的天天平价"，而是沃尔玛公司——一个能够以最出色的方式把零售要领变成行动的组织。

第一节　低调

　　一位陪同全球最大的移动通信运营商沃尔丰总裁造访华为的人士在中午就餐后走出餐厅，发现一个老者坐在大厅的沙发上等人。老者身着休闲西装，并未打领带，车钥匙放在一边，乍一看以为是司机。仔细一看，原来是华为总裁任正非，他在等待与访客叙聊。

　　人们常常说，企业如人，一个企业家的性格就是这个企业的性格，创始人尤其如此。所以当你见到华为总裁任正非时，你就不会惊诧为什么这么多年，华为一直那么低调。

　　与同时代同样优秀的其他企业家相比，任正非仍然是如此的另类，一反他以往"攻"抢占战略高地造高下相倾态势时的心态，任正非却甘愿把自己藏于九地之下。他从来不见媒体，总是小心翼翼地将自己隐藏在聚光灯的后面。《中国企业家》杂志前总编牛文文在《华为真相》的序言中也说："因为职业原因，我几乎和中国所有的企业领袖见过面，任正非是唯一的例外。"

商人们趋之若鹜的工商联副主席和全国性大会的代表资格，他守拙婉拒；企业家们花巨资才可以现身的媒体盛事，任正非更是一概谢绝。任正非几乎就不接受媒体的采访，也不担任社会职务，相应地也不参加各类峰会。任正非得过很多奖，但从未领过奖。美国《时代周刊》评选出的 2005 年度"全球 100 名最具影响力的人物榜"中，他是唯一入选的中国企业家。同样，任正非没有给《时代周刊》面子。他仅在华为内部做了一次讲话，他是这样说的：

我在技术上、管理上、财务上，基本是个半明白人，处在边学习、边实践的状态。因此，必须，也只有谦虚地团结一群人，才能发挥集体管理的作用去推动企业的发展。我是一个很普通的人，即使有一点影响力，也仅仅在华为内部……

对外界和媒体的各种议论大家不要太在乎，还是好好地努力工作。我也一样，不会背上包袱的，也会像你们一样活泼、轻松，还会继续为公司的未来而努力工作。

至今，这位受国家领导人钦点出国访问的全国最大的通信设备制造商的总裁，没有正式接受过任何一家媒体的采访。任正非留给外界的形象非常神秘，以至于人们只能通过他发表在华为内部刊物上的一些讲话窥探到一点他的人生和管理哲学。土狼、军人、硬汉、战略家……各种光怪陆离的色彩交织在一起，赋予其"中国最神秘的企业家"头衔。中国人民大学教授、《华为公司基本法》起草人吴春波在其文章中这样写道："可以说，任正非具备了企业领袖所共有的天赋、素质和能力。10 余年的军旅生涯，给予他的是坚毅、果敢、坚韧、谦恭、责任、执行、务实、使命、奉献、信仰、自律、敬畏、开放和合作。"《中国企业家》杂志社社长刘东华认为："任正非几乎是中国最有静气和最有定力的一个企业家。"

关于任正非的报道真的不能用"多"来形容。任正非之所以不接受媒体采访有一种说法是任正非乃军人出身，耿直的本性让他说话不具备"圆滑"之风，担心被善于捕风捉影、断章取义的媒体抓住什么话柄，所以故意保持神秘，借以避开可能的麻烦。天津有位副市长访问华为时曾向任正非讨教："为了帮助企业发展，你认为政府应该做些什么？"任正非的回答让在座的人大吃一惊："政府对企业最大的帮助就是什么也不要做，只要将城市的路修好，公园和道路旁边的花草种好，这就是对企业最大的帮助！"正因为口无遮拦，任正非也得罪过重要客户。也有人猜测，就像萝卜青菜各有所好一样，任正非就是不喜欢媒体。任正非在其文章《我的父亲母亲》中袒露了自己淡泊名利的根由：

　　"文革"中，无论我如何努力，一切立功、受奖的机会均与我无缘。在我领导的集体中，战士们立三等功、二等功、集体二等功，几乎每年都大批涌出，而唯我这个领导者，从未受过嘉奖。我也从未有心中的不平，我已习惯了我们不应得奖的平静生活，这也是我今天不争荣誉的心理素质培养。粉碎"四人帮"以后，生活翻了个儿，因为我两次填补过国家空白，又有技术发明创造，合乎那时的时代需要，突然一下子"标兵、功臣……"部队与地方的奖励排山倒海式地压过来，我这人也热不起来，许多奖品都是别人去代领回来的，我又分给了大家。

　　任正非在接受中国人民大学教授、《华为公司基本法》起草人吴春波采访时曾这样说道：

　　我为什么不见媒体，我有自知之明，见媒体说什么，说好恐怕言过其实；说不好别人又不相信，甚至还认为虚伪，只好不见为好。因此，我才耐得住寂寞，甘于平淡。我知道自己的缺点并不比优点少，并不是所谓的刻意低调。
　　……
　　外界总喜欢将成绩扣到一个人头上，不然不生动，以虚拟的方法塑造一个虚化的人。我不认为自己像外界传说的那样有影响力，但是很敬业、无私、能团结人。这些年华为有一点成绩，是全体员工的团结努力，以及在核心管理团队的集体领导下取得的。只是整个管理团队也很谦虚，外界于是就把一些虚荣虚拟地加到了我的头上，其实难副。

华为刻意躲避媒体的行事风格遭到不少批评，但其从来不为所动。即便在2007年年底的那场裁员风波中，面对汹涌的社会舆论指责，华为也鲜有正面回应。

任正非给华为高层下了死命令：除非重要客户或合作伙伴，其他活动一律免谈，谁来游说我就撤谁的职！整个华为由此上行下效，全体以近乎本能的封闭和防御姿态面对外界。在内部会议上，任正非言词坚定：

希望全体员工都要低调，因为我们不是上市公司，所以我们不需要公示社会。我们主要是对政府负责任，对企业的有效运行负责任。对政府的责任就是遵纪守法，我们去年交给国家的增值税、所得税是18个亿，关税是9个亿，加起来一共是27个亿。估计我们今年在税收方面可能再增加百分之七八十，可能要给国家交到40多个亿。我们已经对社会负责了。前几年国外媒体说我们资不抵债，亏损严重，快要垮了，不是它说垮就垮的，也许它还麻痹了竞争对手，帮了我们的忙。半年前，也还有人说公司资不抵债，去年年底美国媒体突然又说我们富得流油，还说我有多少钱。我看公司并不富，我个人也没多少钱……所以媒体说我们富，就富了？我看未必。

上述的讲话充分反映了任正非的行为逻辑，扎扎实实做事，不理会任何人的说法。用任正非的话说就是：只有安静的水流，才能在不经意间走得更远。华为发展的实践证明这句话的合理性。短短二十几年，在人们忙于关注那些轰轰烈烈开展营销大战，不断作秀的企业时，华为已经悄悄地成为中国民企的领头羊。但此时，相当一部分大众还对它几乎一无所知。当然，这种结果和华为自身并非做大众产品有关。但是无论如何，作为中国著名企业的华为和作为中国著名企业家的任正非，两者现有的公众知名度是和他们的地位极不相符的。从企业家精神的角度来看，是一种典型的务实主义精神。因为不管任何企业，最终都要靠自身对于能够为社会创造需求、满足需求而存在。

在中国商界，任正非如同闭关修炼的高僧，每隔一段时间，你就能听到他从山洞里传出的高论：《活下去是企业的硬道理》《华为的红旗能打多久》《华为的冬天》《北国之春》……人们只能从他陆续撰写的这些文章里揣测其所思所想所为。

第二节 重视学习

位于深圳龙岗区的华为坂田基地的道路以中外著名科学家的名字命名,如贝尔路、冲之路、张衡路、居里夫人路等等。这在知识密集型企业至少算不上奇异,但是这也充分说明了华为总裁任正非对知识的看重,一些畅销书称他为"知识的信徒"。

中国人民大学教授、《华为公司基本法》起草人吴春波在其文章中这样写道:"几十年孜孜不倦的学习与领悟,给予他的是不断地进步、成长和提升。他是'华为公司进步最快的人',其成功之道是'读万卷书,行万里路,干一件事'。看《莫斯科保卫战》,他悟出的是中层不决策;看《野战排》,他悟出的是不同领导者对于团队的影响作用;看《汉武大帝》,他思考的是如何对待个人的荣辱;看《千手观音》和《可可西里》,他诠释了华为文化的内涵;听《北国之春》和《喀秋莎》,他想到的是'我们每一个人的成功,都来自亲人的无私奉献,我们生活、工作和事业的原动力,首先来自妈妈御寒的冬衣,来自沉默寡言的父兄,故乡的水车、小屋、独木桥,还有曾经爱过你但已分别的姑娘……'"

1998年初,任正非在其文章《我们向美国人民学习什么》里这样写道:

我们在 IBM 整整听了一天管理介绍,对他们的管理模型十分欣赏,从早上一直听到傍晚,一点不觉累,听得津津有味。后来我发现朗讯也是这么管理的,都源自美国哈佛大学等著名大学的一些管理著述。

圣诞节美国处处万家灯火,我们却关在硅谷的一家小旅馆里,点燃壁炉,三天没有出门,开了一个工作会议,消化了我们访问的笔记,整理出一叠厚简报准备带回国内传达。我们只有认真向这些大公司学习,才会使自己少走弯路,少交学费。IBM 是付出数十亿美元直接代价总结出来的,他们经历的痛苦是人类的宝贵财富。

任正非的青年时代是在"文革"中度过的,而这也是他价值观形成的关键时期。如果了解任正非的成长经历,就可以清楚地看到,青少年时期对这些发明家和科技先贤的崇拜与景仰是任正非选择的一个重要因素。

任正非在其文章《我的父亲母亲》一文中这样写道:

1967 年重庆武斗激烈时,我扒火车回家。因为没有票,还在火车上挨过上海造反队的打。我说我补票,也不行,硬把我推下火车,也挨过车站人员的打。回家还不敢直接在父母工作的城市下车,而在前一站青太坡下车,步行十几里回去,半夜回到家,父母见我回来了,来不及心疼,让我明早一早就走,怕人知道,受牵连,影响我的前途。爸爸脱下他的一双旧翻毛皮鞋给我,第二天一早我就走了,又回到枪林弹雨的重庆。父母总以为枪林弹雨,没有政治影响可怕。临走,父亲说了几句话:"记住知识就是力量,别人不学,你要学,不要随大流"。"学而优则仕是几千年证明了的真理"。"以后有能力要帮助弟妹"。背负着这种重托,我在重庆枪林弹雨的环境下,将樊映川的高等数学习题集从头到尾做了两遍,学习了许多逻辑、哲学……还自学了三门外语,当时已到可以阅读大学课本的程度。

"知识就是力量。别人不学你要学,不要随大流。"任正非父亲几十年前说过的这句话一直在影响任正非,也通过任正非影响了华为。

华为前人力资源部副总裁吴建国在其著作《华为的世界》中这样写道:"任正非是一个读书狂,每年读的书比华为那些二三十岁的年轻人读的书还多。1996年春节前夕,任正非让公司买了数千本原联想公司企划办主任陈惠湘写的《联想为什么》,在讲话中也经常引用柳传志的那句名言:'撒上一把土,夯实了,再撒上一把,再夯实。'

"1998 年,任正非又送给华为副总监以上的高层管理者一本施振荣著的《再造宏基》;当时这本书在内地还没有出版发行,他是专门从香港买回来的台湾版。当华为培训中心请他推荐学习参考书的时候,任正非就将英特尔前任 CEO 安迪·格鲁夫那本著名的《只有偏执狂才能生存》介绍给他们。在推动华为变革管理过程中,

任正非也经常引用格鲁夫的经典名言：'世界上唯一不变的就是变化。'

"2002年的时候，华为总裁的办公室内经常会突然传出一阵震耳欲聋的'噪音'。外边的人仔细听，才能辨别出办公室里面有人正在朗读英语。虽然任正非的英语发音实在是不敢恭维，但他的那股子精神却难能可贵。任正非在一次公司总裁办公会议上就说：'几年之后，华为董事会的官方语言一定是英语。'话外的意思就是，我这么一大把年纪还学英语，你们这些年轻人就自己看着办吧。每次与国际著名企业高层的交流也是任正非不愿错过的学习机会。"

同时，任正非也非常注重华为员工的学习，华南理工大学教授、博士生导师陈春花在其文章中这样写道："真正的领导者注重对组织和管理的理解，更注重组织和管理对人才能力发挥的作用，通过不断学习和持续改进提高组织能力。为将来培养技能和人才，创造一个不断学习的组织，正是他们的出发点。一方面，建立人与人之间可相互学习的途径，鼓励相互指导、相互帮助和学习；另一方面，投入时间及精力为组织未来的经营培养技能。他们不会局限于达到目前的目标，而是将视野放大到未来目标所需要的能力上，并创造条件帮助员工去获得这些决定未来的能力。他们不断努力提高组织内成员的能力，善于学习他人（或竞争对手）的经验，寻求对完善自我有利的外部挑战；同时推进创新精神以求发展，激发个人好奇心和不断学习的欲望。"

 第三节　拒绝诱惑

管理大师彼得·德鲁克曾说过："没有一家企业可以做所有的事情。即使有足够的钱，它也永远不会有足够的人才。"

世界500强企业中有很多都是能够集中优势和力量的"专才"。微软是软件专才，"可口可乐"是饮料专才。任正非的华为同样也只专注于一个领域。任正非认为走稳健的、专业化的道路才是华为的大战略。任正非的指导思想是：要有所为有所不为，只做自己最擅长的事，只进入最高附加值的领域。任正非在其文章《创新是华为发展的不竭动力》中这样写道：

从创建到现在华为只做了一件事，专注于通信核心网络技术的研究与开发，始终不为其他机会所诱惑。敢于将鸡蛋放在一个篮子里，把活下去的希望全部集中到一点上。华为从创业一开始就把它的使命锁定在通信核心网络技术的研究与开发上。

1992 年，华为的交换机批量进入市场，当年产值达到 1.2 亿元，利润则过千万，员工超过 100 人。这个阶段，正是证券市场和房地产市场繁荣的时候，不过华为没有卷入，任正非事后强调：

我们认为未来的世界是知识的世界，不可能是这种泡沫的世界。

任正非将所得投入到容量更高的 C&C08 交换机中。

经历了 20 世纪末的互联网浪潮，华为的规模扩张的加速度达到了最高值。到 2001 年，华为的营业收入达到 162 亿元，居国内通信设备商之首，国外巨头企业已视华为为强劲对手。华为从 1996 年开始进入国际市场，1999 年到 2002 年海外市场年销售额的复合增长率达到了 133%。2003 年年初，思科以知识产权侵权的名义起诉华为，尽管这起诉讼已达成和解，但仍然说明华为已经足以令其国际对手紧张。

动态竞争学创始人陈明哲在 2007CEO 年会上说，"凡是战略，都是专注，凡是执行都是坚持。"任正非对此心有灵犀，专注是华为的一种强大力量。

专注是一种很强大的力量。在《华为公司基本法》第一条规定：

为了使华为成为世界一流的设备供应商，我们将永不进入信息服务业。通过无依赖的市场压力传递，使内部机制永远处于激活状态。

"永不进入信息服务业"这条规定使得华为很多人在当时对于任正非提出的

这个规定深表不解。他们认为，信息服务不仅可以促进企业有形产品的销售，而且本身也具有很大的市场空间，甚至可以超过所谓传统的硬件设备收入。这在华为内部引起了激烈的争论，任正非认真地聆听了大家的意见，直到建议删去这条限制成为主流意见时，他终于站出来对这条自己亲手加上去"永不进入信息服务业"的限制做出辩护。

我们把自己的目标定位成一个设备供应商，我们绝不进入信息服务业就是要破釜沉舟，把危机和压力意识传递给每一个员工。

进入信息服务业有什么坏处呢？自己运营的网络，卖自己的产品时内部就没有压力，对优良服务是企业生命的理解也就会淡化，有问题也会推诿，这样是必死无疑。我们这样先置于死地，也许会把我们逼成一流的设备供应商。

任正非的这条限制传递出了这样的意愿：华为只有无比专注地通过来自竞争的压力来不断提升自己，才能最终成长为世界级的企业，而这是唯一的道路，没有捷径。这或许可以被看做是任正非对于如何成为"世界级领先企业"的最原始、最根源性的思考。

在任正非眼里，红舞鞋虽然很诱人，就像电信产品之外的利润，但是企业穿上它就脱不了，只能在它的带动下不停地舞蹈，直至死亡。因此任正非以此告诫下属要经受其他领域丰厚利润的诱惑，不要穿红舞鞋，要专注于公司的现有领域。

华为高增长的动力最主要来自其内部。华为做事专心，集中精力于电信设备市场，不进行非相关多元化；而进攻性的研发和市场营销战略是华为高速增长的两架发动机。在中国的大型民营企业当中，华为是为数不多的几个坚持走专业化道路的公司之一。虽然华为也曾涉足与电信设备相关的如电气安圣电气、网络设备H3C及终端业务等其他行业，但这些活动从未动摇企业对电信设备市场的投入。

著名管理专家和并购专家王育琨在其文章中这样评价道：许多公司垮下去，不是因为机会少，而是因为机会太多、选择太多。太多伪装成机会的陷阱，使许多公司步入误区而不能自拔。机会，就是炙手可热的战略资源。但是，并不是所有的战略资源都可以开发成战略产业。有些战略资源能够形成战略产业，有些战略资源则只能为资本运作和战略结盟提供题材和想象空间，却不适于作为一种战略产业来经营。只有那些特别冷静的战略制定者，才不会被冲动和狂热牵着走，才会避开那些伪装成机会的陷阱。中国企业的战略资源本来就不多，战略失误将流失最宝贵的战略资源。任正非有自知之明。他善于区分伪装成机会的陷阱和装扮成陷阱的机会。

抵挡诱惑也逐渐成为任正非后下一代企业领袖的一种能力。巨人投资董事长史玉柱也曾说过，"我觉得最大的挑战不在于能不能发现机遇和把握机遇，最大的挑战是能不能抵挡诱惑。"正泰集团董事长南存辉也曾说过类似的话："尽可能要挡住诱惑，学会说不，一旦有一点成绩之后，很多人会追捧你，会表扬你，很多人需要你做得更大，会给你更多的机会，这个时候往往是很难把握自己。"

阿里巴巴在创业早期就基本确定了企业的长期战略，并始终按照战略在诱惑横行的互联网行业做着大舍大得的抉择。阿里巴巴集团 CEO 马云说道："一个人要成功，首先想好自己到底想要干什么，能够干什么，然后才能摆脱各种诱惑"。"我觉得一个企业最重要的是耐得住寂寞，挡得住诱惑"。阿里巴巴集团 CEO 马云认为所有的成功都是抵抗诱惑的结果，其实对于大多数人来说做成事情与不做成事情，能否抵抗诱惑也很重要。

第四节　注重内省

毛泽东曾经这样强调自我批评的重要性，他说："认真的自我批评，也是我们和其他政党互相区别的显著的标志之一。"他将自我批评作为一种思想武器和改造手段，彰显出一个政党的特点。华为总裁任正非曾是"毛泽东思想"的学习标兵，他将自我批评转化为华为的管理思想，搭配了管理人员必须要具备"在自我批判中进步"的观念。

在华为的内部，还有例行的民主生活会，不变的主题就是批评与自我批评。

据任正非所言：

"我们一定要推行以自我批判为中心的组织改造和优化活动。自我批判不是为批判而批判，也不是为全面否定而批判，而是为优化和建设而批判。总的目标是要提升公司整体核心竞争力。"

任正非是一个敢于自我否定并把自我否定作为一种领导者关键气质的人。自我批判不是今天才有，几千年前的曾子"吾日三省吾身"；孟子"天将降大任于斯人也，必先苦其心志，劳其筋骨，饿其体肤，空乏其身，行拂乱其所为，所以动心忍性，增益其所不能"；毛泽东同志在写文章时，要求"去粗取精、去伪存真、由表及里、由此及彼"，都是自我批判的典范。没有这些自我批判，就不会造就这些圣人。

任正非在其文章《为什么要自我批判》中写道：

华为还是一个年轻的公司，尽管充满了活力和激情，但也充塞着幼稚和自傲，我们的管理还不规范。只有不断地自我批判，才能使我们尽快成熟起来。我们不是为批判而批判，不是为全面否定而批判，而是为优化和建设而批判，总的目标是导向公司整体核心竞争力的提升。

这些年来，公司在《华为人》《管理优化》、公司文件和大会上，不断地公开自己的不足，披露自己的错误，勇于自我批判，刨松了整个公司思想建设的土壤。这为公司全体员工的自我批判，打下了基础。一批先知先觉、先改正自己缺点与错误的员工已经快速地成长起来。

我们处在 IT 业变化极快的十倍速时代，这个世界上唯一不变的就是变化。我们稍有迟疑，就谬之千里。故步自封，拒绝批评，扭扭捏捏，就不止千里了。我们是为面子而走向失败，走向死亡，还是丢掉面子，丢掉错误，迎头赶上呢？要活下去，就只有超越，要超越，首先必须超越自我；超越的必要条件，是及时去除一切错误。去除一切错误，首先就要敢于自我批判。古人云：三人行必有我师，这三人中，其中有一人是竞争对手，还有一人是敢于批评我们设备问题的客户，如果你还比较谦虚的话，另一人就是敢于直言的下属、真诚批评的同事、严格要求的领导。只要真正地做到礼贤下士，没有什么改正不了的错误。

真正的科学家，他的一生就是自我批判的一生，他从不满足于现阶段的水平，不断地深究、探索。当一个科学家要退休时，你问他他的成果怎样，他滔滔不绝说的是存在的问题、改进的方向、以后要达到的目标——他就是在自我批判。没有自我批判，我们的 08 机早就地死亡。正因为我们不断地否定，不断地肯定，又不断地否定，才有今天暂存的 C & C08iNET 平台。如果有一天我们停止自我批判，iNET 就会退出历史舞台。

如果没有长期持续的自我批判，我们的制造平台就不会把质量提升到 20PPM。中国人一向散漫、自由、富于幻想、不安分、喜欢浅尝辄止的创新。不愿从事枯燥无味、日复一日重复的枯燥工作，不愿接受流程和规章的约束，难以真正职业化地对待流程与质量。没有自我批判，克服中国人的不良习气，我们怎么能把产品造到与国际一样高水平，甚至超过了同行。他们这种与自身斗争，使自己适应如日本人、德国人一样的工作方法，为公司占有市场打下了良好基础。如果没有这种国际接轨的高质量，我们就不会生存到今天。

任正非并不在意否定自己的错误，而把它看做是一种提高。1998 年，他在一次视察工作的时候问人们："你们知道不知道，我为什么比你们水平高？"大家都被这个问题给问愣了，任正非自我解答道："原因就是我能够从我的每一次经历，不论是成功或是失败中，汲取到比别人多一点点的东西。因为我经历的事情比你们多，而每一次的收获也比你们多，我的水平也就自然会比你们高。"

任正非曾被问到一个问题：您对华为人最大的期望和要求是什么？他说，华为人要有自我批判精神。他希望华为人"每日三省吾身"，要意识到自己的不足，并不断地加以改进，不断地优化。而作为华为的中高级管理干部，更应该具有自我批判的精神。

任正非要求，对不同级别的干部有不同的要求，凡是不能使用自我批判这个武器的干部都不能提拔。自我批判从高级干部开始，高级干部每年都有民主生活会，民主生活会上提的问题是非常尖锐的。任正非在其文章《华为的冬天》中这样写道：

    我希望这种精神一直能往下传，下面也要有民主生活会，一定要相互提意见，相互提意见一定要和风细雨。我认为，批评别人应该是请客吃饭，应该是绘画、绣花，要温良恭俭让。一定要把内部的民主生活会变成有火药味的会议，高级干部尖锐一些，是他们素质高，越到基层应越温和。事情不能指望一次说完，一年不行，两年也可以，三年进步也不迟。我希望各级干部在组织自我批判的民主生活会议上，千万要把握尺度。我认为人是怕痛的，太痛了也不太好，像绘画、绣花一样，细细致致地帮人家分析他的缺点，提出改进措施来，和风细雨式最好。我相信只要我们持续下去，这比那种急风暴雨式的革命更有效果。

    华为的意志虽然统一于任正非个人的意志，但任正非的自我批判精神使得他能够不断跨越成功的陷阱，保持决策的正确性，并避免个人决策可能给组织带来的决策风险。任正非同样要求其接班人要具有自我批判的能力。任正非在 GSM 鉴定会后答谢词中表示：

    一个企业长治久安的基础，是它的核心价值观被接班人确认，接班人具有自我批判能力。华为公司从现在开始一切不能自我批判的员工，将不能再被提拔。3 年以后，一切不能自我批判的干部将全部免职，不能再担任管理工作。通过正确引导，以及施加压力，再经过数十年的努力，将会在公司内形成层层级级的自我批判风气。组织的自我批判，将会使流程更加优化，管理更加优化；员工的自我批判，将会大大提高自我素质。成千上万的各级岗位上具有自我批判能力的接班人的形成，就会使企业的红旗永远飘扬下去，用户就不会再担心这个公司垮了，谁去替他维护。

    在干部选拔原则方面，华为同样把自我批判能力作为选拔干部的先决条件。
    为什么华为这样强调干部的自我批判能力？华为认为，一个优秀的管理者造就其优秀的真正能力是其接受新事物、新观念，去除旧观念、旧的思维模式和过时的心智模式的能力。这种能力实质上就是自我批判的能力，有了这种能力才能去除自身不符合公司价值导向的价值观，心甘情愿地接受公司核心价值观的约束，并按公司的价值导向重塑自我。

自我批判的能力，实质上也是一个人自我领导、自我管理的理智力、自律力和内在控制力。通过理智的引导进行自我剖析，重新审视自我的愿景、价值观和心智模式。自我批判的过程就是一个思想上、观念上去糟粕、纳精华，进而不断升华和成长的过程。这是人生从"必然王国"到"自由王国"的过程，是到达随心所欲而不逾矩境界的必由之路。

《华为公司基本法》起草人之一彭剑锋这样分析道："华为的意志虽然统一于任正非个人的意志，但任正非的自我批判精神使其能够不断跨越成功的陷阱，保持决策的正确性，并避免个人决策可能给组织带来的决策风险。"任正非多次提出："必须自我批判、迅速调整、改正一切需要改正的错误，否则早就被逐出市场"，"没有自我批判，克服中国人的不良习性，我们怎么可以把产品造到国际水平，甚至超过同行"，"华为公司会否垮掉，完全取决于自己，一是核心价值观能否让我们的干部接受，二是能否自我批判"。随着华为公司日益做大，华为人给外界的印象是自我感觉太良好，他们的危机意识和自我批判精神仅体现在任正非个人身上，尚未升华为全体华为人的共识与行为。

同时，一个具有自我批判精神的公司一定是开放而透明的，与社会是良性互动的，是敢于坦然面对公众和媒体的。而华为长期以来刻意的低调虽然有其合理性，但随着公司规模越来越大，其负面作用逐渐凸显。

 # 第五节　爱国精神

泽道法师曾这样说道："当企业进入成长与聚合阶段时，企业家通常会考虑改善生活质量，比如提升自身和员工的素质修养、注重在市场中树立品牌和口碑、形成自己稳定的客户群等。在这个阶段会有很大的成就感，眼界、财富和地位都会有很大提升，是初见曙光，苦去甘来，充满成功和幸福快乐的。但当企业进入成熟阶段，就要考虑如何做大做强，如何创造市场的需求，也就是如何延续企业的'生命'。

"关于这一点，可以以日本经营之神松下幸之助作为参考，他把宗教与经营结合，也就是精神与物质相结合。他曾说过：'经营的第一理想应该是贡献社会。'以社会大众为企业发展考虑的前提，才是最基本的经营秘诀。企业如同宗教，宗教的宗旨是指导人们解脱精神烦恼，享受人生幸福，是精神层面的；企业经营的宗旨是无中生有，除贫造富，是关注物质层面的。企业经营与宗教一样，能做到为百姓着想，也是神圣的事业。"

到了任正非这种高度，更多的想到了背负更多的社会责任。

经济越来越不可控，如果金融危机的进一步延伸爆炸，货币急剧贬值，外部社会动荡，我们会独善其身吗？我们有能力挽救自己吗？我们行驶的航船，员工会像韩国人卖掉金首饰救国家一样，给我们集资买油吗？历史没有终结，繁荣会永恒吗？

2011 年 12 月，任正非这样问道。

华为早期走的是代理产品的路线，但几年之后，华为总裁任正非很坚决地转变了线路，转而开始自主研发产品。任正非后来解释自己早期的这一次转型的原因的时候说：

外国人到中国是为赚钱来的，他们不会把核心技术教给中国人，而希望我们引进、引进、再引进，企业始终也没能独立。以市场换技术，市场丢光了，却没有哪样技术被真正掌握了。而企业最核心的竞争力，其实就是技术。

军人出身的任正非似乎天生具有比一般人更加强烈的爱国热情和保卫领土的敏感和决心，而他在那个时候能够认识到"技术是企业的根本"，便从此和"代理商"这个身份告别，踏上了企业家的道路。

在《华为公司基本法》的定稿过程中，有一个细节充分地反映出任正非对中国文化精髓领悟之深。这就是关于华为的"凝聚力"源泉。最初的表述是："爱祖国、爱人民是我们凝聚力的源泉。"任正非亲自在后面加上了"爱公司、爱自己的亲人"。他解释说：

> 我这个人的思想是灰色的，我爱祖国、爱人民，但我也爱公司、爱自己的亲人，我对自己子女的爱，总还是胜过对一般员工的爱。这才是实事求是，实事求是才有凝聚力。公司一方面使员工的目标远大化，使员工感知他的奋斗是与祖国的前途、民族的前途联系在一起的；另一方面，公司坚决反对空洞的理想。要培养员工从小事开始关心他人，要尊敬父母，帮助弟妹，对亲人负责……实事求是合乎现阶段人们的思想水平。

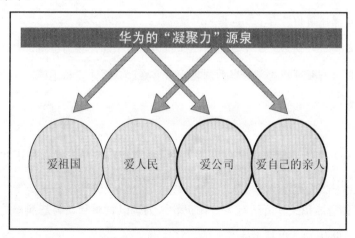

任正非在向中国电信调研团的汇报以及在联通总部与处级以上干部座谈会上发言时说道：

> 培养员工从小事开始关心他人。要尊敬父母，帮助弟妹，对亲人负责。在此基础上关心他人。支持希望工程，寒门学子，烛光计划……平时关心同事，以及周围有困难的人，修养自己。
>
> 只有有良好的个人修养，才会关怀祖国的前途。

我们培养员工从小事关心他人，关心自己的亲人，帮助我们的亲人就是帮助我们的国家。只有有良好的个人修养，才会关怀祖国的前途。一个连父母、家庭都不爱的人，爱天下未免缺乏真实感。什么时候你是个中国人呢？当你在任何时候看到中国取得的巨大成就落泪时，你就是个中国人了。北大校庆时，江泽民主席在台上讲话，下面众多老北大人流泪时，我觉得他们是真正的中国人。只有站在国家的高度去思考问题，才是真正的中国人。

任正非在其题为《致新员工书》的讲话中谈道：

公司要求每一个员工要热爱自己的祖国，热爱华为这个多灾多难、刚刚开始振兴的企业。只有背负着他们的希望，华为才可进行艰苦的搏击而无怨言。华为总有一天会在世界通信的舞台上，占据一席位子。

任何时候、任何地点都不要做对不起祖国、对不起民族的事情。要严格遵守公司的各项制度与管理。对不合理的制度，只有修改以后才可以不遵守。不贪污，不盗窃，不腐化。

近年来，在物质比较丰富以后，某些人的道德观开始滑坡，任正非希望华为人能够抵御住各种诱惑，保持良好的道德底线和高尚情操。这与任正非本人强烈的爱国主义精神和民族情结有关。任正非认为，以物质利益为基准，是建立不起一个强大的队伍的，也是不能长久的。任正非表示：

我们坚定不移地反对富裕起来以后的道德滑坡、庸俗的贪婪与腐败，不管他职务高低。我们要重塑新时代的民族精神，为伟大祖国的振兴而贡献青春与年华。

任正非在其题为《华为的红旗到底能打多久》的讲话中谈道：

必须使员工的目标远大化，使员工感知他的奋斗与祖国的前途、民族的命运是连接在一起的。

　　在华为公司，物质文明和精神文明是并存的。我们认为企业的发展不能以利益来驱动，君子取之以道，小人趋之于利，以物质利益为基准，是建立不起强大的队伍的，也是不能长久的。农民革命、个体户、一些小公司的一些经营行为都是以利益为驱动，这都是不能长久的。所以必须使员工的目标远大化，使员工感到他的奋斗与祖国的前途、民族的命运是连在一起的。为伟大祖国的繁荣昌盛，为中华民族的振兴，为自己与家人的幸福而努力奋斗。我们提倡精神文明，但我们常用物质文明去巩固。这就是我们说的两部发动机，一部为国家，一部为自己。

　　任正非作为一名优秀的企业家，一名有着深厚的民族情感、强烈的爱国意识的企业领导人，他的政治意识非常强，热爱祖国、拥护共产党是他最基本的做人准则，也是他对公司员工的最基本要求。然而他又禁止员工参与到政治事件中。

第六节　洞察能力

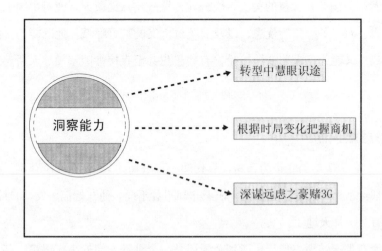

　　企业家（entrepreneur）一词源于法文 entreprendre，意思是敢于承担一切风险

和责任，能够开创并领导一项事业的人。据此，能称之为企业家的人必须具有特别的洞察能力、决策能力、组织能力等，以及由此所组成的综合性资质，能够善于运用赚钱手段、利用市场信息，发现机遇和抓住机遇，并精于作出战略决策。由此可见，敏锐的洞察力是企业家精神的最重要组成部分之一。

我国建立社会主义市场经济体制以后，民营经济迅速发展壮大起来，一大批民营企业家如雨后春笋般涌向市场经济的潮头浪尖。在 20 世纪 80 年代和 90 年代初，经常会听说一个只有小学文化的人用借来的几百元或几千元启动资金，在短短的几年内奇迹般地一跃成为身家几亿甚至几十亿的大富豪，又在制度日益规范的今天一个个消亡之类的故事。严格说，这些人其实算不上是真正意义的企业家。但是，能够从带领企业进军当时完全由外国人把持的高端路由器市场，到从农话网入手打开整个中国市场，再到孤注一掷，豪赌 3G 的任正非，硬是一步步做起，把华为带到今天的地位，其不俗的表现充分表现出了他作为一个民营企业家超群的洞察力。

著名管理专家和并购专家王育琨在其文章中这样评价道："一个历经人生冷暖的灵魂，从最低的山谷，走到了人生的正午，避开喧闹，获得一种静观，看事、看人、看物都有了别样的视野。他常常根据企业、市场、大环境的发展，不时抛出凝聚着深刻洞见和教益的美文，说公司、谈战略、话做人。他对中国人素质教育的建言、对'冬天'的忧患，以及对英雄主义的旷野呼喊。他既能与一线员工保持共鸣，又能为广大公众所接受，有些思想甚至直接被国家领导人所熟悉和欣赏。"

转型中慧眼识途

任正非 1987 年创立华为公司，靠代理一家公司的 HAX 交换机获利。也许大多数人都会享受如此舒服地赚钱，任正非却不甘于此，他开始搞研发。自此以后，华为就有另一片天地了。

若没有那次转型，华为可能到今天还是一个默默无闻的小代理商，甚至有可能早就被人吞并。现在看起来，当时的这一转型，可以说彻底改变了华为今后的命运。然而任正非是基于什么考虑做出这一扭转华为命运的决定呢？通过对任正非的经历和他的文章的研究，就不难发现这一疑问的答案。

众所周知，任正非有扎实的通讯技术功底，在通信领域算是一个相当专业的人才。正是由于这点他才在经历了几次在商海中的失败之后，又做起了通讯这一老本行，创办了华为。单就这点就足以说明他对于通信产业在我国的发展是有深刻认知，并且很有信心的。但是从事一个有前途的行业仅仅是一个方向上的选择，关键是要决定具体怎么做。

从实际的发展来看，任正非先是选择了一条代理的道路，但是这并不是他最本意的选择。这从他的一篇文章表述中可以看出这点，他提到："中国改革开放初期，为了加快发展速度，不断地用优惠政策吸引外资，引进技术，一时间合资合作浪潮此起彼伏。而当时中国还处在一个由计划经济到社会主义市场经济的转型时期，许多的政策法规还不健全，国内工业体制、技术改造尚未完成，在这种情况下合资合作的结果是让出了大片市场。这种以市场换技术的代价太大了！"他还在一次讲话中说："外国人到中国是为赚钱来的，他们不会把核心技术教给中国人，而指望我们引进、引进、再引进，企业始终也没能独立。以市场换技术，市场丢光了，却没有哪样技术被真正掌握了。"

由任正非这些思想的流露，可以知道他之所以会选择独立搞研发生产，不仅是为了生存，更是作为一个爱国的共产党员，看到了中国需要关乎国家安全的本土通信产业的发展。但是做企业不是仅凭一腔热情就可以的。在当时的情况下，搞本土的通信产业必将在中国有巨大的潜力，也必将会得到政府的支持，可以说这才是推动任正非敢于一搏的真正动因。后来国家领导人多次视察华为和任正非多次随国家领导人出访，也充分地反映了这种支持。这就是他对商机的洞察力。

当然，这其中也是有很大风险的。因为虽然中国需要民族通信产业的发展，但是华为未必有能力扛起这面大旗。所以任正非当时的这一决定，也充分体现了哈佛大学教授霍华德·史提文森（Howard.H.Steveson）指出的企业家精神的实质就是在"不考虑当前控制的资源的情况下去追求机会"的一面。

根据时局变化把握商机

就像美国的戴尔电脑抓住网络的迅速兴起而一夜之间风靡全球一样，华为所实施的"和中国外交同步"的发展路线中也体现了其根据时局把握商机这一特点。例如1996年，叶利钦总统对中国进行国事访问，与江泽民主席主要就建立和发展中俄两国战略协作伙伴关系，加强两国在各领域的双边合作进行会谈。会后宣布两国将发展"平等信任、面向21世纪的战略协作伙伴关系"，并确定两国发展方向是"平等信任、睦邻友好、互利合作、共同发展"。这一战略协作关系的确定可以说对中俄关系的影响是巨大的，它充分说明中俄的长远利益具有很强的一致性。双方的互相合作与投资必将会得到各自政府的支持。任正非敏锐地捕捉到中俄两国关系这一重大变化中所隐藏的商机，随即加快与俄罗斯的合作。1997年华为与俄罗斯的合资公司贝托华为就开始启动。要说明的是，虽然就长远来看这一市场很有发展潜力，但当时俄罗斯人对中国并不很了解，也并非很信任。因此华为最初在俄罗斯市是遭受了很大的冷遇的。但是任正非坚信这一市场的潜力，七年如一日。经过华为人的努力，凭借先入为主的优势，现今的华为已发展成俄罗斯市场的主导电信品牌，俄罗斯也成为华为最重要的海外市场之一。

现在华为已是中国市场GSM设备、交换机产品的领导者。壮志满怀的任正非自然不会满足于仅驰骋在中国市场，哪里有市场，就会去哪里闯荡——任正非以低于竞争对手20%的价格在海外杀出一条血路。思科、朗讯、北电这些全球性的狼的后背陡然升起强烈的寒意！华为和任正非，成了中国土狼代名词！

深谋远虑之豪赌3G

可以说在华为发展3G上，任正非又一次表现出了超群的商机捕捉能力。20世纪90年代末，在2G还大行其道的时候，任正非就已经带领华为高层开始大胆地预期核心技术所带来的机会，并将研发目标瞄准3G。在他们看来，瞄准一种革命性的主流技术，在此之上明确自己研发的策略，可以给华为带来质的飞跃。

经过短暂的市场考察后，华为在俄罗斯、美国的研究所中开始了对WCDMA从芯片到系统的全系列规划。任正非对基于GSM的WCDMA技术方向深信不疑，甚至放弃了在 UT 斯达康、中兴通讯开始涉足小灵通之前就与日本京瓷公司进行的移动市话技术谈判。为了保证研发的成功，华为又一次几乎投入了自己所有"本钱"。据不完全统计，华为每一次芯片规划并投入生产的费用都超过 2000 万元人民币，在整个研发中累计投入超过 40 亿元人民币。华为北京研究所路由产品线总监吴钦明告诉《商务周刊》的记者说："两次选择对华为而言是历史性的……第二次就是豪赌 3G，华为的技术策略和研发方向开始寻求与市场的密切结合。"由此可见，这一举动对华为的影响之重要。

但是由于我国尚未发放 3G 牌照，使得华为研究出来的成果尚无法在国内落地。为此华为不得不转而开拓海外市场。华为 3Com 总裁郑树生告诉《商务周刊》记者："国内 3G 迟迟不公布发牌日期，加上华为在海外市场中 3G 的巨额投入，2002 年公司进入了发展中最为困难的时期。"然而寒冬是短暂的，到 2003 年年底，华为已经分别拿到了中国香港、荷兰以及毛里求斯的订单；2004 年，其总共拿到了 10 个"3G"的国际商用合同；而在 2005 年短短的 3 个月内，华为又先后签下了 5 个国际商用合同，其中 CDMA2000 的有 2 个。并且，随着国内 3G 牌照的发放，华为 3G 国内外两路同时走红已成为一个必然。

在整个豪赌 3G 的发展过程中，我们可以看到任正非两次里程碑式的选择。一次是选择发展 3G 本身。华为将 3G 作为未来的全部赌注在华为内部并非呼声一片。前华为副总裁李一男就有不同的见解。1998 年在接受《人民邮电报》记者采访时，他就表示："如果中国的通信企业在第二代移动通信上不能有所作为，很难想象他们在第三代上会有什么大的作为。"但是在任正非的坚持下，此事最终还是成型。另一个选择是放弃发展小灵通。后来，UT 斯达康和中兴在小灵通业务上的大获成功，似乎反映了任正非在这一选择上的失误。并且许多学者和媒体也都是这样评论的。然而，我们从当时的实际来看，小灵通本身没什么技术含量，而且并非符合整个通信技术的发展趋势。要想靠这种技术在国内市场上咸鱼翻身，从长远看是行不通的。而 3G 就不同了，作为新一代通信技术发展的核心，它能够为华为提供在全球树立一流通信设备供应商地位的机会。并且这种地位背后蕴藏的巨大商机，才是最吸引任正非的。

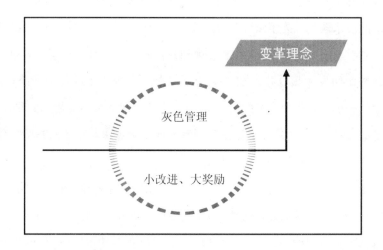

诺基亚的成功恰恰给了任正非这方面的启示。20 世纪 90 年代中期，诺基亚看好 GSM 技术前景，和华为对待 3G 一样将全部赌注都押在了这上面，研发体系完全以 GSM 为中心。当 GSM 市场真正到来时，诺基亚大获成功，取得今天如此牢固的市场地位也就不足为奇了。因此，从长远来看，相对于小灵通，华为在 3G 上的选择应该是更有潜力的。对于梦想把华为发展成为世界级电信设备供应商的任正非来说，他抓住了自己应该抓住的机会。

通过以上的分析，我们可以看到，任正非对于机会的把握能力是很强的。这主要得益于他对于通信市场的深刻认知，从一开始的转型到后来豪赌 3G 都显示了作为一个技术专家对于行业的判断，然后在此基础上把它和市场的发展相结合，发现市场机会。可以说任正非在这方面反映了我国许多技术型创业者的能力。另一方面他对外部环境变化的认知也是很强的，就和华为把国际市场作为自己主要发展方向的策略一样。有的学者明确地把这种对环境变化的把握能力作为企业家精神的体现之一。

第七节 危机意识

微软是世人公认的最伟大的成功企业之一，但是其创始人比尔·盖茨仍然不忘告诫他的员工：要时刻怀有"距离破产只有18个月"的危机感；中国目前盛名在外的海尔集团的CEO张瑞敏也这样阐述他的经营感受：永远战战兢兢，永远如履薄冰。海尔以永远的忧患意识追求永远的活力，实现海尔的螺旋式上升。

由此，我们发现，在每一个成功企业的背后，必定有一位充满忧患意识的领导者。在胜利的欢呼声里他最关心的不是企业获得了多么大的成功，而是殚精竭虑，思考企业离危机到底还有多远，如果企业面临那样的时刻该怎么办？

日本著名企业家松下幸之助在总结松下电器的成功经验时强调：长久不懈的危机意识是使企业立于不败之地的基础。任正非深以为然。他认为，失败这一天是一定会到来的，大家要准备迎接。即便不能避免这种危机，至少可以最大限度地避免企业受损。因此，华为需要的不仅仅是决策层、管理层和个别部门具有危机意识，还必须加强对员工危机意识的强化与培养。

2011年12月，任正非这样描述了自己这些年在创业中的感受：

从20世纪末到21世纪初，大约在2003年前的几年时间，我累坏了，身体就是那时累垮的。身体有多项疾病，动过两次癌症手术，但我乐观……

那时，要出来多少文件才能指导、约束公司的运行，那时公司已有几万员工，而且员工每天还在不断大量地涌入。你可以想象混乱到什么样子。我理解了，社会上那些承受不了的高管为什么选择自杀。问题集中到你这一点，你不拿主意就无法运行，把你聚焦在太阳下烤，你才知道CEO不好当。每天十多个小时以上的工作，仍然是一头雾水，衣服皱巴巴的，内外矛盾交集。

华为海外攻城略地、披荆斩棘的进程深刻地在任正非的身上打下烙印。军人出身的华为总裁任正非在公司理念上总是提到"奋斗"二字，且总是具有强烈的危机感。

华为的冬天来临了吗？

任正非喜欢用这样一句话提醒华为，并反复强调"活下去"和"出路"问题。因此华为的国际化，处处体现着一种拼搏到底的进攻劲。

为了达到强化员工危机意识的目的，任正非甚至将这一点作为一项战略纳入企业的发展规划中。在 1998 年出台的《华为公司基本法》中，有这样一条内容：

为了使华为成为世界一流的设备供应商，我们将永不进入信息服务业。通过无依赖的市场压力传递，使内部机制永远处于激活状态。

这一点在讨论会上曾引起了激烈的争论，当时多数人的意见是：信息服务不仅可以促进企业有形产品的销售，而且它本身也具有很大的市场空间，其收入甚至可以超过所谓传统的硬件设备收入。有人还举出了 IBM 这样国际领先的 IT 企业同时提供信息咨询服务的例子，来阐述华为没有必要限制自己潜在的发展机会。

任正非却以他过人的说服力和超乎常人的视野，最终说服了大多数人。

《史记》中记载了"项羽破釜沉舟"的典故：项羽前锋军救巨鹿，初战失利，他便率大军渡过漳河，破釜沉舟以激励士气。最终他杀苏角，掳王离，大败秦军于巨鹿之野。

于是，世人便以"破釜沉舟"来表示下定决心，义无反顾。

任正非要求每一个华为人也要做到"破釜沉舟"，只有这样，华为才能因来自竞争的压力而无比专注地不断提升自己，才能在强者如云的国际市场竞争中得以生存，并最终成长为世界级的企业。

通过《华为公司基本法》，任正非将危机意识融入华为的企业文化中，让员工时时刻刻都能感受到一种山雨欲来的紧张气氛；引导员工不要只看着国内，而要向国际竞争对手看齐，从而达到遏制部分员工和管理人员因公司高速成长而滋生的盲目乐观情绪。

与此同时，华为发动了一次震惊业界的群众运动——市场部领导集体辞职大会，让员工意识到自身在企业内面临的危机，并在具体管理手段上加强危机意识管理。

1995 年，由于华为在 C&C08 交换机上的技术突破，华为的产品开始向市场大面积渗透。当年华为的年度销售额达到了 15 亿元，进入了高速发展阶段。这个时候，公司管理水平低下的问题逐渐暴露出来，成为制约华为继续发展的瓶颈。

当时华为面临的也正是大多数中国企业经历过的：创业期涌现的一批个人英雄，他们的职位越升越高，工资只能越升越高。但是越往上公司所能提供的发展空间越小，于是一方面，一些元老开始丧失创业时的激情，人浮于事。而另一方面，这些创业元老们领导下的员工也有很大意见，工作积极性受到了很大影响。任正非认为，必须让大家全部"归零"，并通过竞聘上岗，有能力的继续上，没能力的、跟不上形势需要的，转换岗位或下岗，既能体现出用人管理上的"公平"，又能给各岗位上的华为人敲响警钟。

1996 年 2 月，由分管市场的华为副总裁带领 26 个办事处主任同时向公司递交了两份报告——一份辞职报告；一份述职报告。由华为视组织改革后的人力需要，决定接受哪一封。而任正非在会上称："我只会在一份报告上签字。"

在此之前，任正非又专门作了动员讲话：

为了明天，我们必须修正今天。你们的集体辞职，表现了大无畏的毫无自私自利之心的精神，你们将光照华为的历史！

华为整训工作会议历时整整一个月，接下来就是竞聘上岗答辩，华为根据个人实际表现、发展潜力及公司发展需要进行选拔。包括市场部代总裁毛生江在内的 30% 的干部被调整下来。

这种野火般激烈的调整方式在后来虽颇受争议，但在当时确实达到了任正非所想要的效果。

2000 年 1 月，任正非在"集体辞职"4 周年纪念讲话中，对市场部集体辞职事件给予了高度的评价：

> 市场部集体大辞职，对构建公司今天和未来的影响是极其深刻和远大的。任何一个民族，任何一个组织只要没有新陈代谢，生命就会停止。如果我们顾全每位功臣的历史，那么就会葬送公司的前途。如果没有市场部集体大辞职所带来的对华为公司文化的影响，任何先进的管理、先进的体系在华为都无法生根。

从某种意义上说，任正非有着"偏执狂"般的执著，他希望通过强大的防范力，将市场压力持续地传递下去，使华为内部机制永远处于激活状态，永远保持灵敏和活跃。他坚信一个人或一个公司永远像野猫一样，处于被激活状态比什么都重要。唯有这样，华为才能活下去，进而才能在国际市场上迅速成熟和成长起来。

华为强烈的危机意识，也许应了"哀兵必胜"的话。他们清醒地认识到危机的存在，也在采取措施积极地防范。这种危机感和预先行动，体现了狼敏锐的感觉和强烈的生存意识。

任正非在这篇内部讲话稿中写道：

> 10 年来我天天思考的都是失败，对成功视而不见，也没有什么荣誉感、自豪感，而是危机感。也许是这样才存活了 10 年。

这种危机感让他总是把目光投向更远的地方，也总是能够领先别人一步。任正非说，唯有惶者才能生存，只有具备忧患意识的企业才能在市场中长久生存。

所幸，任正非既具预见"华为的冬天"的远见力和敏锐力，同时也具备推行改革的决心和毅力，在一大批华为功臣的质疑声中开始了轰轰烈烈的改革之路。当真正的 IT 的冬天到来之时，华为已经能够坦然而从容地迎接"冬天"，甚至还将"冬天"作为企业进一步成长的良机。从这一点来说，任正非早已具备了作为一个企业领袖所必需的预见力和改革力。虽然自 2000 年任正非本人开始退居幕后，但是他的精神和管理思想较之 2000 年之前更深入人心，完成了一个企业家从思想上对企业的至高领导。

正是因其危机感，华为的改革才更为彻底。变革的主要力量源泉在于企业家，这是永恒的第一推动力。作为心存高远的企业家，在面临着生存和发展的挑战面前，唯一的选择是在有限的空间，利用有限的资源，发挥无限的创新精神，谋求一种有限的平衡；在顺应外部变化的同时，依靠企业的自身机制力量，谋求生存和发展，积累资源、储蓄能量，以面对未来更大的挑战。

第14章

启示篇

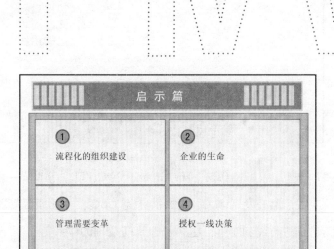

启 示 篇

①	②
流程化的组织建设	企业的生命
③	④
管理需要变革	授权一线决策

中国历史上失败的变革都是因操之太急，展开面过大，过于僵化而失败的。华为公司 20 年来，都是在不断改良中前进的，仅有少有的一两次跳变。我们在变革中，要抓住主要矛盾和矛盾的主要方面，要把握好方向，谋定而后动，要急用先行、不求完美，深入细致地做工作，切忌贪天功为己有的盲动。华为公司的管理，只要实用，不要优中选优。天将降大任于斯人也，我们要头脑清醒，方向正确，踏踏实实，专心致志，努力实践，融入大洪流，必将在这个变革中，获得进步与收获。

——华为总裁　任正非

 # 第一节　流程化的组织建设

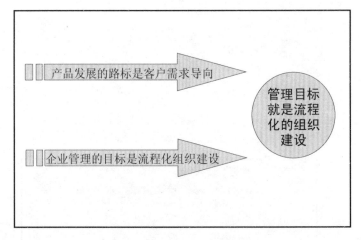

从 1997 年起，华为同 IBM、HayGroup、PwC、FhG 等世界一流管理咨询公司合作，在集成产品开发（IPD）、集成供应链（ISC）、人力资源管理、财务管理、质量控制等方面进行深刻变革，建立了基于 IT 管理的体系。

华为展厅上展示的两句话仍是："产品发展的路标是客户需求导向；企业管理的目标是流程化组织建设。"这已经成为华为创新的核心价值观。至于为什么企业管理目标就是流程化的组织建设，任正非在欧洲地区部财经管理干部培训班上说道：

　　今天大家进行管理能力的培训，和 IPD、ISC、CMM……以及任职资格和绩效考核体系一样，都是一些方法论，这些方法论是看似无生命实则有生命的东西。它的无生命体现在管理者会离开，会死亡，而管理体系会代代相传；有生命则在于随着我们一代一代奋斗者生命的终结，管理体系会一代一代越来越成熟。因为每一代管理者都在我们的体系上添砖加瓦。所以我们将来留给人类的瑰宝是什么，以前我们就讲过华为公司什么都不会剩下，就剩下管理。为什么？所有产品都会过时，被淘汰掉；管理者本人也会更新换代，而企业文化和管理体系则会代代相传。因此我们要重视企业在这个方面的建设，这样我们公司就会在奋斗中越来越强，越来越厉害。刚才有人提问不理解 IPD、ISC 有什么用，这是认识的问题。

　　IPD——"Integrated Product Development"（即集成产品开发），是一套关于产品开发的先进思想、成熟模式和科学方法，其主要内容由"市场管理流程"和"产品开发流程"两部分组成。市场管理流程：企业运用严格、规范的方法对市场走势及客户的需求进行科学的细分，并对要投资和取得领先地位的市场进行选择和排序。从业务流程的角度定义出发，企业制定确保业务取得成功所需要的执行活动，从而使可赢利、可执行的业务计划和新产品开发流程能够将各项举措成功地付诸实施。IPD 产品集成开发起源于 20 世纪 90 年代的西方管理界和企业界。1998 年始，IPD 传入中国，首先被华为在企业内成功实施；随后 IPD 又被中兴、海尔、联想、康佳、方太等国内知名企业相继引进并成功实施。

　　华为与 IBM 开展合作，引入国际流行的成熟而规范的产品开发模式 IPD 集成产品开发系统。IPD 的目标是建立基于市场和客户需求驱动的集成产品开发流程，将产品开发作为一项投资来更有效地管理，以此加快市场反应速度，缩短开发周期，减少报废项目，提高产品的稳定性、可生产性、可维护性。

　　历经 10 年的持续投入，华为已建立了完备的基于 IPD 的流程化组织，IPD 流程也在产品生产中成熟应用。华为研发体系普遍实施 IPD-CMM 管理，并于 2003

年 8 月正式通过 CMM（软件成熟度模型）五级国际认证。这说明华为的软件开发过程管理和质量控制能力，已达到业界最高水平。而 CMMI 是在 CMM 的基础上，增加了集成的产品和过程开发（IPPD）等流程，也适用于硬件的开发。

IBM 公司为华为设计的 IPD 和 ISC 流程更是华为主流程国际化的标志，该流程是华为整体竞争力的源泉，也是华为走向全面国际化的体制保障。这两个流程的成功引进是华为国际化进程中的一个里程碑。

为什么我要认真推 IPD、ISC？就是摆脱企业对个人的依赖，使要做的事，从输入到输出，直接端到端，简洁并控制有效地连通，尽可能地减少层级，使成本最低，效率最高。就这么简单一句话：要把可以规范化的管理都变成扳铁路道岔，使岗位操作标准化、制度化。就像一条龙一样，不管如何舞动，其身躯内部所有关节的相互关系不会改变。龙头就如营销，它不断地追寻客户需求，身体就随龙头不断摆动，因为身体内部所有的相互关系都不变化，使得管理简单，成本低。我们要按流程来确定责任、权利以及角色设计，逐步淡化功能组织的权威，组织的运作更多的不是依赖于企业家个人的决策。

 ## 第二节　企业的生命

对于华为总裁任正非来说，1998 年是他个人管理风格转型的一个重要分水岭。在这一年，受世人瞩目的《华为公司基本法》刚刚出台，但在任正非看来《华为公司基本法》是一次对华为过去成功经验的总结。事实上，任正非这时已经瞄上了著名的国际商用机器公司（IBM）的流程化管理经验，多次的出国访问也促使他对于"建立华为职业化管理体系"的想法逐渐成形。在自觉不自觉中，任正非将自己的角色从一个管理者向"领导者"过渡。

企业的生命不是企业家的生命。西方已实现了企业家的更替，却不影响企业的发展。中国一旦没有企业家了，随着他的生命结束，企业的生命也结束了。就是说中国企业的生命就是企业家的生命，企业家死亡以后，这个企业就不再存在，因为他是企业之魂。一个企业的魂如果是企业家，这个企业就是最悲惨、最没有希望、最不可靠的企业。如果我是银行，绝不给他贷款。为什么呢？说不定明天他坐飞机回来就掉下来了，你怎么知道不会掉下来。因此我们一定要讲清楚企业的生命不是企业家的生命，为什么企业的生命不是企业家的生命？就是我们要建立一系列以客户为中心、以生存为底线的管理体系，而不是依赖于企业家个人的决策制度。

这个管理体系在它进行规范运作的时候，企业之魂就不再是企业家，而变成了客户需求。客户是永远存在的，这个魂是永远存在的。我在10年前写过一篇文章，《华为的红旗能打多久》，就引用孔子的一首诗"子在川上曰，逝者如斯夫"。

我就讲管理就像长江一样，我们修好堤坝，让水在里面自由流，管它晚上流、白天流。晚上我睡觉，但水还自动流。水流到海里面，蒸发成空气，雪落在喜马拉雅山，又化成水，流到长江，长江又流到海，海又蒸发。这样循环搞多了以后，它就忘了一个在岸上还喊"逝者如斯夫"的人，一个"圣者"，它忘了这个"圣者"，只管自己流。这个"圣者"是谁？就是企业家。

……

管理者会离开，会死亡，而管理体系会代代相传；它的有生命则在于随着我们一代一代奋斗者生命的终结，管理体系会一代一代越来越成熟，因为每一代管理者都在给我们的体系添砖加瓦。每个企业都有自己的魂，企业的魂就是客户。当企业家在企业地位淡化的时候，企业才是比较稳定的。

在自觉不自觉中，任正非将自己的角色从一个管理者向"领导者"过渡。2000年，任正非提出了管理的最高境界是"无为而治"的理念。在2000年2月14日，春节后上班第一天的第一件事，就是在华为总裁办公会议正式召开之前，任正非以《无为而治》为题，对与会各位高层领导进行两小时的托福式的作文考试。任正非认为，减少企业最高领导人的个人决策，放开高层决策权，无疑也是强化职业化管理的一个重要内容：

淡化企业家和强化职业化管理，要求我们逐步地开放高层民主。华为实行的委员会民主决策、部门首长办公会议集体管理的原则，这是发挥高层集体智慧，开放高层民主的重要措施。我们以资深行政人员、资深专业人士，以及相关各行政职能部门首长组成的委员会，贯彻了选拔的从贤不从众的原则。在实行决策管理过程时，又使用了充分的民主原则，从而使企业的管理避免和减少首长个人决策的失误机会。即使失误了，也因事先有过充分的研究，可以由众多人员去补救。委员会是务虚的，确定管理的目标、措施、评议和挑选干部，并在实行中进行监控，使企业的列车始终运行在既定的路线上。

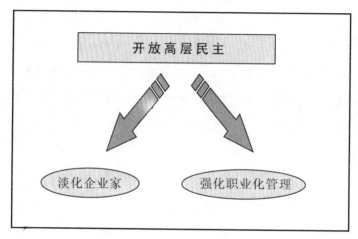

华为的一个高层在那次关于《无为而治》的托福式的作文考试中这样写道："在我国有一个关于古代神医扁鹊的故事。说扁鹊有兄弟三人，大哥医术最高，当疾病尚表现在皮肤气色上时，他就已经观察出，并简单地给病人服几剂药就好了，但大家以为他只能治小病，故名声不出乡里；二哥医术差一级，要等疾病已进入到病人的肌骨了，才识别出并治好，但名声反而到了州郡；三弟扁鹊，医术最低，非要等到疾病已进入腑脏，病人已行将就木了，才知道去医，大动干戈，将之救活，结果反被尊为神医，举世闻名。

"联想到我们的企业管理者，那些整天快速响应，四处忙碌的，看似热闹，其实很可能是他的周边工作环境在思路上、方法上有问题，或是前任的工作积累了很多问题，基础太差。结果大量的时间、精力花费在'中断→保护现场→紧急处理→恢复环境'上，有时'中断处理'有好几层递归。这样员工相当部分的资源消耗在调度环节，工作绩效肯定要打折扣。而优秀经理人（及经理人团队）治理下的公司、部门，一切都有条不紊地在运作，员工甚至不大感觉到管理的存在，而团队绩效却很突出，因为管理的最高境界就是无为而治！"

正如任正非所说的："企业管理的目标是流程化组织建设"，当流程化建设做好之后，就自然可以像扁鹊的大哥一样"当疾病尚表现在皮肤气色上时，他就已经观察出"，将问题解决在萌芽状态。

如今，任正非仍然是华为的最高领导者，但是，更多的时候他是以一种精神的方式而存在，于是常常出现这样的情况：到华为拜访的人常常问接待的高层："任总在公司吗？"他们得到的回答往往是："任总不在，但公司一样运转得很好。"任正非表示：

企业家在这个企业没有太大作用的时候，就是这个企业最有生命的时候。所以当企业家还具有很高威望、大家都很崇敬他的时候，就是企业最没有希望、最危险的时候。所以我认为华为的宏观商业模式，就是产品发展的路标是客户需求，企业管理的目标是流程化组织建设。同时，牢记客户永远是企业之魂。

第三节 管理需要变革

从 Apple 到 Google，这些新的玩家无不警示我们，在新一轮的产业融合浪潮中，运营商要成为新产业领导者，必须发挥固有优势，并重构业务的控制点和盈利点。

毋庸置疑，这是一个产业大融合的时代。

新融合时代相对于过去20年的变迁，最大的区别就是：变革的力量来自很多方面。未来的产业，必将是一个融合了通信、信息、娱乐、媒体乃至金融、零售、物流等诸多行业的新产业，电信业只是其中的一分子。更关键的是，电信业不再是变革的主导力量，电信业的变革更多是被其他产业力量所驱动，电信业的未来必然要融入这个全新的产业中去。而作为电信设备供应商的华为，更要适应这一时代的需要。通用电气(GE)前总裁韦尔奇在谈到GE的价值观时，曾多次强调："正是对变革的热爱和渴望抓住变革的念头，才使通用电气像今天这样重要，有活力，与众不同。"

新陈代谢是自然的规律，华为的事业要不断发展，就必须进行变革。

变革需要按事物变化的规律来进行变革。面临业务交付和变革双重压力，公司如同对一辆负荷重又高速行进的大车做方向和结构调整，只能是拐大弯：不变（不拐弯）是不行的，但突变（拐急弯）又会出事或者加剧痛苦，所以要用拐大弯的方式来牵引变革，并先从主要的着手。

2009年1月，任正非在销售服务体系奋斗颁奖大会上谈道：

我们并不否定20年来公司取得的成绩。20年来公司是实行高度的中央集权，防止了权力分散而造成失控、形成灾难，避免了因发展初期产生的问题而拖垮公司。但世界上没有一成不变的真理。今天我们有条件来讨论分权制衡，协调发展。通过全球流程集成，把后方变成系统的支持力量。我们沿着流程授权、行权、监管，来实现权力的下放，以摆脱中央集权的效率低下、机构臃肿的弊端，实现客户需求驱动的流程化组织建设目标。我相信成功过的华为人，完全有可能实现这一次变革。

据美国学者的调查，在3年期间内，美国100家最大的工业公司至少有三分之二进行了重大组织调整，并估计大公司每两年至少就得进行一次重大的调整。与工业企业相比，其他类型组织的变革频率虽然没有这样高，但是，组织变革却是从来没有停止过。

从20世纪80年代早期，通用电气时任总裁韦尔奇发动的战略重组行动，到20世纪90年代中后期遍及整个公司的六西格玛行动，韦尔奇马不停蹄地重新修订着GE的一个又一个发展计划，目标只有一个——不断发展，而手段和方法则层出不穷。韦尔奇时常提醒他的员工：接受变革，不要惧怕！他主张以崭新的视角审视自己的工作，进行一切必要的、有力的变革。韦尔奇提出 GE 要通过贯彻它独特的价值观进行一系列变革，使它比小公司更加生机勃勃，富有柔性，更具适应力，更加灵活。

韦尔奇挥动变革大旗，引导通用电气实施了组织管理的变革，其作用是十分明显的，其意义也是十分深远的。美国一位管理学教授认为，韦尔奇的变革创造了可供 21 世纪借鉴的现代公司的新典范。

在中国，可以说，华为的变革创造了中国民营企业进入信息时代的可借鉴的新典范。

华为在 2000 ～ 2002 年达到 20 亿美元营业收入的时候遇到了第一次"华为的冬天"。根据观察，很多中国的民营企业也都是在营业收入达到 200 亿元人民币左右就再也做不上去了。而华为却只经过了两年多时间的调整，很快就迈过了这道门槛，华为究竟靠的是什么呢？简单来说，就是管理变革。

华为从 1997 年开始与 Hay group（合益集团）合作进行人力资源管理变革。在 Hay 的帮助下，华为建立了职位体系、薪酬体系、任职资格体系、绩效管理体系及员工素质模型。在此基础上，华为形成了对员工的选、育、用、留原则和对干部的选拔、培养、任用、考核原则。自 1998 年开始，Hay 每年对华为人力资源管理制度的改进进行审计，找出存在的问题，交给华为解决。2005 年开始，华为又与 Hay 合作，进行领导力培养、开发和领导力素质模型的建立，为公司面向全球发展培养领导者。

第四节　授权一线决策

古来就有一句话叫"将在外君命有所不受"，意思是说，将领带兵在外，总部消息难以准时到达，因此只能根据实际情况自作主张。如今，虽然通信很方便，然而在沟通的过程中，还是会产生误差。因此，任正非表示，"让听得见炮声的人来决策。"

2008 年年底之前，一提到一线的 IT 系统，华为人就摇头叹息。以前华为业务对 IT 的需求都是基于机关职能部门视角，IT 方案也都是按照业务块设计的，有些甚至就是业务部门 IT 人员自己设计并开发的。当华为逐渐向流程化、职业化转变时，业务部门越来越感觉到 IT 系统全流程不通，业务数据在各个 IT 系统中条块分割，跨过太平洋就很难通过 IT 系统有效调动公司资源了。典型的例子就是一个客户合同或 PO（订单的意思，英文全称是 "PURCHASE ORDER"），从录入 IT 系统到履行完毕并开出发票，全流程流经十几个 IT 系统，而且不可跟踪，必须靠很多人去上下游核对，既浪费人力，又无法保证准确，效率异常低下。

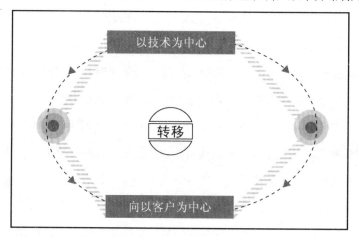

任正非谈道：

在以技术为中心，向以客户为中心的转移过程中，如何调整好组织始终是一个很难的题目。刚开始我的认识也是有局限性的。我在 EMT（经营管理团队）会上讲了话，要缩短流程、提高效率、减少协调，使公司实现有效增长，以及现金流的自我循环。但所提出的措施确实有一些问题：单纯的强调精简机关、压缩人员、简化流程，必然遭遇一部分 EMT 成员的反对。

他们认为机关干部和员工压到一线后，会增加一线的负担，增加了成本，并帮不了什么忙。机关干部下去以总部自居，反而干预了正常的基层工作。后来我听取一些中层干部的反映，他们认为组织流程变革要倒着来，从一线往回梳理，平台（支撑部门和管理部门，包括片区、地区部及代表处的支撑和管理部门）只是为了满足前线作战部队的需要而设置的，并不是越多越好、越大越好、越全越好。要减少平台部门、减轻协调量、精减平台人员，自然效率就会提高。这样 EMT 决议还未出笼就被反了一个方向。但如何去实现这一点呢？问题仍然摆在前面。

任正非在北非时，听取了北非地区部的汇报后，有了一些启发。

北非地区部努力做厚客户界面，以客户经理、解决方案专家、交付专家组成的工作小组，形成面向客户的"铁三角"作战单元，有效地提升了客户的信任，较深地理解了客户需求，关注良好有效的交付和及时的回款。

铁三角的精髓是为了目标，而打破功能壁垒，形成以项目为中心的团队运作模式。公司业务开展的各领域、各环节，都会存在铁三角。三角只是形象说法，不是简单理解为三角、四角、五角，甚至更多也是可能的。这给下一阶段组织整改提供了很好的思路和借鉴，公司主要的资源要用在找目标、找机会，并将机会转化成结果上。我们后方配备的先进设备、优质资源，应该在前线一发现目标和机会时就能及时发挥作用，提供有效的支持，而不是拥有资源的人来指挥战争、拥兵自重。

......

谁来呼唤炮火，应该让听得见炮声的人来决策。而现在我们恰好是反过来的。机关不了解前线，但拥有太多的权力与资源，为了控制运营的风险，自然而然地设置了许多流程控制点，而且不愿意授权。过多的流程控制点，会降低运行效率，增加运作成本，滋生了官僚主义及教条主义。

当然，因内控需要而设置合理的流程控制点是必需的。去年（2008 年）公司提出将指挥所（执行及部分决策）放到听得到炮响的地方去的意见，已经有了变化，计划预算开始以地区部、产品线为基础，已经迈出可喜的一步，但还不够。北非地区部给我们提供了一条思路，就是把决策权根据授权规则授给一线团队，后方则起保障作用。这样我们的流程优化的方法就和过去不同了，流程梳理和优化要倒过来做，就是以需求确定目的，以目的驱使保证，一切为前线着想，就会共同努力地控制有效流程点的设置。从而精简不必要的流程，精简不必要的人员，提高运行效率，为生存下去打好基础。

用一个形象的术语来描述，我们过去的组织和运作机制是"推"的机制，现在我们要将其逐步转换到"拉"的机制上去，或者说，是"推""拉"结合、以"拉"为主的机制。推的时候，是中央权威的强大发动机在推，一些无用的流程，不出功的岗位，是看不清的。拉的时候，看到哪一根绳子不受力，就将它剪去，连在这根绳子上的部门及人员，一并减去，组织效率就会有较大的提高。我们进一步的改革，就是前端组织的技能要变成全能的，但并非意味着组织要去设各种功能的部门。

任正非表示，基层作战单元在授权范围内，有权力直接呼唤炮火（指在项目管理上，依据 IBM 的顾问提供的条款、签约、价格三个授权文件，以毛利及现金流进行授权，在授权范围内直接指挥炮火。超越授权要按程序审批）。

当然炮火也是有成本的，谁呼唤了炮火，谁就要承担呼唤的责任和炮火的成本。后方变成系统的支持力量，必须及时、有效地提供支持与服务，以及分析监控。公司机关不要轻言总部，机关不代表总部，更不代表公司。机关是后方，必须对前方支持与服务，不能颐指气使。

公司的最高决策机构是 EMT 会议。EMT 成员只是在会议结束后，推动决议的执行，他们叫首长负责制，也不能自称总部。机关干部和员工更不能以总部自称、发号施令，更不能要求前方的每一个小动作都必须向机关报告或经机关批准，否则，机关就会越做越大，越来越官僚。一线的作战，要从客户经理的单兵作战转变为小团队作战，而且客户经理要加强营销四要素（客户关系、解决方案、融资和回款条件以及交付）的综合能力，要提高做生意的能力；解决方案专家要一专多能，对自己不熟悉的专业领域要打通求助的渠道；交付专家要具备能与客户沟通清楚工程与服务的解决方案的能力，同时对后台的可承诺能力和交付流程的各个环节了如指掌。其他非主业务的人员，要加强对主业务的了解，了解达不到一定深度的，不能成为管理干部及骨干，没有这种经历的，要去补好这一课。

"让听得见炮声的人来决策"，和中国独有的军事原则与军事思想——"将在外，君命有所不受"的思想是一样的。"君命有所不受"，是个让步条件的复句，如果将它还原为现代汉语的句式则是："即使国君有命令传达到，假如在可行性上有疑问，也不能执行它。"孙武的名言到司马迁这里又发展出个结句"将在外，主令有所不受，以便国家"（《史记·魏公子列传》）。

以美军在阿富汗的特种部队来举例。以前前线的连长指挥不了炮兵，要报告师部请求支援，师部下命令炮兵才开炸。现在系统的支持力量超强，前端功能全面，授权明确，特种战士一个通讯呼叫，飞机就开炸，炮兵就开打。前线三人一组，包括一名信息情报专家，一名火力炸弹专家，一名战斗专家。他们互相了解一点对方的领域，紧急救援、包扎等都经过训练。当发现目标后，信息专家利用先进的卫星工具等确定敌人的集群、目标、方向、装备……炸弹专家配置炸弹、火力，计算出必要的作战方式，其按授权许可度，用通信呼唤炮火，完全消减了敌人。美军作战小组的授权是以作战规模来定位的。例如：5000万美元，在授权范围内，后方根据前方命令就及时提供炮火支援。我们公司将以毛利、现金流，对基层作战单元授权，在授权范围内，甚至不需要代表处批准就可以执行。军队是消灭敌人，我们就是获取利润。铁三角对准的是客户，目的是利润。铁三角的目的是实现利润，否则所有这些管理活动是没有主心骨、没有灵魂的。当然，不同的地方、不同的时间，授权是需要定期维护的，但授权管理的程序与规则是不轻易变化的。

参考文献

1. 李信忠 . 华为的思维：解读任正非企业家精神和领导力 DNA. 东方出版社，2007.5

2. 张贯京 . 华为四张脸 . 广东经济出版社，2007.4

3. 王永德 . 狼性管理在华为 . 武汉大学出版社，2007.1

4. 刘世英，彭征明 . 华为教父任正非 . 中信出版社，2008.1

5. 张力升 . 军人总裁任正非 . 中央编译出版社，2008.8

6. 王育琨 . 企业家的梦想与痴醉：强者 . 北京理工大学出版社，2006.8

7. 程东升，刘丽丽 . 华为经营管理智慧：中国土狼的制胜攻略 . 当代中国出版社，2005.5

8. 汤圣平 . 走出华为 . 中国社会科学出版社，2004.11

9. 李尚隆 . 削减成本 36 招 . 机械工业出版社，2009.8

10.(美) 德鲁克 . 蔡文燕译 . 创新与企业家精神 . 机械工业出版社，2007.1

11. 元轶 . 柳传志谈管理 . 海天出版社，2009.8

12. 任伟 . 王石如是说 . 中国经济出版社，2009.1

13. 玛格丽塔·斯通 . 李钊平译 . 什么是管理 . 电子工业出版社，2003.1

14. 胡泳 . 张瑞敏如是说：中国第一 CEO 的智慧 . 浙江人民出版社，2006.2

15. 施振荣 . 宏基的世纪变革 . 中信出版社，2005.5

16. [美] 韦尔奇·赢 . 余江等译 . 中信出版社，2005.5

17. 邱旭瑜 . 假如任正非这个"太阳"不在了，华为怎么办 . 中国管理传播网，2006.2

18. 华为利润下滑需节流，调整旨在清理内部"沉淀层". 搜狐 IT，2007.11

19. 依托国际化和管理变革，华为突破"第二次极限". 金融时报中文网，2009.7

20. 联想集团董事局主席柳传志演讲 . 搜狐 IT，2003.11

21. 华为为何左右逢源，受益"冬天". 中国营销咨询网，2009.11

22. 王喜军 . 任正非：无声处的惊雷 . 当代经理人，2008.3

23. 尹生 . 任正非：国际化"教父". 中国企业家，2006.12

24. 王石 . 华为任正非像是沙漠上一只狐狸 . 中国企业家，2008.12

25. 李超，崔海燕 . 铸造华为"米姆". IT 时代周刊，2004.9

26. 王育琨 . 华为米姆国际化的一种标 . 中国经营报，2004.9

27. 吴春波 . 华为没有秘密，任正非没有密码 . 中国企业家，2008.12

28. 王育琨 . 任正非的抗争与呐喊 . 经理人，2009.5

29. 任正非感悟：做商界孤独的英雄 . 中国企业家，2009.8

30. 马晓芳 . 华为总裁任正非：带头辞职再返聘，瓦解工号文化 . 第一财经日报，2007.12

31. 胡涛 . 任正非：要快乐地度过充满困难的一生 . IT 时代周刊，2008.4

32. 王育琨.任正非：专注不旁骛，华为最基本使命是活下去.上海证券报，2007.11

33. 张维迎.职业化管理的正道.经济观察报，2002.5

34. 最神秘的企业家任正非：用毛泽东兵法治商.北京晨报，2005.4

35. 冀勇庆.任正非：可以特立，不可独行.IT 经理世界，2008.3

36. 侯军.舵手任正非.投资家，2009.10

37. 王育琨.任正非的别样视野.上海证券报，2007.11

38. 熊川.任正非：以"偏执狂"的执着精神来创新华为.财经时报，2005.4

39. 刘晓燕.任正非：思考失败，十年不间断.南方都市报，2005.8

40. 任正非 IT 帝国非常文化.南方都市报，2008.3

41. 刘婷.任正非：不奋斗，就没有出路.中国计算机报，2006.10

42. 肖凤.任正非：企业家中的学毛标兵.赢周刊，2006.9

43. 黄久.任正非的低调冠军路.第一财经日报，2008.9

44. 吴建国.任正非寻找海外接班人.IT 经理世界，2003.10

45. 王冰睿.任正非：规则破坏者还是激进创新者.IT 时代周刊，2009.2

46. 冯禹丁.孙亚芳.华为的另半边天.商务周刊，2008.3

47. 华为孙亚芳：沟通成就魅力.管理学家，2009.7

48. 孙亚芳：曾在华为最危急的时候"挽救过华为".世界企业家，2009.8

49. 刘丁.任正非：菊花与刀锋并举.南方周末，2008.12

50. 甲乙.任正非不在的时候华为公司一样运转得很好.IT 经理世界，2005.10

51. 金错刀.危机下的核心生存力：紧迫感.21 世纪经济报道，2009.10

52. 吴春波.华为：均衡发展模式的成功.吴春波的博客 2009.10

53. 饶宇锋.华为：内外联合刨树根.创业家，2009.10

54. 李刚，王献义.华为高增长的隐忧.中国企业家，2009.9

55. 陈颖，秦源.华为职业管理：从秘书开始.商界评论，2007.12

56. 邓中华.华为的管理优化路线图.管理学家，2007.3

57. 吴建国.集成化供应链管理在华为的实践.IT 经理世界，2004.5

58. 任正非：华为"狼"的温情.生意场，2009.7

59. 从任正非《华为的冬天》看企业人文管理.南方都市报，2005.4

60. 郄永忠.华为：快速发展的背后.商学院，2007.3

61. 王永德.狼性管理在华为.吉利汽车报，2008.1

62. 邓中华.华为的管理优化路线图.管理学家，2007 .3

63. 丘慧慧.华为管理变革：英雄远去，职业化到来.21 世纪经济报道，2006.11

64. 王育琨.地头力式生长.商界评论，2009.8

65. 陈春花.如何成为领袖.北大商业评论，2008.2

66. 李瀛寰.华为企业网络系列报道之四：穿一双正宗的美国鞋.中国计算机报，2006.6

67. 丘慧慧.3G 是一种理念的延伸，华为实验室穿上"美国鞋".21 世纪经济报道，2004.12

68. 华为：职业化发展管理提速执行力.培训，2008.9

69. 陈叙."洋"管理方法如何本土化.中国国门时报，2005.6

70. 吴建国.华为运动史：从有为到无为.IT 经理世界，2005.3

71. 张楚.华为，组织架构随需而变.中国经营报，2006.1

72. 凡国君.华为组织架构调整组建七大片区.第一财经日报，2007.2

73. 冀勇庆.华为的第二次极限.IT 经理世界，2006.10

74. 王旭芳，金伟 . 华为公司采用 SSE 进行费用管理的做法 . 财务与会计：综合版，2008.8

75. 雷富礼 . 王胤九译 . 只有 CEO 能做的事 . 华尔街日报，2009.8

76. 胡勇 . 华为的大平台与"拧麻花" . 创业家，2008.4

77. 易运文 . 以客户为中心，以技术为依托，华为在国际金融危机中逆市而上 . 光明日报，2009.2

78. 张亮 . 思科 CEO 钱伯斯：穿越风暴眼 . 环球企业家，2009.6

79. 约翰·钱伯斯 . 适用于未来的管理模式 . 麦肯锡季刊，2009.7

80. 刘启诚，高明亮 . 思科董事会主席兼 CEO 约翰·钱伯斯全球复制领导力 . 数字商业时代，2008.5

81. 郭旭光 . 领导层的管理创新是企业发展的源泉 . 拖拉机报，2008.2

82. 任正非 . 开放合作是云产业未来标志 . 中国经济和信息化，2011.12

83. 马晓芳 . 华为高管首谈接班人问题：任正非亲属不会接班 . 第一财经日报，2011.1

84. 孙亚芳 . 华为的智色女舵手 . 今日财富，2010.10

85. 宋业楠 . 步入多元化经营的华为 . 职场八卦，2012.5

86. 黄运涛，李千仪 . 华为跨出电信市场，欲效仿通用多元化之路 . 路透中文网，2011.11

87. 韩国企业国际化四个阶段 . 湖北日报，2011.4

88. 张利华 . 华为不差 CEO. IT 经理世界，2012.2

89. 斯图尔特·布莱克，艾伦·莫里森 . 日本企业国际化的前车之鉴 . 哈佛商业评论，2012.3

90. 马晓芳 . 华为副董事长郭平：跨境整合是高风险工作 . 第一财经日报，2012.1

91. 华为斥资 15 亿美元在匈牙利建欧洲物流中心 . 新华网，2012.5

92. 李慧 . 论企业财务管理的重要性 . 中国外资，2011

93. 企业长青——摆脱路径依赖 . 大禹网，2011.7

94. 胡宁涛，刘春蕾 . 浅谈华为的 EMT 轮岗制度 . 新人力，2011（11）

95. 华为国际化：从"红高粱"到"高科技" . 凤凰网商业，2012.4

后记

在《华为的管理模式》写作过程中，作者查阅、参考了与华为和任正非有关的大量文献和作品，并从中得到了不少启悟，也借鉴了许多非常有价值的观点及案例。但由于资料来源广泛，兼时间仓促，部分资料未能（正确）注明来源及联系版权拥有者并支付稿酬，希望相关版权拥有者见到本声明后及时与我们联系（huawei_glms@126.com），我们都将按国家有关规定向版权拥有者支付稿酬。在此，表示深深的歉意与感谢。

由于写作者水平有限，书中发现不足之处在所难免，诚请广大读者指正。另外，感谢林明浩、符贤通、陈元秀、杨兵、何琳丹、吉月央、黄宁、文俊兴、邢欢欢、吴丽金、王其彪等人参与编写此书所付出的辛勤劳动。

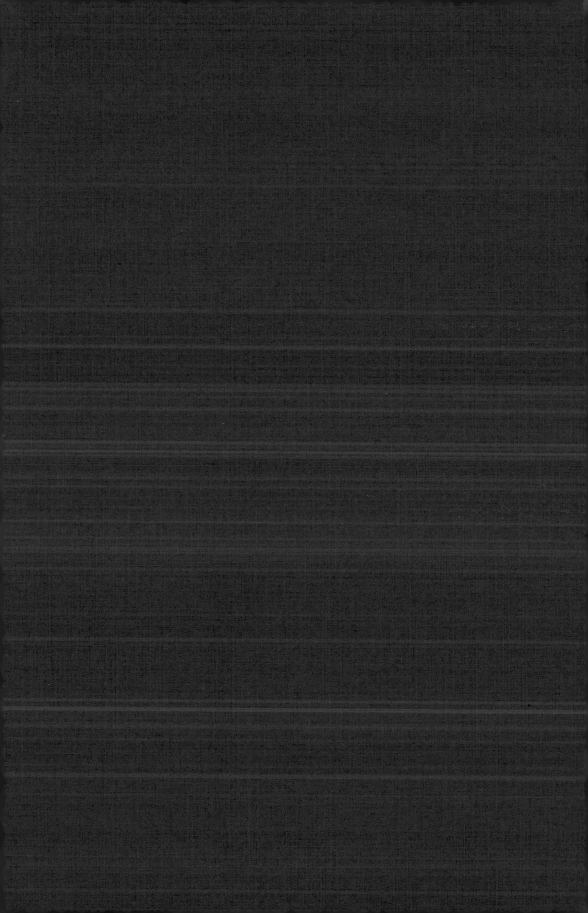